Pour l'amour de Nathalie

Catherine Anderson

Pour l'amour de Nathalie

Traduit de l'américain
par Béatrice Pierre

Titre original :

BRIGHT EYES
Signet, published by New American Library,
a division of Penguin Group, New York

À Julie Seybert, alias Jules Maree,
dont la voix est presque aussi belle qu'elle.
Ne renonce pas à tes rêves, mon amie,
Nashville t'attend : sans ta musique,
le monde serait beaucoup plus triste.
Et à mon mari, Sid, qui comme toujours
a été mon ancre à travers les orages
de la vie et ne m'a jamais laissée tomber.

1

Zeke Coulter gara sa Dodge devant sa nouvelle ferme, se réjouissant par avance du week-end qu'il allait y passer. Propriétaire d'un magasin de fournitures pour ranch, il consacrait régulièrement ses samedis à de multiples tâches administratives mais, cette fois-ci, il avait réorganisé l'emploi du temps de ses employés afin de s'offrir deux journées entières de congé. Un demi-pack de bières à long col reposait à côté de lui, sur la banquette, qu'il boirait le lendemain – aujourd'hui, il avait l'intention de jardiner jusqu'à la tombée de la nuit, puis de mettre ses légumes en conserve pour l'hiver.

Comme il s'apprêtait à couper le contact, son portable sonna. Randall, le gérant du magasin, cherchait sans doute à le joindre, incapable qu'il était de survivre plus de quelques heures sans lui...

— Zeke à l'appareil, bougonna-t-il.

— Tu as un rendez-vous galant, ce soir ?

Zeke sourit. Cela faisait plus d'une semaine qu'il n'avait pas entendu la voix de Hank, son frère cadet.

— Salut, frérot. J'ai cru que tu t'étais cassé le doigt et ne pouvais plus composer mon numéro... ricana-t-il pour taquiner le jeune marié. Ta jolie petite épouse t'occupe nuit et jour, on dirait.

— On sort prendre l'air de temps en temps, répliqua Hank. D'ailleurs, on se demandait si tu voulais venir dîner. Au menu : poulet frit – du poulet comme on le prépare dans le Sud.

— Je croyais que l'odeur de friture la rendait malade.

— Plus maintenant, elle a de nouveau des fringales. Ce soir, c'est poulet frit et purée de pommes de terre.

— Lequel de vous deux est enceint ? Ça me paraît très louche : c'est ton plat préféré.

Hank éclata de rire.

— Nous avons les mêmes goûts. Alors, tu viens ?

Sincèrement désolé, Zeke expliqua ses projets pour la soirée.

— Cueillir des légumes et les mettre en conserve ? répéta Hank avec dégoût. Tu as l'air d'oublier que tu es un Coulter : il faut soutenir notre réputation de joyeux lurons… Ça fait partie du patrimoine génétique, comme le nez !

Zeke éclata de rire. Ses frères et lui ressemblaient tous à leur père – des cheveux noirs, une peau mate, des yeux bleus et, surtout, un grand nez, que leur mère comparait souvent à la lame d'un couteau de chasse.

— Si je ne m'occupe pas de mes tomates ce week-end, elles seront fichues. J'ai travaillé trop dur pour laisser pourrir la récolte.

— Quel est ton problème, frangin ? Tu es déjà un célibataire de trente-trois ans, ne va pas aggraver ton cas en passant ton vendredi soir à mettre des tomates en conserve au lieu d'aller t'amuser…

— D'abord, j'ai presque trente-quatre ans et, ensuite, j'aime bien faire des conserves.

— Ne le dis à personne, surtout !

— Tu t'es amusé pour nous tous, et regarde où ça t'a mené ! se moqua gentiment Zeke. Faire des conserves de tomates est moins dangereux.

— Figure-toi que j'aime passionnément l'endroit où ça m'a mené, rétorqua Hank d'un ton satisfait.

Son frère avait l'air réellement heureux, et Zeke s'en réjouissait mais lui n'était pas fait pour le mariage et la paternité.

— Je regrette de ne pas pouvoir me joindre à vous, frérot. Remercie Carly de m'avoir invité.

Zeke éteignait son portable lorsqu'il aperçut un garçon d'une douzaine d'années s'éloigner en courant de derrière sa maison, les épaules voûtées et la tête penchée. À son allure, Zeke comprit qu'il y avait du grabuge dans l'air. Il bondit de sa voiture.

— Hé ! cria-t-il.

Le gamin traversa à toutes jambes le champ qui séparait les vingt hectares de Zeke de la ferme voisine, son tee-shirt trop large voletant autour de son corps fluet. Les étés à la campagne pouvaient être longs et ennuyeux, pour un garçon inoccupé, et l'ennui menait souvent aux bêtises, songea Zeke en pensant à sa propre adolescence.

Un peu inquiet, il longea sa maison pour voir ce que l'intrus avait fabriqué. Sous la fenêtre de la cuisine, la pulpe d'une tomate bien mûre souillait la peinture neuve du mur.

— Putain !

Jurant tant et plus, Zeke fit le tour de la maison. D'innombrables éclaboussures dégoulinaient sur les murs. Ce n'était pas tout : la baie vitrée du salon et la fenêtre de la salle de bains étaient brisées. Quant à la porte de l'appentis qui lui servait de débarras, elle pendait misérablement, retenue par un seul gond, et la croix en bois qui la bloquait gisait sur le sol, cassée deux.

Lorsque Zeke se tourna vers son potager, il resta bouche bée. Une tornade avait aplati ses plants de tomates et de maïs. La fureur l'envahit d'un coup lorsqu'il constata les dégâts. Il ne s'agissait pas de simples bêtises, mais de vandalisme, car il ne suffirait pas de laver le mur pour effacer les taches de tomate, il faudrait le repeindre entièrement et remplacer les vitres et la porte.

Où diable va le monde ? se demandait Zeke en se dirigeant à grandes enjambées vers la ferme voisine, une vieille bâtisse dont la peinture blanche s'écaillait et dont le toit en bardeaux avait sérieusement besoin de réparations. Comme il pénétrait dans le jardin qu'ombrageaient des ormes et des chênes, une ombre bougea sur la pelouse qui s'étendait devant la maison. Il contourna le bâtiment, espérant coincer le gosse avant qu'il se réfugie à l'intérieur.

Ce ne fut pas un enfant, mais une femme que Zeke découvrit. Penchée au-dessus d'une longue table, elle tentait de recouvrir un assortiment de bricoles d'une bâche en plastique bleu que la brise ne cessait de soulever. Sa minuscule robe noire révélait de longues jambes joliment galbées, de la couleur d'un café généreusement nappé de crème fraîche. Alors qu'elle se penchait un peu plus pour maintenir la bâche, la robe remonta un cran plus haut. Doux Jésus ! S'il avait su qu'une femme pareille habitait à côté de chez lui, il y a longtemps qu'il serait venu emprunter du sucre ou autre chose.

— Excusez-moi, dit-il au séduisant postérieur.

— Oh ! s'exclama l'inconnue en sursautant, avant de se redresser pour se tourner vers lui.

Le devant était aussi agréable à regarder que le dos. Zeke, qui d'habitude préférait les femmes minces comme le voulait la mode, décida immédiatement que les rondeurs féminines étaient très plaisantes, surtout lorsqu'elles étaient situées aux bons endroits et qu'un vêtement moulant n'en cachait rien.

— Je suis désolée, je ne vous ai pas entendu arriver, s'excusa-t-elle en tirant d'une main sur sa robe tout en agitant l'autre au-dessus des objets disposés sur la table. J'allais fermer, mais vous pouvez jeter un œil, si vous voulez. Profitez-en, je viens de baisser les prix.

Un vide-grenier, comprit Zeke. Malheureusement, le seul article qui l'intéressait ne portait pas d'étiquette. Sous son épais maquillage, cette femme était ravissante : ses cheveux noirs et bouclés tombaient en cascade sur ses épaules que ne recouvraient que d'étroites bretelles, un rouge sombre faisait briller ses lèvres pleines et son décolleté plongeant laissait apercevoir des seins ronds. En homme bien élevé, Zeke baissa les yeux, qui s'arrêtèrent sur des cuisses à demi nues. Éperdu, il se concentra sur sa taille.

— Je... euh... je ne suis pas venu pour acheter quelque chose, bredouilla-t-il.

Tout en lissant à nouveau sa robe, elle le regarda de ses grands yeux bruns et sourit.

— Vous êtes venu voir mon père ?

Durant un instant, Zeke ne put se rappeler ce qui l'avait amené là. Puis, baissant les yeux, il remarqua le morceau de tomate qui souillait l'une de ses bottes et tout lui revint à l'esprit. Mais, avant qu'il ait pu s'expliquer, un sourire accompagné d'une fossette lui fit à nouveau perdre ses moyens.

— Vous êtes sûr que je ne peux rien vous vendre ? J'ai un jeu de clubs de golf qui sont presque neufs.

— Je ne joue pas au golf.

— Et un pantalon de survêtement en très bon état ? proposa-t-elle en le mesurant du regard. Non, Robert est beaucoup plus petit que vous, corrigea-t-elle aussitôt. J'ai aussi un beau fusil, que je suis prête à brader, ainsi qu'une cartouchière qui n'a jamais été utilisée. Et tous les exemplaires de *Playboy*, depuis mars 1970, vous pouvez les avoir pour un dollar.

— C'est une véritable collection !

— Oui, Robert est...

Elle s'interrompit et haussa les épaules. Son regard s'assombrit brièvement.

— C'est un fervent amateur, si l'on peut dire.

Comment un homme sensé pouvait-il regarder une autre femme que celle-ci?

La jeune femme soupira, puis lui adressa un sourire d'un air malicieux. Cédant à la contagion, il le lui rendit.

— Vous êtes en train de divorcer?

— C'est fait. À présent, j'essaie de rentrer dans mes frais tout en prenant une petite revanche.

Elle aurait pu émouvoir n'importe quel homme d'un seul balancement de hanches. Les yeux rivés sur son visage, Zeke s'efforçait de prendre un air innocent.

— J'ai aussi des tee-shirts ornés du sigle d'une équipe universitaire.

Marchant sur la pointe des pieds pour éviter d'enfoncer ses talons hauts dans l'herbe, elle fit le tour de la table et souleva la bâche.

— Je ne voudrais pas être grossière, mais je vais être en retard à mon travail. Si vous êtes venu acheter des œufs ou du lait, vous trouverez mon père dans la maison.

Quel genre de travail accomplissait-elle ainsi vêtue? se demandait Zeke. Elle ne pouvait avoir beaucoup plus de trente ans – ce qui, si elle s'était mariée très jeune, faisait peut-être d'elle la mère du lanceur de tomates. Apprendre que son fils avait causé des dégâts coûteux chez le voisin n'allait pas lui faire plaisir.

— Je m'appelle Zeke Coulter, j'habite la maison d'à côté.

— Ah! Vous êtes donc le nouveau voisin de Pop!

Elle lâcha la bâche pour s'approcher de lui, la main tendue.

— Je suis contente de faire enfin votre connaissance, poursuivit-elle. J'avais préparé un gâteau pour fêter notre emménagement, mais il a tourné au désastre avant même que je ne le sorte du four: ma fille, Rosie, a sauté à la corde dans la cuisine.

— Oh… Le saut à la corde et les gâteaux qui lèvent, ça ne va pas ensemble.

Zeke lui prit la main en s'efforçant de ne pas serrer trop fort.

— C'est dommage, acheva-t-il, j'aime les bons gâteaux.

— Je n'ai pas dit qu'il était bon, reprit-elle en fronçant le nez. Je suis une piètre cuisinière. Il aurait sans doute ressemblé à une galette, de toute façon. Rosie m'a fourni une bonne excuse.

Avec ces yeux, elle n'avait pas besoin d'avoir des talents culinaires, songea Zeke en lâchant sa main à contrecœur.

— Vous vous appelez comment ?

— Oh, pardon ! s'écria-t-elle. Nathalie Patterson.

Elle consulta à nouveau sa montre avant de l'inviter à entrer.

— Venez, je vais vous présenter à mon père avant de filer.

Quel boulot pouvait-elle donc faire ? Serveuse ? Pourtant, piétiner huit heures de suite sur ces chaussures inconfortables devait être un véritable supplice…

— En fait, ce n'est pas pour voir votre père que je suis venu, expliqua Zeke qui cherchait à présenter les choses le plus aimablement possible. Lorsque je suis rentré chez moi, il y a quelques minutes, j'ai aperçu un garçon qui se sauvait et je l'ai suivi jusqu'ici.

Le sourire de la jeune femme s'effaça lentement.

— Ce doit être mon fils, Chad. Il y a un problème ?

— On peut dire ça, oui.

Il décrivit à regret les actes de vandalisme perpétrés par l'enfant et poursuivit :

— Si je répare moi-même les dégâts, cela me coûtera environ mille dollars – sans parler du temps perdu à jardiner. Je dorlotais ces plants de tomates depuis début juin : elles étaient juste à point.

— Oh! monsieur Coulter, je suis désolée!

Zeke fut surpris de la voir s'excuser: il s'était attendu qu'elle prenne la défense de son fils, et non qu'elle admette immédiatement sa culpabilité.

— Pas autant que moi.

Elle frotta ses bras nus comme si elle avait froid.

— Chad! appela-t-elle en se tournant vers la maison. Viens voir une minute, s'il te plaît.

Les doubles fenêtres de la ferme avaient été relevées pour laisser passer la brise. Le visage d'un vieil homme aux cheveux hirsutes apparut derrière la moustiquaire.

— Qu'est-ce qui se passe, Nattie? T'as besoin de moi?

— Ce n'est rien, papi. Je veux juste parler à Chad.

— Chad! cria-t-il. Ta mère veut te voir!

Le vent se levait, apportant cette fraîcheur vespérale grâce à laquelle les étés du centre de l'Oregon restaient supportables. *Nattie.* Le surnom, à la fois gentil et coquin, plut à Zeke, qui trouvait qu'il seyait parfaitement à la jeune femme. Quand celle-ci repoussa d'une main légère les boucles que la brise ramenait sur son visage, il en profita pour examiner ses traits. Des pommettes hautes, un petit nez délicat, une bouche appelant les baisers, un teint doré par le soleil...

Soudain, la moustiquaire accrochée à la porte claqua. Jetant à Zeke un regard noir, un garçon dévala les marches branlantes du perron et se planta à côté de sa mère, les mains dans les poches de son jean et les épaules voûtées.

— Chad, commença Nathalie, ce monsieur prétend que tu as saccagé son jardin, jeté des tomates sur sa maison, cassé deux fenêtres et défoncé la porte d'un appentis...

L'enfant releva la tête. Une mèche brune retomba sur ses yeux brillants.

— Et alors?

Sa réaction était aussi inattendue que celle de sa mère. Mais le garçon ne pouvait décemment nier : son tee-shirt et ses chaussures étaient tachés de pulpe de tomate et d'herbes écrasées.

— Et alors ? répéta Nathalie en empoignant le bras de son fils pour le secouer. C'est tout ce que tu as à dire ? Selon M. Coulter, il y en a pour mille dollars de dégâts ! Je n'ai pas cet argent en ce moment, tu le sais.

La colère incendia les yeux du gamin.

— Appelle papa. Il en a plein, de l'argent.

Nathalie parut sur le point de protester, mais elle se mordit la lèvre et garda le silence une seconde avant de murmurer :

— Chad, ton père ne paie même pas la pension alimentaire, pourquoi paierait-il ça ?

L'enfant dégagea son bras.

— C'est ta faute, si papa t'envoie pas de chèques, il te déteste. S'il apprend que j'ai des ennuis, ça sera différent. Tu verras.

Avant que Nathalie n'ait eu le temps de répondre, la moustiquaire claqua à nouveau. Le vieil homme que Zeke avait aperçu derrière la fenêtre sortit sur le perron et descendit les marches en traînant ses vieilles savates avachies. Il portait une salopette bleue et un maillot de corps défraîchi.

— C'est quoi, le problème, ici ? s'enquit-il en fronçant les sourcils.

— Ce monsieur est notre voisin, papi, expliqua Nathalie en posant la main sur l'épaule de son fils. Chad a fait des bêtises. Entre autres, il a jeté des tomates sur le mur de sa maison. Les dégâts se monteraient au moins à mille dollars.

— Ah ! s'exclama le vieil homme en jetant à Zeke un regard impérieux. Vous avez relevé les empreintes, monsieur ?

L'absurdité de la question sidéra Zeke, qui jeta un coup d'œil au garçon.

— Je n'ai nul besoin de chercher des empreintes, monsieur : cet enfant est couvert de pulpe de tomate.

Le grand-père de Nathalie se plia en deux pour examiner son arrière-petit-fils.

— Des tomates, il y en a partout. Nous-mêmes, on en a plein. Pourquoi ce seraient pas les nôtres, hein ?

— Papi, je t'en prie, intervint la jeune femme, tu ne fais qu'empirer les choses.

— Empirer comment ? grommela le vieil homme, glissant les pouces dans les bretelles de sa salopette pour se balancer d'avant en arrière en fusillant Zeke du regard. Tu sais à qui tu as affaire, mon gars ? Aux Westfield, voilà à qui t'as affaire.

Le nom n'évoquait rien à Zeke, qui se garda bien de le signaler.

— Ça fait près de cent ans qu'il y a des Westfield dans ce coin. T'amuse pas à nous accuser sans preuve. Nous autres, on aime pas les gens qui souillent notre nom.

Zeke, lui, n'aimait pas les gens qui souillaient sa maison, mais à nouveau il tint sa langue – le visage du vieil homme était rouge de colère, et il ne voulait pas qu'il ait une crise cardiaque.

Nathalie lâcha son fils pour entourer de ses bras les frêles épaules de l'aïeul.

— Papi, tu vas manquer ton jeu télévisé.

— Je m'en fous, des jeux télévisés ! Comme si j'avais rien de mieux à faire…

Sa bouche se plissa.

— Monsieur, je vous invite poliment à sortir de cette propriété. Notre Chad est un gentil garçon, il ferait rien de ce que vous dites. Vous m'avez compris ?

— Papi, s'il te plaît, insista Nathalie d'une voix plus ferme, ça suffit, maintenant. M. Coulter n'a pas été désagréable et Chad a avoué.

— Quoi ? fit le vieux bonhomme en clignant des yeux. C'est vrai, Chad ? demanda-t-il en s'inclinant de nouveau pour scruter le visage de l'enfant.

Chad hocha la tête d'un air boudeur. Au même instant, la moustiquaire claqua pour la troisième fois et une sirène en minijupe et corsage très court apparut. Malgré ses cheveux hérissés, rigides de gel, et sa démarche étrangement raide, elle ressemblait beaucoup à Nathalie. Baissant les yeux, Zeke découvrit qu'elle était pieds nus et que des morceaux de coton séparaient ses orteils aux ongles vernis.

— Bonjour! s'écria-t-elle avec un sourire sensuel. Je suis Valérie, la petite sœur de Nathalie.

Prenant appui sur la balustrade du perron, elle posa une main sur sa hanche et battit des paupières.

— Vous êtes notre nouveau voisin?

— Oui. Je m'appelle Zeke Coulter.

Il avait deviné qu'elle était la sœur de Nathalie, les deux femmes ayant l'air de sortir du même moule – la nouvelle venue devait avoir à peine vingt ans.

— J'ai acheté la maison d'à côté, reprit-il.

— Super! commenta Valérie en déployant ses doigts de façon provocante sur sa hanche. Enfin, il arrive quelque chose d'intéressant dans ce trou paumé!

Une bulle de chewing-gum jaillit de ses lèvres, puis elle sourit, et une fossette creusa sa joue.

— Ça ne fait que deux semaines que je suis à la maison, et déjà je m'ennuie à mourir...

Voulait-elle insinuer qu'elle comptait sur Zeke pour la divertir? Son parfum lui parvint du porche: Obsession, reconnut-il – c'était aussi celui de sa sœur Bethany. Valérie était un joli petit lot, tout en courbes délicates et avec des jambes interminables. Ses grands yeux noirs étaient sûrement capables de subjuguer un homme un peu innocent, ce que n'était pas Zeke.

Il lui rendit son sourire par pure politesse avant de reporter son attention sur Nathalie, qui essayait toujours de calmer son grand-père. Malgré sa grande beauté, elle non plus n'était pas son type: il préférait les femmes dont la séduction naturelle se passait de maquillage, de talons aiguilles et de petite robe noire moulante.

— Rentre dans la maison, papi, ordonnait-elle d'une voix douce en tapotant l'épaule du vieil homme. Et toi, Chad, va dans ta chambre. Pas de télévision, ce soir, ni de jeux vidéos. Pas de musique ou de *Harry Potter* non plus. Tu regardes le plafond et tu réfléchis à ce que tu as fait. Demain matin, nous en reparlerons. Nous verrons quelle punition tu mérites.

Du temps de Zeke, la punition eût été infligée à l'aide d'une ceinture en cuir, sans conversation préalable. Enfant, il avait détesté ces séances que lui infligeait son père dans la grange, mais le temps que la sensation de brûlure mettait à s'estomper lui permettait d'y réfléchir à deux fois avant de recommencer à faire des bêtises. En regardant Chad s'éloigner avec une expression butée, Zeke songea qu'un petit tour à la grange pourrait être précisément ce dont avait besoin le gamin.

La moustiquaire claqua de nouveau – ce qui ne le surprit pas : ayant cinq frères et sœurs, il avait l'habitude de voir des membres de sa famille surgir à tout instant, tels des cafards. Un sosie du grand-père, mais plus jeune, apparut sur le seuil de la porte. L'homme avait des cheveux poivre et sel, quelques rides et une salopette informe trouée aux genoux.

— Qu'est-ce que tu fais là, papa ? demanda l'homme, le buste légèrement courbé et une main plaquée sur les reins. Il me semble que Nathalie t'a dit de ne pas t'en mêler.

La jeune femme jeta au nouvel arrivant un regard implorant.

— Pop, s'il te plaît, fais rentrer papi… Il ne fait qu'empirer les choses.

Ledit Pop se gratta la tête, laquelle, il fallait l'admettre, n'avait pas l'air d'avoir besoin d'un shampooing.

— Papa, il faut que tu rentres, Nattie peut se débrouiller toute seule.

— Non, elle ne peut pas. Il lui faut un homme pour la protéger, et son gosse aussi. Son bon à rien de mari a trop à faire avec sa putain blonde pour veiller sur sa famille. Y a que toi et moi.

Le père de Nathalie posa un bras sur les épaules du vieil homme.

— Viens, papa. Tu connais l'histoire du chihuahua qui pisse sur une bouche d'incendie ?

— Un quoi qui pisse sur quoi ? protesta papi qui, visiblement, n'appréciait pas la comparaison. Ce salaud est baraqué, je te l'accorde, mais j'ai pas peur de lui. Si je frappe un homme et qu'il tombe pas, je vais voir derrière lui ce qui le soutient !

Nathalie garda les yeux fermés tandis que son père et son grand-père s'éloignaient. À chaque pas, papi pestait sur les erreurs judiciaires dont il voyait maints exemples sur la chaîne TV Court. Son fils se contentait de hocher la tête tout en l'entraînant vers le porche.

Lorsque la jeune femme rouvrit les yeux, elle poussa un long soupir.

— J'aimerais pouvoir dire qu'il a la maladie d'Alzheimer, lâcha-t-elle d'une voix lasse.

Zeke compatissait. Sa famille n'était pas aussi excentrique, mais il lui était arrivé d'avoir honte de ses frères. Il jeta un coup d'œil à la fille aux longues jambes qui aidait les deux hommes à monter les marches – une manœuvre qui tenait de l'exploit, avec ce coton qu'elle avait entre chaque orteil.

— Valérie a simultanément rompu avec son petit ami et perdu son travail, expliqua Nathalie en suivant son regard. Du coup, elle est revenue au bercail. C'est un trait de famille, à vrai dire : quand tout va mal, nous rentrons à la ferme.

Elle eut un petit sourire, puis respira à fond.

— Je serais heureuse de rembourser les frais des réparations, reprit-elle. J'aimerais que vous essayiez de comprendre : Chad passe un mauvais moment, avec le divorce, avec... d'autres choses. Son comportement a changé, depuis quelque temps. À mon avis, il fait des bêtises pour attirer l'attention de son père.

— Son père habite loin ?

— Non, il vit ici, à Crystal Falls. Seulement, il est... occupé.

Avec sa putain blonde ? Zeke ne pouvait imaginer un père digne de ce nom abandonner son enfant pour une femme.

— Écoutez, monsieur Coulter. Nos problèmes familiaux ne vous intéressent sûrement pas. Sachez simplement que je ne nie rien. En ce moment, je ne suis pas en mesure de vous rembourser... Les temps sont durs, ajouta-t-elle avec un petit rire forcé.

En la voyant faire un geste vers la table, Zeke comprit que la vente était plutôt causée par la nécessité que par le désir de revanche.

— J'aimerais pouvoir vous faire un chèque le mois prochain – ou celui d'après, poursuivit-elle. Mais, en vérité, je ne sais absolument pas quand je disposerai de mille dollars. Est-ce que des versements échelonnés vous satisferaient ?

Zeke en avait assez entendu pour savoir que son ex-mari ne l'aidait en rien ; or il devait être difficile de s'occuper seule de deux enfants, et surtout de subvenir à leurs besoins. Cependant, Chad avait saccagé son potager et sa maison : il devait en assumer la responsabilité.

— Que diriez-vous d'un marché ?

Elle lui jeta un regard méfiant.

— Quel genre de marché ?

Zeke se retint de sourire. Elle avait beau être très séduisante, ce n'était pas à une partie de jambes en l'air qu'il la conviait.

— Chad pourrait me rembourser en m'aidant à réparer les dégâts.

— Je ne suis pas sûre que ce soit une bonne idée.

Pourtant, plus Zeke y pensait, plus la solution lui paraissait satisfaisante. Cet enfant avait des problèmes : travailler de ses mains pouvait lui faire beaucoup de bien.

— Si on fait les calculs sur la base du salaire minimum, il me doit environ cent quarante heures. En travaillant quarante heures par semaine, ça fait… trois semaines et demie.

— Mais il a le camp ! protesta Nathalie.

— Le camp ?

— Au lac des Bois, la dernière semaine d'août, il y va tous les ans. C'est la paroisse qui l'organise. Les enfants rassemblent l'argent nécessaire à leur séjour en vendant des gâteaux et en lavant des voitures. Tant de choses ont été chamboulées dans sa vie, je ne peux pas le priver de ça…

Elle réfléchit une seconde avant de proposer :

— Il pourrait travailler pendant trois semaines, et puis je le relaierais, qu'est-ce que vous en pensez ?

Zeke n'en croyait pas ses oreilles. Manifestement, elle travaillait le soir. Quand comptait-elle dormir, si elle venait l'aider durant la journée ? Il n'était pas question qu'il accepte un tel arrangement.

— C'est à votre fils de réparer ses bêtises. Ou il vient m'aider, ou j'appelle la police. À vous de choisir.

— Mais…

À la place de Chad, Zeke aurait été fouetté, ce qui ne l'aurait pas empêché de travailler pour rembourser sa dette.

— Que ce soit bien clair, madame Patterson, la coupa-t-il un peu sèchement, je n'irai pas plus loin dans les concessions.

— Chad est très…

Elle s'interrompit et le regarda d'un air suppliant.

— Il a subi des choses terribles, monsieur Coulter, et il est très fragile, en ce moment.

Fragile ? Ce gamin était un futur cambrioleur !

— Je vous ai exposé ma proposition. C'est à prendre ou à laisser.

— Je vois que vous êtes très en colère. Eh bien, je ne veux pas que mon fils soit soumis à un tyran pendant trois semaines et demie. Il a besoin de ce camp, il a besoin de fréquenter d'autres enfants et de passer un peu de temps avec des éducateurs.

Ce dont il avait besoin, c'était d'une bonne fessée. Mais Zeke était las de discuter.

— J'attends votre fils à 8 heures demain matin, déclara-t-il d'une voix autoritaire. S'il ne vient pas, je transmettrai l'affaire à la police.

Sur ces mots, craignant de se laisser attendrir par les grands yeux suppliants de la jeune femme, il tourna les talons et s'éloigna. Il n'avait pas fait trois pas qu'un sifflement hargneux s'élevait derrière lui. Avant qu'il se fût retourné, un pincement douloureux lui vrillait la fesse. Il fit volte-face et se retrouva nez à nez avec un jar qui battait furieusement des ailes.

— Chester ! Arrête ! cria Nathalie. Monsieur Coulter, je suis désolée ! Rosie a dû le laisser sortir de l'appentis où je l'avais enfermé à cause de la vente : il déteste les inconnus.

Tout en s'efforçant de garder un semblant de dignité, Zeke frappa l'animal qui s'élevait pour s'en prendre à sa poitrine. Hélas ! il n'y avait rien de plus hargneux qu'un jar défendant son territoire. Alors Zeke fit la seule chose qu'un homme soucieux de son honneur pût faire : il s'enfuit en courant.

2

Partagée entre le rire et les larmes, Nathalie suivit des yeux la course de Zeke qui, toutes les trois foulées, jetait un coup d'œil derrière lui pour s'assurer que le jar de la famille Westfield ne le rattrapait pas.

La jeune femme aurait peut-être dû avoir honte de se moquer ainsi, mais l'attitude peu compatissante de Coulter envers Chad tempérait ses regrets. Certes, l'enfant avait commis une grosse faute et méritait d'en subir les conséquences, mais le priver de ce camp qu'il attendait avec tant d'impatience était un châtiment trop sévère.

Lorsque le jar, renonçant à sa chasse à l'homme, revint dans le jardin, Nathalie lui caressa le cou.

— Bravo, Chester !

L'oiseau émit un glapissement satisfait et souleva du bec la main de Nathalie en quête d'une friandise.

— Désolée, murmura-t-elle, je ne savais pas que tu prendrais ma défense.

Visiblement très fier de lui, Chester battit des ailes tout en cancanant doucement. Nathalie avait parfois l'impression qu'il manquait peu de chose à ce vieux jar stupide pour pouvoir s'exprimer.

Elle lui tapota le bec.

— Oui, tu as fait du bon travail. Cela apprendra à ce grand dadais à être moins tyrannique, la prochaine fois.

La prochaine fois ? L'idée la fit frémir. Si Chad recommençait à saccager ses biens, Zeke Coulter risquait fort d'appeler la police.

Du coin de l'œil, elle vit approcher sa fille Rosie. Tandis que Chester s'éloignait en se dandinant, Nathalie se tourna vers l'enfant.

— Alors, chérie, tu as fait une bonne sieste ?

C'était la troisième fois de la semaine que Rosie s'endormait devant la télévision. Or, en temps normal, elle ne faisait la sieste que contrainte et forcée. Ce changement inquiétait Nathalie : Rosie souffrait-elle des événements plus qu'elle ne le montrait ?

— Tu as dormi pendant trois bonnes heures.

— J'ai manqué *Scooby-Doo*, gémit Rosie.

Nathalie s'accroupit pour regarder l'enfant dans les yeux.

— Ça repassera demain, et papi te laissera peut-être le regarder.

— Peut-être, soupira Rosie en se frottant les yeux. C'était qui, ce monsieur, maman ?

Nathalie jeta un coup d'œil derrière elle. Le nouveau voisin de Pop n'était plus qu'une tache bleue au-delà du champ.

— C'est M. Coulter. Il a emménagé dans la maison voisine.

— Il est venu regarder ce que tu vends ?

Nathalie décida d'éluder la question. Moins Rosie en savait sur les bêtises de son frère, mieux c'était.

— Où sont tes chaussures, chérie ? Si tu marches pieds nus dans l'herbe, tu risques de te faire piquer par une guêpe.

— Je les ai oubliées dans la maison, répondit la fillette en levant les bras. J'ai besoin d'un câlin avant que tu partes.

Nathalie serra la petite contre elle.

— Un gros câlin ou un petit ?

— Un gros.

La jeune femme feignit de l'écraser dans ses bras, ce qui déclencha le rire cristallin de sa fille.

— Je vais te manquer ?

— Oui, je n'aime pas quand tu t'en vas.

Nathalie aurait préféré ne pas y être obligée. Avant son divorce, sa mère venait garder les enfants, mais un tel arrangement n'était plus possible : le domicile conjugal vendu, la jeune femme était venue vivre chez son père et Naomi Westfield refusait d'habiter sous le même toit que Pete, son ex-mari.

Au début, Nathalie déposait Chad et Rosie chez sa mère en partant travailler et les récupérait en rentrant, mais ça n'avait pas duré longtemps. L'appartement de Naomi était situé dans une résidence réservée aux adultes et, dès la première semaine, les voisins s'étaient plaints de la présence des enfants.

— Il faut que j'aille travailler, chérie. Pour acheter le buggy de Barbie, il faut de l'argent et, pour avoir de l'argent, il faut travailler. Tu comprends ?

Rosie hocha la tête.

Nathalie s'assit sur ses talons pour lisser les boucles emmêlées de sa fille, laquelle était un charmant petit ange aux cheveux noirs. Chaque fois que Nathalie considérait son mariage comme une des erreurs monumentales qu'elle avait commises dans sa vie, il lui suffisait de penser à ses enfants pour réaliser que ses souffrances et ses déceptions n'avaient pas été vaines.

— Tu vas t'amuser, ce soir, avec tante Valérie.

— Oui, mais tu vas me manquer, et Grammy aussi.

Nathalie le comprenait fort bien : Valérie adorait sa nièce et son neveu, et elle faisait des efforts héroïques pour remplacer leur mère, mais son caractère excentrique et ses méthodes éducatives étaient très éloignés de ce dont les enfants avaient l'habitude. Naomi et Nathalie avaient des règles et les appliquaient. Valérie, elle, pensait que les règles bridaient la personnalité d'un enfant. Au lieu d'obliger Chad et Rosie à

25

manger leurs légumes, elle fabriquait des poupées à l'aide de pommes de terre cuites au four et les coiffait d'épinards en guise de cheveux. Ou bien elle dessinait des paysages dans les assiettes, les petits pois faisant office de pelouse, les brocolis d'arbres, et les morceaux de carottes de clôtures autour des choux-fleurs censés représenter des moutons.

Dans un monde un peu moins bancal, Robert aurait essayé de rester auprès de ses enfants pour leur faciliter la séparation. Malheureusement, il ne s'était jamais intéressé à sa famille et, à présent, il était trop occupé à sillonner la ville au volant de sa Corvette rouge, accompagné par une vamp à l'abondante chevelure blonde, pour accorder une seconde de son temps à son fils et à sa fille.

— Qu'est-ce que tu feras avec tante Valérie, ce soir ? demanda Nathalie.

— Elle va me vernir les ongles, et ensuite on se maquillera et on se déguisera.

— Ça va être très amusant.

— Je regrette que tu ne puisses pas jouer avec nous.

— Oh, moi aussi, chérie, j'aimerais beaucoup ! s'exclama Nathalie en embrassant le bout du nez de Rosie. Mais les mamans ne font pas toujours ce qu'elles veulent. Il faut que j'aille gagner notre vie.

— Je sais, dit Rosie tristement. Peut-être que Poppy va gagner à la loterie, demain soir.

Nathalie ne put s'empêcher de sourire. Une fois par semaine, son père et son grand-père misaient cinq dollars à la loterie dans l'espoir de toucher le jackpot, et passaient des heures à discuter de la façon dont ils dépenseraient leurs gains. Le projet le plus séduisant, selon Rosie, était l'achat d'un immense domaine.

— Papi et lui habiteront dans une maison, et nous dans une autre, expliqua l'enfant, les yeux brillants de joie. Tante Valérie aura la sienne, et Grammy aussi ! Tu ne seras plus obligée d'aller chanter au club.

Nathalie tenta d'imaginer ses parents vivant l'un près de l'autre sans se chamailler. En vain. Depuis leur divorce, dix ans plus tôt, Pete et Naomi Westfield ne pouvaient passer une heure ensemble sans se disputer.

— Chanter n'est pas si désagréable que ça, tu sais…

La jeune femme était sincère Toute sa vie, elle avait espéré devenir chanteuse professionnelle : en chantant sur la scène de son club, elle n'était pas très loin de ses rêves d'enfant. Hélas ! être propriétaire d'un établissement proposant dîners et spectacles n'était pas de tout repos. Le turn-over des employés était un vrai casse-tête. Nathalie pouvait à la rigueur effectuer le service en salle, mais s'occuper en plus de la cuisine était au-dessus de ses forces.

— Si Poppy gagne à la loterie, tu chanteras pour moi.

Nathalie consulta sa montre par-dessus la tête de l'enfant. Il lui fallait trente minutes pour arriver en ville, et elle devait se débarrasser de diverses paperasseries avant de monter sur scène.

— Ô mon Dieu ! s'écria-t-elle. Il faut que je me mette en route, chérie, je suis déjà très en retard.

— Frank pourrait jouer du piano, ce soir. Comme quand tu as eu la grippe.

Le *Perroquet bleu* était au bord de la faillite. Si Nathalie ne se montrait pas, les rares habitués risquaient de ne pas revenir.

— Chérie, je t'en prie, je suis pressée.

— Mais je dormirai quand tu rentreras !

— Je viendrai t'embrasser.

— Tu le promets ?

— Promis, juré.

Zeke fulminait. Son potager était dévasté, ses fenêtres fracassées, un maudit jar lui avait pincé la fesse et, cerise sur le gâteau, la bière qu'il avait laissée dans la camionnette était tiède. Un camp? À quoi pensait cette femme? Son fils méritait une bonne leçon.

Écœuré, Zeke alla chercher des morceaux de carton afin de boucher provisoirement les fenêtres. La vue de la porte de l'appentis accrut sa fureur. Comment un gamin avait-il pu causer autant de dégâts? Seule la rage, une rage folle, dévastatrice, avait dû lui en donner la force. Cette idée troubla Zeke. Peut-être devrait-il s'inquiéter plus du gamin que de l'acte de vandalisme? Qu'est-ce qui avait pu engendrer un tel déchaînement? Chad ne le connaissait pas, il ne l'avait jamais vu auparavant, aussi la vengeance était-elle exclue. Alors, pourquoi? Le garçon n'avait pas agi dans le seul but d'attirer l'attention de son père, tout de même?

Zeke tenta d'imaginer ce que c'était que de grandir sans père. Autant s'imaginer vivre manchot! Son père et sa mère avaient été de merveilleux parents, mais tous les gosses n'avaient pas cette chance. Lorsqu'un mariage se brisait, il n'y avait pas que le jardin du voisin qui était en danger, il y avait aussi un enfant, qui ne savait plus envers qui rester loyal et se demandait pourquoi l'un de ses parents paraissait se détacher de lui.

À 8 heures précises, le lendemain matin, Zeke ouvrit sa porte. Un garçon à l'air boudeur se tenait sous le porche. Avec son tee-shirt trop grand pour lui, son bermuda tombant sur ses hanches et ses baskets aux lacets défaits, il avait tout des adolescents qui traînaient en ville. Il ne lui manquait qu'un tatouage et un anneau dans le nez.

— Ma mère m'a dit que je dois travailler pour vous rembourser, lâcha Chad en lui jetant un regard hargneux.

Zeke hocha la tête en ouvrant grande sa porte.

— Entre. Tu as déjeuné ?

— Parce que vous croyez que ma mère ne me donne pas à manger ?

Au temps pour cette tentative de réconciliation…

— Je me fais des œufs Bénédict, dit Zeke en retournant à la cuisine. Si tu n'en veux pas, assieds-toi et attends que j'aie fini.

— Des œufs quoi ? demanda Chad en traînant les pieds.

— Des œufs Bénédict. Ce sont des œufs pochés et du jambon sur des muffins grillés, avec une sauce hollandaise par-dessus.

— C'est toi qui fais la cuisine ? s'étonna le gamin.

— Bien sûr ! s'exclama son hôte. La cuisinière a pris une année sabbatique.

Chad se laissa tomber sur une chaise et étendit ses maigres jambes.

— Tu es pédé ou quoi ?

Zeke lui jeta un regard sévère.

— Le terme politiquement correct pour désigner un homosexuel est gay, pas pédé.

— Alors, tu es gay ? insista le garçon en ricanant.

— Mes préférences sexuelles ne te regardent pas.

— Tu es gay, hein ? C'est pour ça que tu vis seul dans cette grande maison et que tu te prépares des petits plats.

— Peut-être que j'apprécie d'être seul et de faire la cuisine. Tu as songé à ça ?

— Tiens donc !

Zeke s'efforça de garder son calme.

— Pas de cheveux longs accrochés à ma brosse à dents, pas de collant suspendu dans la douche, pas d'attente devant les toilettes, pas de dispute au sujet de la télécommande… Tu es sûr que tu ne veux rien manger ? On ne déjeunera pas d'ici un bon bout de temps, tu sais.

Zeke interpréta le haussement d'épaules comme un acquiescement. Il glissa deux moitiés de muffin dans le grille-pain, sortit deux ou trois œufs du réfrigérateur et reprit sa place devant la cuisinière. Quelques minutes plus tard, il déposa une assiette devant Chad.

— Quand tu auras fini de manger, noue tes lacets. On va utiliser des outils électriques, je ne veux pas que tu trébuches et que tu te blesses.

— Il y a que les tarés qui nouent leurs lacets.

— Eh bien, tant que tu travailleras avec moi, tu seras un taré.

Chad regarda son assiette d'un œil dégoûté.

— Ils sont bizarres, ces œufs…

— Ne les mange pas, si tu n'aimes pas, j'en aurai plus pour moi, répliqua Zeke. Tu veux du jus d'orange ?

Son taciturne invité haussant de nouveau les épaules, Zeke remplit son verre. L'enfant le vida d'une traite, puis goûta les œufs.

— Beurk, souffla-t-il – ce qui ne l'empêcha pas de continuer à manger. Chez nous, on ne mange jamais des œufs comme ça.

— Comment les mangez-vous ?

— Brouillés et brûlés, ou bien frits et brûlés. Si maman t'invite à dîner, tu as intérêt à refuser.

Zeke se retint de sourire.

— Il y a des gens qui aiment faire la cuisine, et d'autres pas.

— Ce n'est pas qu'elle n'aime pas, mais elle chante en même temps, et oublie de surveiller la poêle, expliqua Chad, dont l'assiette était presque vide.

Zeke haussa les sourcils. Comme l'enfant ne fournissait pas d'autres informations, il l'interrogea :

— Que chante-t-elle ?

— De la musique country. Elle fait comme si la cuillère en bois était un micro et elle chante en dansant dans la cuisine.

— Ah… Elle a une bonne voix ?

— Poppy prétend qu'elle aurait pu devenir célèbre, dit Chad en repoussant ses cheveux, mais elle a rencontré mon père, elle est tombée enceinte de moi, et elle a dû se marier. Mon père n'aimait pas qu'elle chante, alors elle s'est arrêtée. Maintenant, elle est trop vieille pour faire carrière.

— Trop vieille ? s'écria Zeke, qui ne donnait pas plus d'une trentaine d'années à Nathalie Patterson.

— D'après ma mère, les chanteuses doivent débuter très jeunes, avant que leurs nichons tombent et que leurs fesses grossissent. Elle a de la cellulite sur les cuisses.

Ce détail gênait Zeke qui débarrassa la table sans mot dire. Ce qui ne l'empêcha pas, tout en remplissant le lave-vaisselle, de revoir les cuisses de Nathalie Patterson : elles n'étaient ni grosses ni marquées de cellulite.

— Tu es prêt à travailler ? lança-t-il.

— J'ai le choix ?

— Non.

Cinq minutes plus tard, Chad lavait paresseusement le mur, passant plus de temps à s'essuyer le front qu'à frotter les taches de tomate.

— Remue-toi un peu, ordonna Zeke qui, un râteau à la main, rassemblait les plants abîmés. Tu me dois cent quarante heures de boulot, je te rappelle. Si tu traînasses, ce sera le double.

Chad lui jeta un regard noir.

— Je travaille.

— Tu fais semblant, rectifia Zeke en jetant un tas de déchets dans une brouette. Si tu n'as pas remboursé ta dette à la rentrée, tu travailleras le soir et le week-end. Pas de sport, pas de petites copines, pas de jeux. Choisis.

Chad se mit à frotter avec un peu plus d'ardeur. Au bout de deux heures, Zeke décréta qu'il était temps de faire une pause, et ils s'assirent à l'ombre d'un chêne pour boire près d'un litre et demi de thé glacé.

— Alors, pour de vrai, pourquoi tu n'as pas de femme ? s'enquit Chad.

— Je n'en veux pas.

— Pourquoi ?

Zeke réfléchit un instant. À vrai dire, il aimait la vie de célibataire qu'il menait depuis plusieurs années déjà. Il se contenta de répondre :

— Parce que.

— Ce n'est pas une réponse. Pourquoi avoir un potager si on est le seul à manger ses récoltes ?

— J'aime bien être le seul à manger mes récoltes. Bon, le jeu des questions est fini. Au boulot, maintenant !

Chad se remit à lessiver le mur tandis que Zeke empilait les plants détruits dans la brouette et faisait d'innombrables voyages jusqu'au tas de compost. Il avait presque fini de nettoyer le potager lorsque son jeune compagnon jeta la brosse dans le seau et se retourna vers lui avec une expression de rébellion.

— Pourquoi je dois travailler cent quarante heures ? Une fois que le boulot sera fini, ma dette sera remboursée.

Zeke jeta dans la brouette quelques plants de tomate et de maïs.

— Tu oublies le prix des vitres, de la peinture et du bois. Ce n'est pas donné, fiston.

— Je ne suis pas ton fils.

— Exact. Si tu étais mon fils, tu serais mieux élevé et tu respecterais la propriété d'autrui. J'ai compté tes heures au salaire minimum, ce qui est plus que ce que tu mérites et, par-dessus le marché, j'ai arrondi la somme : j'en ai pour au moins mille dollars de frais divers, figure-toi. Si tu trouves que je suis injuste, recompte toi-même, mais durant ton temps libre.

Zeke avait à peine fini de parler qu'il aperçut une tache bleue au coin du bâtiment lui servant à la fois de garage, d'atelier et d'entrepôt : Nathalie Patterson approchait. Son allure contrastait étrangement avec celle qu'il lui connaissait, ses cheveux noirs étant attachés par une simple barrette et son visage vierge de toute trace de maquillage. Elle portait un jean et une chemise d'homme blanche aux manches retroussées. Les talons aiguilles de la veille avaient été remplacés par des baskets.

— Salut, lança-t-elle.

Zeke retint un sifflement d'admiration.

— Bonjour, lâcha-t-il d'un ton volontairement indifférent.

Elle regarda le jardin dévasté et le mur souillé.

— Je suis venue aider, expliqua-t-elle avec un sourire forcé. Deux travailleurs pour le prix d'un ! Le travail sera plus vite fini.

Et Chad pourra aller au camp. Zeke serra les dents. Il n'était pas question qu'il cède. Le gamin avait causé des dégâts et il paierait sa dette.

— Je peux vous parler un moment ? demanda-t-il.

Elle le dévisagea durant une longue seconde avant d'acquiescer d'un hochement de tête.

Lorsqu'ils se furent éloignés de quelques mètres, il se retourna vers la jeune femme, les poings sur les hanches.

— Je vous l'ai dit hier, je ne trouve pas que ce soit une bonne idée.

— Qu'est-ce qui n'est pas une bonne idée ? s'étonna-t-elle en clignant des yeux.

— Que vous veniez aider votre fils.

— Pourquoi ?

— Parce que ce garçon a besoin d'une leçon.

Deux taches rouges apparurent soudain sur les pommettes délicates de Nathalie, dont les grands yeux bruns brillèrent de colère. Ce fut à cet instant que Zeke eut la certitude qu'il n'avait jamais vu plus belle femme.

— Excusez-moi, monsieur Coulter, mais Chad est mon fils, et je ne vois pas en quoi son éducation vous concerne. Vos dégâts seront réparés, je peux vous l'assurer : vous n'avez pas à vous mêler du reste.

— C'est Chad qui a vandalisé ma propriété, c'est donc à lui de réparer ce qu'il a détruit. J'ai été très clair sur ce point, il me semble.

— C'est vrai, mais vous étiez en colère. J'espérais que vous seriez plus calme, ce matin.

— Je suis parfaitement calme.

— Dans la vie de Chad, il se passe en ce moment une quantité de choses que vous ignorez.

— Je sais en tout cas qu'il est trop grand pour être dorloté et faire des bêtises impunément.

— Je ne réclame pas l'impunité, mais la justice. En travaillant avec lui, je réduis de beaucoup ses heures de boulot. C'est plus que juste, vous ne pouvez pas le nier. Mon fils traverse une période très difficile.

— Nous connaissons tous des périodes très difficiles, cela ne nous autorise pas à saccager le bien d'autrui.

— Qui va rester avec lui pour le guider, durant ces trois semaines et demie ? Vous ne travaillez pas ?

— J'ai un magasin de fournitures. Je me ferai remplacer durant la journée, je n'irai là-bas que le soir.

Le rouge s'accentua sur les joues de Nathalie.

— Je ne vois toujours pas pourquoi vous refusez mon aide : votre propriété serait remise en état plus rapidement, si je vous donne un coup de main.

— Et Chad irait au camp ?

Elle lui jeta un regard indigné.

— Vous dépassez les bornes, monsieur Coulter. Que mon fils aille au camp n'est pas votre affaire !

— Au contraire, chère madame, c'est devenu mon affaire dès la première tomate jetée sur ce mur, rétorqua Zeke.

Comme elle allait protester, il leva la main et poursuivit :

— J'ai posé mes conditions. Si elles ne vous conviennent pas, laissons le juge pour enfants choisir la punition. C'est ce que vous voulez ?

La menace la fit blêmir.

— Vous savez bien que non.

— Alors, ne vous en mêlez plus. Cela ne tuera pas Chad d'éponger sa dette tout seul et, par la même occasion, il recevra une bonne leçon. Si on n'étouffe pas dans l'œuf ce genre de comportement, que fera-t-il, la prochaine fois ? Il braquera une épicerie ?

— Ne soyez pas ridicule ! Il ne cherchait qu'à attirer l'attention.

Manifestement, elle ne connaissait pas grand-chose aux adolescents. Si Chad ne recevait pas une bonne leçon, dans quelques années elle ne le contrôlerait plus.

— Mission accomplie : il a attiré la mienne.

— Oh, comme je regrette de ne pas avoir mille dollars sous la main ! Je vous aurais remboursé sans tarder. Puisque vous vous intéressez tant à l'éducation des enfants, je me demande pourquoi vous n'en avez pas.

Sur ces mots, elle tourna les talons et s'éloigna. Puis elle se retourna et lui jeta un regard incendiaire.

— Il a tout perdu, sa maison, son école, ses amis, et même son père. Le séjour au camp était la seule survivance de son passé, et vous l'empêchez d'y aller.

Nathalie était si furieuse après sa conversation avec Zeke Coulter qu'elle claqua violemment la porte en rentrant chez elle. Assise en chemise de nuit dans la cuisine, Valérie se versait une tasse de café en bâillant. Avec son chignon à moitié défait, ses joues souillées de mascara et ses lèvres encore rouges du maquillage de la veille, elle avait l'air d'une prostituée qui aurait travaillé toute la nuit.

— Qu'est-ce qui te met en rogne ? demanda-t-elle à sa sœur en s'étirant.

Hors d'haleine après avoir marché à grands pas à travers champs, Nathalie prit une tasse dans un placard.

— Ce type.

— Quel type ? S'il a moins de quarante ans et qu'il n'est pas trop moche, donne-moi cinq minutes, que je prenne une douche, et je t'en débarrasse.

— Tu ne penses qu'à ça ?

— Faire l'amour, c'est amusant, tu sais. Peut-être que si tu essayais de temps en temps, tu serais moins aigrie.

Nathalie versa une cuillerée de sucre dans sa tasse et remua énergiquement son café.

— J'ai dépassé le stade de l'aigreur, j'en suis à la colère, maintenant. C'est un vrai con.

— Qui ?

— Zeke Coulter.

Nathalie s'assit à la table bancale dont la laque grise écaillée laissait voir les couches de peinture précédentes. Son père refusait d'en acheter une autre tant que celle-ci était utilisable, et elle le menaçait régulièrement de la décaper pour retrouver la teinte du bois originel, ou bien d'en scier trois pieds sur quatre.

— Il refuse que j'aide Chad, expliqua-t-elle.

— Pourquoi ?

Prenant garde à ne pas renverser son café, Valérie s'assit et croisa les jambes, exposant ses cuisses minces et dorées.

— Il devrait pourtant souhaiter que les réparations soient achevées au plus vite…

— Eh bien, non. Ce qu'il veut, c'est donner une bonne leçon à Chad. Il est convaincu que je le dorlote ! Comme si la façon dont j'élève mon fils le concernait. Qu'est-ce qu'ils ont donc, les mecs ? Je n'en ai pas encore rencontré un seul qui ne se prenne pas pour le maître du monde.

L'œil vif et le sourire aux lèvres, leur grand-père entra dans la cuisine. Debout depuis 5 heures du matin, il avait déjà lu tous les articles du *Portland Oreganian* et avait hâte d'allumer la télévision.

— Pourquoi tu râles ? Ta bagnole a rendu l'âme ?

Dans un chuintement de savates, il s'approcha de la cuisinière et remplit sa tasse de café.

— Ça va coûter un paquet, reprit-il. Dommage que le dos de ton père soit en mauvais état : il aurait pu la hisser avec le palan et te la réparer en un rien de temps. Comment tu es rentrée, hier soir ? Frank t'a ramenée ?

Valérie soupira. Les cernes de mascara qui constellaient ses joues lui donnaient l'air d'un raton-laveur mécontent.

— Sa voiture n'a rien, papi. On parlait des hommes.

Il émit un grognement méprisant en s'asseyant auprès d'elles.

— Tu penses donc qu'à ça, fillette ? Il y a pas trois jours que tu as rompu avec Keith...

— Kevin, corrigea Valérie. Et ça fait deux semaines.

— Tu l'aimes ? Alors pourquoi tu l'as quitté ?

Nathalie avala une gorgée de café pour dissimuler son sourire.

— Allume ton appareil, papi ! s'emporta Valérie. Je n'ai pas dit que je l'aimais, j'ai dit que nous avions rompu il y a deux semaines.

Le vieillard tripota son appareil auditif qui se mit à siffler.

— Foutu machin...

— Il t'en faudrait un nouveau, remarqua Nathalie. L'aide sociale te le rembourserait sûrement.

— C'est ça, le problème, avec vous, les jeunes : tout doit toujours être flambant neuf. Comme si ce qui est vieux n'avait pas de valeur ! Cet appareil était assez bon pour votre grand-mère et, par Dieu, il l'est aussi pour moi.

Son appareil enfin réglé, il se tourna vers Nathalie.

— Alors, qu'est-ce qu'elle a, ta voiture ?

— Elle n'a rien. Je ronchonnais au sujet des hommes.

Il tapota la main de sa petite-fille.

— Arrête de te tracasser. Tu es débarrassée de ce salaud.

— Elle ne parlait pas de Robert. C'est Zeke Coulter, notre nouveau voisin, qui l'a mise en rogne, intervint Valérie. Elle voulait aider Chad à réparer les dégâts qu'il avait commis, mais Coulter l'a renvoyée.

— Pourquoi donc ? s'enquit le père des deux jeunes femmes en entrant dans la cuisine. Il aurait dû apprécier un coup de main supplémentaire.

Nathalie leur rapporta sa conversation avec Zeke Coulter. Elle venait de finir lorsque Rosie les rejoignit.

— Attention aux petites oreilles ! prévint Nathalie en hissant l'enfant encore mal réveillée sur ses genoux.

Ni papi ni Pop ne saisirent l'allusion, et un débat houleux s'ensuivit. Grand-père voulait aller chez Zeke Coulter pour lui montrer comment la vache mangeait le chou – autrement dit, pour lui botter les fesses. Pop s'opposa à cette idée en racontant de nouveau son histoire de chihuahua. Alors papi se vexa et, en un rien de temps, la discussion avait viré à la dispute.

— Vous êtes vraiment obligés de vous comporter comme ça ? s'écria Nathalie. Pourquoi personne, dans cette famille, n'est capable de discuter sans s'emporter ? Vous faites peur à Rosie.

Les deux hommes se calmèrent aussitôt.

— On te fait peur, Bouton de Rose ? demanda Pop d'une voix douce.

Blottie dans les bras de sa mère, Rosie releva la tête.

— Non.

— Tiens, tu vois ? s'exclama Pop. Cette petite comprend très bien la différence entre élever la voix pour argumenter et se mettre en colère.

Obtenir d'un gamin réticent qu'il travaille véritablement pendant une journée entière était plus difficile que ne l'avait imaginé Zeke. Chad laissait derrière lui quantité de taches. Au début, Zeke lui signalait ses oublis mais, peu avant midi, il décida de ne plus intervenir. Mieux valait que l'enfant comprenne seul que les heures gaspillées à accomplir un travail foireux n'avaient aucune valeur.

À midi pile, lorsque Zeke appuya son râteau contre le mur de l'appentis pour annoncer à Chad qu'il était l'heure de déjeuner, le garçon lâcha aussitôt sa brosse. Zeke suggéra qu'ils aillent en ville et déjeunent au MacDonald's, ce qui améliora considérablement l'humeur de son jeune compagnon.

— Il faut que j'achète du bois et de la peinture, et que je commande les vitres. Autant déjeuner sur place.

Chad s'avachit contre la portière passager. Zeke alluma la stéréo et mit son CD préféré, une ballade sentimentale.

— Tu n'as rien d'autre que cette merde idiote ? bougonna le garçon au bout de quelques minutes.

— C'est avec cette bouche que tu embrasses ta mère ?

— Tu peux parler ! riposta Chad. Toi aussi, tu dis : « Merde. » Je t'ai entendu, tout à l'heure, et il n'y avait pas que « merde ».

L'accusation, quoique insolente, était méritée. Dans la matinée, Zeke s'était en effet enfoncé une écharde dans la main et avait lâché un chapelet de jurons, sans penser une seconde à la présence de l'enfant à ses côtés.

— Je suis un adulte.

— Et alors ? Les adultes peuvent dire des gros mots, et pas les enfants ? Je ne suis pas d'accord. Mon grand-père et mon arrière-grand-père jurent toute la journée, mon père aussi, et tout le monde s'en fiche. Mais si, moi, je dis un seul gros mot, maman réagit comme si une pluie de vipères tombait du ciel.

Zeke faillit se raccrocher à l'argument de l'âge mais, curieusement, la tirade lui resta en travers de la gorge. Le gamin avait raison : on ne pouvait reprocher aux enfants d'imiter les adultes.

— Parfait. À partir de maintenant, si je lâche un gros mot, tu as le droit d'en faire autant. Mais seulement si je commence. Tu es d'accord ?

— Tu te moques de moi ?

— Pas du tout, je suis très sérieux.

— Ouais… Et après, tu iras le raconter à ma mère.

Fermement résolu à surveiller son langage, Zeke était persuadé que la question ne se poserait pas.

— Non, je ne dirai rien. J'ai l'air d'un rapporteur ?

— Tous les adultes sont des rapporteurs.

— Eh bien pas moi. On est d'accord, oui ou non ?

— D'accord. Je parie dix dollars que tu jureras au moins une fois avant qu'on rentre à la maison.

— Pari tenu, mais tu as perdu d'avance.

Après le déjeuner et les courses, Zeke reprit le volant, en pestant.

— Je n'en reviens pas qu'ils demandent un tel prix pour ces putains de vitres !

Le visage de Chad se fendit d'un large sourire.

— Ils doivent bien gagner leur putain de vie.

Zeke sortit son portefeuille.

— Tu vas vraiment me payer ?

— Bien sûr. Un pari est un pari.

Chad accepta le billet, qu'il fourra dans sa poche avec un air malicieux.

— Je parie un autre billet de dix que tu diras un nouveau gros mot avant la fin de la journée.

— Ce coup-ci, je te le dis, tu as perdu, affirma Zeke, certain de pouvoir se contenir désormais.

À 15 heures à peine, il lui donnait encore dix dollars.

— Tu me dois mille dollars pour les réparations, dit Zeke en ouvrant son portefeuille. Pourquoi ne déduirait-on pas mes pertes de ta dette ?

— Parce que ma mère n'a pas élevé un crétin. Avec ce système, je rembourse ma dette et, en même temps, je gagne de l'argent.

Zeke ne put retenir un éclat de rire. Ce gosse commençait à lui plaire.

— Tu ne préférerais pas travailler moins longtemps ?

Chad haussa les épaules.

— Ça ne m'embête pas de venir ici. Au moins, je ne m'ennuie pas.

— Tu t'ennuies, chez toi ?

— Tu as déjà regardé la chaîne TV Court toute la journée ?

— Non.

— Eh bien c'est plus qu'ennuyeux. Papi regarde des procès et d'autres trucs vraiment merdiques à longueur de temps… Ce juron-là, j'y avais droit, tu te souviens ?

Zeke regrettait d'avoir suggéré cet accord.

— Quel genre de procès regarde ton arrière-grand-père ?

— Tous. Il aime surtout les procès pour meurtre. Quelqu'un qu'il ne connaît pas a tué quelqu'un qu'il n'a pas connu non plus… C'est complètement nul, mais la médecine légale le passionne. Les éclaboussures de sang, les rapports d'autopsie… Beurk !

— Il faut de tout pour faire un monde, commenta Zeke en sortant un mètre de sa poche. Tu as déjà utilisé une scie circulaire?

— Tu veux que je coupe les planches? s'écria Chad en regardant celles-ci avec inquiétude. Il vaut mieux pas, tu sais. Laver les murs, ce genre de choses, ça peut aller, mais…

— C'est moi, le patron, le coupa Zeke en lui tendant des gants de sécurité. Si je te demande de scier ces planches, tu les scies. Tu lessiveras plus tard.

Chad examina la scie comme s'il s'agissait d'un scorpion.

— Tu ne sais pas ce que tu risques… Je vais la bousiller, ta planche. Je suis très maladroit.

— Qui a dit ça?

— Mon père. Il prétend que je suis né avec dix pouces et deux pieds gauches.

Robert Patterson… Décidément, Zeke était bien content de ne pas le connaître.

— Ce sont des conneries. Si tu étais maladroit, je l'aurais remarqué.

Chad sourit en tendant la main.

— Encore dix dollars.

— Non. On n'avait pas parié, cette fois-ci.

— Dommage!

— Je ne me rendais pas compte que je débitais autant de jurons, soupira Zeke, surpris de sa propre grossièreté. Que ce soit une leçon pour toi: si tu prends l'habitude de parler mal, tu le feras sans y penser devant n'importe qui.

— Ouais, sans doute, lâcha Chad. Je ferais bien de faire attention.

— Bon, assez disserté, revenons à nos moutons. Tu vas voir, ce n'est pas la peine d'être très savant pour manier une scie circulaire. Je vais te montrer.

— Quand il s'agit d'apprendre de nouvelles choses, je ne suis pas bon du tout, prévint Chad.

Zeke ne prit pas la peine de lui demander qui l'avait persuadé de sa nullité.

— Personne n'est capable de faire quoi que ce soit correctement du premier coup. Tout demande de l'entraînement.

— Je vais abîmer tes planches.

— Non, regarde comme elles sont longues. Tu peux t'entraîner sur les extrémités.

Chad, qui avait chaussé des lunettes protectrices, s'avéra plutôt doué. L'aidant lorsqu'il l'estimait nécessaire, Zeke restait à son côté, lui répétant les conseils que son propre père lui avait jadis prodigués.

— Pose la lame sur le bord extérieur du trait de crayon, sinon la planche sera trop courte. Tu as besoin d'une planche qui ait exactement cette longueur : si tu coupes ici, ou légèrement à l'intérieur, il te manquera un ou deux millimètres. Il est toujours plus facile de recouper la planche que d'acheter un autre morceau de bois.

Chad posa la lame comme le lui indiquait son professeur. La scie entama le bois en grinçant mais, à la moitié du panneau, les dents se bloquèrent. Zeke s'empara aussitôt du manche.

— Pas de problème. C'est parce que tu as réduit la puissance.

— J'ai cru que la scie allait m'échapper, expliqua Chad d'une voix tremblante.

— Les dents peinaient. Tu t'es bien débrouillé, tu n'as pas tout lâché, le rassura Zeke en dégageant la lame. Recommence. Surtout ne réduis pas la puissance, cette fois-ci. Tu peux y arriver.

Chad remit la scie en marche en serrant les dents, la main crispée sur le manche. Lorsqu'il eut fini de couper la planche sur toute la largeur, il s'exclama avec un sourire radieux :

— J'ai réussi !

— C'est foutrement vrai.

— Ça, ça me fait encore dix dollars.

— J'ai créé un monstre, commenta Zeke en riant.

— Un monstre riche, renchérit le jeune garçon.

— Nous n'avions pas parié, reprit Zeke, et nous ne le ferons plus tant que je ne me serai pas débarrassé de cette fâcheuse habitude.

— Tu t'en crois capable ? Pas moi.

— Devant les dames et devant les enfants, je parviens sans peine à ne pas prononcer un seul gros mot mais, quand on est entre hommes, j'oublie complètement de faire attention.

— Je ne suis pas un homme.

— Tu fais le travail d'un homme, ce qui fait de toi un homme.

— Oui, peut-être, admit Chad en redressant fièrement les épaules.

— Mais n'adopte pas mes mauvaises habitudes. Ta mère me scalperait avec un couteau émoussé.

— Elle me prend toujours pour un bébé.

— C'est typique des mères, autant s'y habituer.

— La tienne aussi te traite toujours en bébé ?

— Absolument. D'ailleurs, ça ne me déplaît pas. Quand je lui rends visite, elle me prépare toujours ma tarte préférée.

— Si ma mère me faisait une tarte, je prendrais la fuite, répliqua Chad avec une grimace.

— Oh, tu sais… Quand tu seras plus vieux et que tu iras la voir, elle trouvera quelque chose de bon à te préparer, fais-moi confiance.

— Elle fait des petits gâteaux pas trop mauvais avec des céréales et du chocolat. Ça ne cuit que trois minutes, et c'est à sa portée.

Zeke éclata de rire.

— Mieux vaut qu'elle ne t'entende pas ! Les femmes sont assez susceptibles, en matière de cuisine.

— Pas maman. Elle sait qu'elle cuisine très mal, et elle le reconnaît sans problème. Elle est une bonne mère et une bonne chanteuse, c'est déjà pas mal. Elle prétend que c'est pour les femmes comme elle qu'on a inventé les plats congelés, les bâtonnets de poisson et les soupes en boîte.

Une bonne mère et une bonne chanteuse ? D'un point de vue purement pratique, cette dame devait être bonne à autre chose – elle avait besoin de gagner sa vie.

— Quel métier fait-elle ? s'enquit Zeke.

— Devine, puisqu'elle ne fait pas la cuisine.

— Elle chante ?

Le garçon acquiesça d'un hochement de tête.

— Au *Perroquet bleu*. C'est un endroit où l'on peut dîner en écoutant de la musique.

Zeke n'y était jamais allé, mais il en avait déjà entendu parler, plutôt en bien.

— Ah... Ça explique pourquoi elle tient la cuillère en bois comme un micro : elle s'entraîne.

— Non. Crois-moi, maman n'a pas besoin de s'entraîner, elle aime chanter, tout simplement. C'est pour ça qu'elle a acheté ce club, pour chanter en public.

— Puisqu'elle ne sait pas cuisiner, pourquoi a-t-elle acheté un établissement où l'on sert des repas ? C'est foutrement bizarre, non ?

— Tu as encore juré.

— Pardon. Je trouve stupéfiant qu'une femme incapable de faire des œufs au plat achète un restaurant.

— Elle embauche un cuisinier. La plupart du temps, ça marche.

— La plupart du temps ?

— Parfois, le chef s'énerve et fiche le camp. Alors, en attendant de trouver un autre cuistot, elle a quelques problèmes.

— Quel genre de problèmes ?

Chad posa une autre planche sur les tréteaux.

— Eh bien elle est obligée de faire la cuisine elle-même… C'est pour ça que le *Perroquet bleu* est au bord de la faillite.

Zeke attrapa une équerre.

— Elle doit avoir du mal à faire vivre ses enfants, si le restaurant ne marche pas bien.

— Mon père lui enverrait de l'argent, si elle ne le harcelait pas à longueur de temps. Chaque fois qu'elle le voit, elle l'assomme de reproches et ça le met en colère.

Selon Zeke, un père était moralement obligé d'entretenir ses enfants – qu'il soit en colère ou pas.

— Ta mère doit avoir ses raisons de lui faire des reproches.

— Elle prétend que oui mais, la vérité, c'est qu'elle est jalouse. Papa a toujours eu des petites amies. Pendant longtemps, maman a eu l'air de s'en ficher et puis, tout à coup, elle a demandé le divorce. Maintenant, elle est comme une sorcière quand elle le rencontre.

Les yeux de Chad s'étaient enflammés derrière les lunettes de protection, et ses joues avaient viré au rouge brique.

— Je ne la comprends pas, soupira-t-il. Elle a supporté la situation pendant des années… et puis soudain elle s'est emballée. Maintenant, plus rien n'est pareil, et je ne vois plus jamais mon père.

L'image que dessinait le jeune garçon du mariage de ses parents n'était pas des plus séduisantes.

— Ton père peut te voir chaque fois qu'il le désire, Chad. Ta mère dit qu'il vit ici.

— Qu'est-ce que tu en sais ? s'écria Chad en reculant d'un pas. Il voyage tout le temps pour ses affaires et, quand il est en ville, il a des réunions et des tas de trucs à faire. Il veut me voir, mais il ne *peut* pas ! Et ma mère n'arrange pas la situation.

Zeke leva la main.

— Je ne voulais pas te froisser.

— Alors arrête de dire du mal de mon père. Tu ne le connais même pas !

— Tu as raison, mais je ne voulais pas le critiquer : j'essaie simplement de te montrer que les choses ne sont pas toujours telles qu'elles le paraissent. Peut-être ta mère a-t-elle d'autres raisons de lui en vouloir, des raisons qu'elle ne t'a pas confiées.

— Mon père est un bon père, et il m'aime !

— Je suis sûr que c'est vrai, acquiesça prudemment Zeke. Si j'avais un fils comme toi, j'en serais très fier.

Cette déclaration désarçonna le garçon. Refoulant ses larmes, il baissa la tête et donna un coup de pied dans un morceau de bois.

— Tu dis ça pour me réconforter.

Zeke voulait effectivement réconforter Chad, mais le compliment était sincère.

— Tu es un garçon beau et intelligent.

Lorsque le gamin releva la tête, Zeke aperçut des larmes ruisseler sur ses joues.

— Je ne suis pas intelligent, ragea l'enfant, je n'obtiens que des notes moyennes. Mon père, lui, il n'a jamais vraiment étudié, et pourtant il a toujours eu les meilleurs résultats, même en sport.

— Et toi, non ?

— Le sport m'ennuie.

— Tu n'as peut-être pas encore trouvé celui qui te convient.

— J'ai tout essayé, répliqua-t-il en donnant un autre coup de pied dans le morceau de bois. Je ne suis pas trop mauvais en base-ball, mais mon père était bien meilleur…

Zeke commençait à détester sérieusement Robert Patterson.

— Quand j'avais ton âge, le sport m'embêtait, moi aussi. Ce n'est que lorsque j'ai commencé à monter à cheval et à faire des compétitions de lancer de lasso que j'y ai pris du plaisir et obtenu des résultats. Tu devrais vraiment essayer d'autres sports : tôt ou tard, tu en trouveras un dans lequel exercer ton talent, et tu deviendras bon.

Chad fit une grimace.

— Qui voudrait être bon au lancer de lasso ? Il n'y a pas d'équipe universitaire.

— Peut-être, mais on peut gagner des boucles de ceinture et des trophées. Ma sœur Bethany a été championne de *barrel racing* trois années d'affilée. Dans cette discipline, il s'agit d'effectuer un parcours compliqué le plus vite possible, en contournant des obstacles disposés dans l'arène. Ma sœur aurait inté-gré l'équipe nationale, si elle n'avait pas eu un acci-dent, et je ne connais personne qui ait autant de boucles qu'elle. Or, les boucles, on peut les arborer toute sa vie, tandis qu'un adulte aurait l'air plutôt ridi-cule, s'il portait en ville le chandail de son équipe uni-versitaire…

— Peut-être, admit Chad en baissant les yeux sur la ceinture de son compagnon. C'est une boucle de championnat, ça ?

Zeke souleva l'ovale doré pour permettre au gar-çon de mieux l'examiner.

— Je l'ai gagnée au lasso, ma spécialité.

— Je montais à cheval, avant, expliqua Chad avec une petite moue.

— C'est dommage que tu n'aimes plus ça. J'ai deux chevaux, on aurait pu monter ensemble. C'est plus amusant quand on est deux.

— J'aime toujours ça…

Examinant son visage souillé de larmes, Zeke réa-lisa que l'enfant avait sérieusement besoin d'un ami.

— Je n'oublierai pas. Il n'y a pas de meilleur moyen de se détendre qu'une balade à cheval. Ça donne le temps de réfléchir et de s'éclaircir les idées.

— Où sont tes chevaux?

— Dans un pré que je loue, à quelques kilomètres d'ici. Ce sont les meilleurs chevaux pour lasso que tu ne verras jamais. Bon, au travail, maintenant! Prends le mètre. À toi de tracer le trait.

Chad se mit au travail en suivant les instructions de Zeke.

— Bien. Quel angle dois-tu couper? Le droit ou le gauche?

Le jeune garçon examina scrupuleusement la planche avant de répondre:

— Ça n'a pas d'importance. Il faut seulement qu'à l'autre extrémité je coupe l'angle opposé pour que ça s'emboîte.

Zeke tapota l'épaule de son apprenti.

— C'est bien ce que je disais: tu es très malin. Je connais bien des hommes qui auraient été incapables de me répondre.

— Quand est-ce que tu vas ramener tes chevaux ici? demanda Chad en attrapant la scie.

— Dès qu'il y aura une clôture.

— Ça sera quand?

— Quand tu l'auras construite.

3

Nathalie avait dû partir travailler avant que Chad rentre à la maison. Elle l'appela un peu plus tard dans la soirée pour prendre de ses nouvelles.

— Bonsoir, maman. Qu'est-ce qui se passe ? s'écria-t-il d'une voix enjouée qui la surprit.

— Je voulais savoir comment tu allais.

— Très bien.

— Mon Dieu, je me suis trompée de numéro ?

— Oh, lâche-moi un peu, s'il te plaît !

— Excuse-moi. Simplement, c'est agréable de t'entendre dire que tu vas bien, de temps en temps.

Le pianiste de Nathalie, Frank Stephanopolis, plaqua les premiers accords d'une nouvelle chanson qu'ils devaient répéter avant l'ouverture du club.

La jeune femme posa la main sur le combiné et se tourna vers son collègue pour lui crier :

— J'arrive tout de suite, Frank... Alors, comment ça s'est passé ? reprit-elle à l'adresse de son fils.

— Bien. M. Coulter m'apprend des choses.

— Quelles choses ?

— Des choses, quoi ! Tu ne comprendrais pas.

Nathalie s'était habituée au mépris de Robert, pour qui toutes les femmes étaient mentalement défaillantes, mais le ton condescendant de son fils la blessa profondément. Pendant trop longtemps, Chad n'avait eu pour seul exemple que celui de son père.

— J'étais curieuse, chéri, c'est tout.

— Je me suis servi d'une scie circulaire. Tu vois, rien d'extraordinaire, lâcha-t-il nonchalamment pour dissimuler sa fierté.

— Une scie circulaire?

— Quoi? Tu me trouves trop jeune, peut-être?

Décidément, rien de ce qu'elle pouvait dire ne plaisait à son fils…

— Bien sûr que non, tu es assez grand. C'est seulement que les outils électriques peuvent être dangereux. J'espère que tu as été très prudent.

— Non, au contraire. J'ai fait exprès de me couper tous les doigts.

Nathalie ferma les yeux.

— M. Coulter a été gentil avec toi?

— Sois réaliste. Quelle raison aurait-il d'être gentil?

— S'il est désagréable avec toi, Chad, dis-le-moi. Je trouverai un moyen de le rembourser.

— Ouais… Avec les pourboires?

Finalement, elle ne s'était pas trompée de numéro: c'était bien son fils au bout du fil.

— Tu as téléphoné à papa pour lui dire que j'avais des ennuis? reprit l'enfant.

Elle avait laissé des messages sur les répondeurs du bureau, de la maison et du portable de son ex-mari, mais Robert ne l'avait pas rappelée. sans doute était-il trop occupé à batifoler en compagnie de Bonnie Decker pour se compliquer la vie avec des soucis familiaux…

— Non, je ne l'ai pas encore appelé, mentit Nathalie. Je suis désolée, Chad, je n'ai pas eu le temps.

— Tu n'as jamais le temps de faire ce qui est important pour moi.

La jeune femme détestait assumer les fautes de son ex-mari, mais elle refusait de révéler à son fils le peu d'intérêt que son père lui portait.

— Je suis désolée, répéta-t-elle. Hier, je n'ai pas eu une minute de libre.

— Et aujourd'hui ?

— J'ai oublié, avec la lessive à faire et les factures à payer.

— Tu oublies toujours, maman. Et après, tu reproches à papa de ne pas penser à nous. Comment peut-il s'occuper de moi, s'il ne sait pas que j'ai besoin de lui ?

Nathalie soupira. Il lui fallut rassembler toute son énergie pour endosser encore une fois le rôle de la méchante.

— Je suis désolée, chéri. Je l'appellerai demain, promis.

— Ouais, mon œil.

— Je le ferai, je te le jure. Mais, parfois, je suis un peu débordée.

Un long silence s'installa, puis Chad reprit enfin :

— Bon, ça va. J'ai essayé de lui téléphoner moi-même, mais il ne m'a pas rappelé. Grand-mère Grace m'a dit qu'il avait sans doute quitté la ville pour examiner un terrain ou autre chose.

Vis-à-vis de son fils, Grace Patterson était en plein déni : Nathalie savait bien que Robert, ce grand champion des magouilles, écoutait toujours ses messages de peur de rater une affaire, où qu'il se trouve. Quel sale égoïste !

Heureusement pour elle, Rosie n'avait guère connu son père qui, prétextant des réunions de travail, rentrait toujours très tard – s'il rentrait. N'ayant pas eu l'occasion de s'attacher à lui, la petite fille ne souffrait pas de la séparation. Pour Chad, qui avait toujours recherché l'approbation de son père, c'était une autre histoire.

— Je t'aime, Chad, souffla Nathalie. Plus que tu ne le croiras jamais.

Durant le silence qui suivit ses paroles, elle cligna des yeux pour refouler ses larmes, espérant… oh, elle ne savait même pas ce qu'elle espérait ! Elle aimait son fils de tout son cœur et souffrait de buter toujours sur le mur de sa rancœur.

— Je sais que tu m'aimes, maman, lâcha-t-il enfin.

Le changement de ton du garçon l'emplit de joie, et elle attendit une parole d'affection. En vain. Quelle idiote elle faisait ! Chad voyait la situation avec des yeux d'enfant. Plus tard, quand il serait plus grand, sans doute comprendrait-il quel mauvais mari et mauvais père Robert avait été… Pour l'instant, il en voulait terriblement à sa mère d'avoir détruit son univers familier.

— J'appellerai ton père demain. Je te le promets.

— Ne fais pas de promesses que tu n'es pas sûre de tenir.

— Je me collerai un pansement au doigt pour y penser.

— Ça t'empêchera de jouer de la guitare et, telle que je te connais, tu oublieras de l'enlever et tu choperas la gangrène.

Nathalie était très étourdie. Elle éclata de rire, heureuse d'entendre son fils se joindre bientôt à elle.

— Dites donc, jeune homme, je suis tout à fait capable de jouer avec mes orteils…

Derrière elle, Frank frappa un accord véhément, Nathalie n'en tint pas compte.

— Je suis contente de savoir que ça n'a pas été trop pénible avec M. Coulter, aujourd'hui. Si jamais c'est le cas, je te le répète, je me débrouillerai pour trouver un moyen de le rembourser et, en guise de punition, tu seras privé de sortie pendant six mois.

Le rire que laissa alors échapper Chad était bien celui de son petit garçon.

— Six mois ! Pourquoi pas six semaines ?

— Non, répliqua Nathalie avec un petit gloussement. Tu as massacré le jardin de ce pauvre homme, la porte de son appentis, sa maison, ses fenêtres. Tu mérites une bonne punition.

— J'avoue avoir été choqué, ce matin, quand j'ai vu ce que j'avais fait. Je ne m'en étais pas rendu compte. J'étais tellement en colère, je n'avais plus ma tête…

La jeune femme se sentait partiellement responsable de la rage qui s'était emparée de son fils : dans l'après-midi, Chad avait tenté de joindre son père. Comme d'habitude, Robert n'avait pas répondu, et Nathalie avait marmonné des paroles peu aimables au sujet de son ex-conjoint, déclenchant la fureur du gamin.

— Peut-être que, quand papa sera au courant, il paiera les dégâts…

— Peut-être, fit-elle d'une voix peu convaincue.

— Pourquoi tu parles comme ça ? Chaque fois que tu évoques son nom, tu prends ce ton, comme s'il était complètement nul. C'est mon père, tu entends ? Déteste-le autant que tu veux, mais ne cherche pas à me monter contre lui.

— Je ne déteste pas ton père, Chad. Nous avons eu des différends, je l'admets, et parfois je lui en veux, mais je ne le déteste pas.

— Tu parles !

En vérité, Nathalie commençait à haïr Robert, non pas à cause de ce qu'il lui avait fait, mais pour ce qu'il ne faisait pas. Que les enfants d'un homme aussi fortuné soient au bord de la misère lui semblait le comble de l'injustice.

Enfin célibataire, il se payait du bon temps, emmenait ses petites amies dans les plus grands restaurants, achetait des enjoliveurs sophistiqués et mille gadgets pour sa Corvette flambant neuve, et se pavanait dans des vêtements tape-à-l'œil. Il devait se vanter auprès de ses amis de son divorce, qui ne lui avait rien coûté. Alors que les hommes devaient généralement céder une grosse partie de leurs biens à leurs ex-épouses, Robert avait réussi à plumer la sienne.

Nathalie ne comprenait toujours pas comment il avait réussi à dissimuler sa fortune. Sans doute en avait-il transféré une partie sur des comptes à l'étranger, et avait disséminé le reste dans une myriade d'affaires. Quoi qu'il en soit, il s'était présenté devant le juge comme un homme désargenté. L'avocat de Nathalie n'ayant pu démontrer la supercherie, le magistrat avait dû se fier à ce que prétendait Robert. La jeune femme avait donc quitté le tribunal en divorcée ruinée.

Pour sauver le club, sa seule source de revenus, elle avait été obligée de renvoyer des employés, de réduire les stocks, de vider son compte et de jongler avec le peu qui lui restait pour calmer les créanciers. Si elle commettait la moindre erreur, le *Perroquet bleu* ferait faillite.

Haïssait-elle Robert ? Oui, en secret.

— Maman ?

— Pardon. Tu as dit quelque chose, chéri ?

— Non, répondit Chad d'une voix étonnamment douce, mais tu t'es arrêtée de parler.

Puis, comme s'il percevait la détresse de sa mère, il reprit :

— Tu sais, ce n'est pas l'horreur, de travailler pour M. Coulter. Si papa ne m'aide pas, je tiendrai le coup. Et puis c'est un bon cuisinier, il m'a préparé des œufs Bénédict pour le petit-déjeuner. Tu en as déjà mangé ?

— Ça m'est arrivé.

Frank malmenant le piano, Nathalie lui fit signe de se calmer. Elle tenta d'imaginer Zeke Coulter, avec ses traits un peu rudes, sa peau tannée, ses épais cheveux noirs et son corps musclé, en train de confectionner un petit plat délicat.

— Tu peux aller jouer au ballon ailleurs, Rosie ? cria Chad. C'est une cuisine ici, pas une salle de sport. Quelle enquiquineuse !

Il soupira, exaspéré, et s'adressa de nouveau à sa mère :

— J'aime bien travailler avec lui, en fait. Il ne me

traite pas comme un enfant, contrairement à d'autres personnes que je connais…

Nathalie eut un sourire las. C'était le pompon ! En une seule journée, le voisin était parvenu à amadouer ce fils qu'elle craignait à tout instant de blesser.

— Peut-être que, si je travaille avec lui jusqu'à la rentrée scolaire, je serai capable de réparer la clôture de Poppy.

Nathalie en doutait fort : il fallait supplier Chad pour le convaincre de sortir les poubelles. Néanmoins, la note de fierté qu'elle percevait dans sa voix lui mit du baume au cœur. À maintes reprises, elle avait tenté de lui donner confiance en lui mais, pour une raison inconnue, son opinion ne comptait pas comparée à celle de son père. Sans doute l'amitié d'un homme serait-elle plus efficace.

Elle souhaita une bonne nuit à son fils et éteignit son portable. Se serait-elle méprise sur le compte de Zeke Coulter ? Il était peut-être beaucoup plus gentil qu'elle ne l'avait jugé.

— Tu viens, oui ou non ? s'énerva Frank.

Nathalie posa son portable et rejoignit le pianiste.

— Je suis prête, lança-t-elle en prenant sa guitare. Allez, on y va.

Zeke s'apprêtait à déguster une bonne bière lorsqu'il entendit un bruit léger. Des souris ? Il se promettait d'ajouter une tapette à sa liste de courses lorsque le petit bruit se fit à nouveau entendre derrière la porte de la cuisine. L'un de ses frères lui rendait-il une visite-surprise ? On pouvait s'attendre à tout, de leur part : Hank, comme Tucker et Isaïah, étaient aussi imprévisibles que le temps.

Intrigué, il ouvrit la porte. Rien, puis il baissa les yeux et découvrit une minuscule fillette. Un fouillis de boucles noires encadrait le plus charmant visage qu'il ait jamais vu. La ravissante inconnue portait une robe imprimée de papillons multicolores.

— Oh! bonsoir, mademoiselle!

La petite silhouette qu'éclairait le crépuscule fit un pas vers lui.

— Bonsoir, monsieur. Je suis désolée de venir si tard, mais c'était le seul moment où je pouvais m'éloigner sans que tante Valérie s'en aperçoive: elle a soudoyé papi pour qu'il la laisse regarder *Les Animaux les plus drôles de la planète*.

Au premier coup d'œil, Zeke avait estimé que l'enfant avait environ quatre ans, mais sa façon de s'exprimer lui fit penser qu'elle était plus âgée.

Elle tendit son petit poing.

— Je suis Rosie Patterson. Je suis venue pour aider Chad à rembourser ce qu'il te doit.

Ébahi, Zeke ouvrit la main qu'elle lui tendait: une pluie de pièces tomba dans sa paume – une fortune, assurément, pour l'enfant.

— Comment as-tu dit que tu t'appelais?

Elle pinça les lèvres, telle une institutrice miniature.

— Rosie. Je suis la sœur de Chad. Ça s'écrit avec un i et un e, et pas avec un y.

Les enfants d'aujourd'hui savaient donc épeler leur nom avant même d'entrer à l'école, s'étonna Zeke en s'efforçant de garder son sérieux.

Sans attendre d'y être invitée, Rosie pénétra dans la cuisine.

— Maman dit que tu es tyrannique.

Zeke retint un fou rire. Il avait déjà deviné que Nathalie Patterson ne l'appréciait guère.

— Vraiment?

— Oui, alors je voulais vérifier.

Zeke s'écarta pour la laisser passer.

— Pas mal! approuva-t-elle en examinant la cuisine. Le sol est propre, et tout est bien rangé.

Elle tourna sur elle-même en jetant un œil critique sur les placards en chêne.

— Il te manque quand même quelques trucs : tes murs sont trop nus.

La mère et la sœur de Zeke lui en ayant déjà fait le reproche, il en déduisit que ce devait être une manie féminine que de vouloir décorer les murs. La seule chose qu'il y avait accrochée était un calendrier vantant une marque de pneus, et cela lui suffisait amplement.

— Je viens d'emménager.

— Ça fait presque quatre mois que tu es là, Poppy a compté. D'ailleurs, selon lui, tu es un bêcheur, puisque tu n'es venu nous voir que pour faire une scène.

— J'ai eu beaucoup à faire, répondit Zeke gauchement.

— Quand même, c'est important de rendre sa maison accueillante. C'est ma maman qui le dit.

— Elle a sûrement raison. Je pense souvent à acheter des trucs à accrocher aux murs, mais je n'ai pas encore trouvé le temps.

— Il te faut aussi des aimants sur ton frigo, ça serait plus gai.

Des aimants ? Le réfrigérateur de la mère de Zeke en était couvert, et il n'était pas question qu'il s'y mette lui aussi.

— Je n'aime pas trop ça.

— Quand j'aurai un moment, je te ferai un tableau. C'est agréable, d'avoir des dessins d'enfants aux murs, maman dit que ça donne l'impression d'être chez soi. En attendant, papi veut venir te montrer comment les vaches peuvent manger les choux.

L'expression ancienne, que Zeke connaissait, le fit sourire.

— Aïe aïe aïe…

Elle avança un peu plus, le forçant à reculer. Ses orteils vernis dépassaient de ses sandales, qui ne tenaient que grâce à des bouts de sparadrap. Le regard vif de la fillette rappela à Zeke celui de sa mère.

— Il faut qu'on parle.

Ne pas céder à la requête d'une dame dont la robe était ornée de papillons était impensable. Zeke jeta un coup d'œil dehors pour s'assurer que la petite Rosie était venue sans escorte avant de fermer la porte.

— De quoi devons-nous parler? demanda-t-il.

— Eh bien, d'abord, ce n'est pas très gentil d'être agressif avec ses voisins. Tu ne veux pas qu'on soit amis? Il n'y a rien de pire que de ne pas avoir d'amis, tu sais.

— C'est sans doute vrai.

Elle redressa sa tête bouclée pour scruter le visage de Zeke.

— Tu as des choux dans ton jardin?

— Oui, quelques-uns.

— Tu n'as pas envie que nos vaches les mangent, si?

Jamais Zeke n'avait vu une enfant aussi adorable. Le sommet de sa tête arrivait à peine à la hauteur de ses cuisses; néanmoins, elle se tenait très droite et, le menton en avant, le défiait du regard. Une fossette creusait sa joue, pourtant elle ne souriait pas.

— Non, répondit-il. Je préfère que vos vaches restent chez vous.

— Des vaches dans un jardin, c'est dramatique, et Marguerite et Souci sont très gourmandes. Elles sont entrées dans le carré d'oignons de Poppy, la semaine dernière, et en ont tellement mangé que le lait avait un drôle de goût.

Zeke se posa sur une chaise et fit signe à l'enfant de l'imiter. Trop petite pour s'asseoir normalement, elle n'y parvint qu'en se hissant sur la pointe des pieds, et après force tortillements. Enfin installée, elle tira sa robe sur ses genoux poussiéreux et lissa ses boucles.

— J'espère que tu excuseras ma tenue, reprit la fillette, je n'ai pas encore pris mon bain. Tante Valérie trouve que ça ne rime à rien de se laver avant d'aller se coucher.

— Je te trouve très bien, assura Zeke avec sincérité.

Avec ses grands yeux innocents, elle rappelait à Zeke sa sœur Bethany, lorsqu'elle était petite – mais Rosie maîtrisait la langue anglaise en virtuose absolue, contrairement aux enfants de son âge.

— Quel âge as-tu ? s'enquit-il, curieux.

— Quatre ans. Mon anniversaire est le 24 février. Ce mois-ci, j'aurai quatre ans et demi.

— J'imagine qu'on ne m'aime pas beaucoup, chez toi.

Elle fit la moue.

— Non, pas beaucoup. Ma maman est plutôt contente que Chester t'ait pincé la fesse.

— Ah… fit Zeke en refoulant un éclat de rire.

— En général, maman aime tout le monde. Mais pas toi, parce que tu n'es pas gentil avec mon frère.

— Je ne suis pas gentil ?

— Non, et il faut arranger la situation avant que papi laisse nos vaches manger tes choux.

— Je vois.

— C'est tout l'argent que j'ai, reprit-elle en désignant les pièces qu'elle avait déposées dans la main de Zeke en arrivant. J'économisais pour acheter un buggy à ma Barbie, mais tant pis : elle se promènera à pied un peu plus longtemps. Et puis c'est pas si grave, la marche, c'est bon pour le système cardigan-colère… C'est le cœur, précisa-t-elle.

Le système cardio-vasculaire de Zeke fit un raté et les pièces lui brûlèrent la paume.

— C'est beaucoup d'argent, poursuivit Rosie, mais peut-être pas assez pour la peinture. Poppy promet que, ce soir, il va gagner à la loterie… mais il repète ça tous les samedis.

Se penchant en avant, elle ajouta, telle une conspiratrice :

— Tante Valérie dit qu'il a autant de chances de gagner le gros lot qu'un cochon de voler.

— Quel dommage !

— Oh ! ça n'a aucune importance ! Popyy est si heureux, quand il rêve de gagner... Il en oublie son dos qui lui fait mal tout le temps, ça lui fait une distraction. Maman prétend qu'il n'y a pas de mal à espérer, tant qu'il ne dépense pas l'argent des œufs avant que les poules ne les aient pondus.

— Voilà qui est très sage.

— Maman est très calée, pour ce genre de choses. Elle a grandi à la ferme.

Elle s'interrompit, se gratta un orteil, puis continua :

— Voilà le problème : si Poppy ne gagne pas ce soir, il faudra attendre que maman ait reçu sa poule aux œufs d'or pour te rembourser.

Quel était le QI de cette enfant ? s'étonna Zeke en tendant la main pour lui rendre ses pièces.

— Je me suis arrangé avec ta mère, Rosie. Chad remboursera en travaillant pour moi. Reprends tes économies.

Elle refusa d'un mouvement de tête.

— Chad peut travailler, mais pas aussi longtemps que tu le voudrais : il doit aller au camp. C'est très important, maman assure même que c'est vital, pour lui.

On en revenait donc toujours au camp. Zeke s'installa plus confortablement sur sa chaise. Vu le regard déterminé de Rosie, il allait devoir entendre ses arguments, qu'il le veuille ou non.

— Chad est très malheureux, depuis le divorce de nos parents. Mon père n'est pas venu le voir une seule fois depuis le début des vacances.

— Pas même pour une courte visite ? s'écria Zeke, stupéfait.

— Non. Il n'a pas non plus envoyé d'argent… C'est une longue histoire, commenta-t-elle après un long soupir. Maman croit que je ne sais rien, mais je l'ai entendue discuter de ça avec grand-mère.

— Je vois, fit Zeke en se frottant la mâchoire.

— Mon père l'a roulée dans la farine, selon l'expression de grand-mère.

— Ah…

Il cherchait un moyen d'interrompre ce flot de confidences lorsque Rosie fronça le nez et reprit :

— Avant le divorce aussi, d'ailleurs. Papa a dit à maman que son affaire manquait d'argent, et il l'a convaincue de prendre une seconde empreinte sur la maison.

— Une seconde quoi ?

— Empreinte. C'est quand l'homme de la banque te prête de l'argent en échange de ta maison. Si tu ne peux pas le rembourser, après tu perds ta maison.

— Un emprunt, comprit Zeke. Une hypothèque.

— Peu importe comment ça s'appelle, c'est ce qu'ils ont fait. Sauf que papa n'avait pas vraiment besoin de cet argent, il a juste dit ça à maman pour qu'elle ne puisse pas lui mettre des plumes, ou les lui ôter, je ne sais plus. Bref, il a tout pris et il a menti au juge pour ne pas avoir à lui donner d'argent.

Mal à l'aise, Zeke se tortillait sur sa chaise.

— Rosie, je ne crois pas que ta mère aimerait que tu me racontes tout ça.

— Ça lui serait égal. Tout le monde peut constater qu'elle est fauchée et que le club va mal.

Elle se pencha pour recoller le sparadrap de sa sandale.

— C'est pour ça qu'elle ne peut pas m'acheter de nouvelles chaussures et que Chad n'a pas pu prendre de leçons de natation, cette année. Si Poppy ne nous avait pas accueillis, nous aurions dû coucher dehors, tu te rends compte ? Mais le plus malheureux de nous tous, c'est Chad. Quand il a cassé sa bicyclette, maman n'a pas eu les moyens de la faire réparer. Et le vélo, c'était sa seule distraction de l'été : ses amis habitent tous en ville, et l'emmener là-bas en voiture coûterait trop cher, à cause de l'essence.

— C'est vraiment dommage, souffla Zeke, qui commençait à comprendre la rage de Chad.

— Au camp, reprit Rosie, Chad retrouvera ses amis de la paroisse, et il aura une semaine de vraies vacances – ce qui n'est pas beaucoup, sur tout un été. Tu comprends, on a dû changer d'école, à cause du déménagement, aussi c'est vraiment très important pour lui de revoir ses camarades. En plus, il a lavé des voitures et vendu des gâteaux pour payer son séjour au camp... Ce serait trop triste, si tous y allaient sauf lui.

— C'est sûr.

— En tout cas, il faut que nous trouvions un arrangement, si tu ne veux pas voir nos vaches manger tes choux, insista la petite fille.

— Je n'ai pas du tout envie que vos vaches s'en prennent à mes choux. J'ai déjà perdu mes tomates et mon maïs, ça suffit.

Elle hocha la tête, puis le regarda d'un air déterminé.

— Voilà mon idée : maman et moi, on va venir aider Chad. Comme ça, tout sera réparé plus vite, et tu seras remboursé avant le début du camp. Ça t'ennuie ?

Zeke repensa à l'expression craintive qu'avait eue le garçon en prenant la scie circulaire. Son cœur se serra. Le père de Chad était peut-être une nullité, mais l'adolescent bénéficiait du soutien de sa mère – et de celui de sa petite sœur. Zeke savait ce qu'était la loyauté familiale : les Coulter étaient champions, dans ce domaine.

— Non, lâcha-t-il. Je n'y vois pas d'inconvénient.

— Alors pourquoi tu as renvoyé ma mère, ce matin ? Elle était folle furieuse.

— Je ne sais pas à quoi je pensais.

Rosie parut trouver l'excuse acceptable.

— Bon, d'accord. Demain, nous viendrons travailler. Comme ça, Chad ne manquera pas le camp, papi ne sera plus en colère contre toi et nos vaches ne mangeront pas tes choux.

— Le marché me paraît honnête, approuva Zeke, qui ne put s'empêcher d'interroger la fillette : Si Chad n'a pas pu prendre de leçons de natation, ni voir ses amis, qu'a-t-il fait, cet été ?

— Il a relu *Harry Potter* trois ou quatre fois. Maintenant, il reste allongé sur son lit à écouter les disques de rap de tante Valérie. Maman déclare que ça va lui pourrir le cerveau, elle est très inquiète. Chad voulait qu'on aille à Disneyland, comme son ami Tommy, mais on doit attendre la poule aux œufs d'or de maman, pour ça.

Luttant contre le fou rire, Zeke arborait une expression perplexe.

— C'est une poule qui pond des œufs en or, expliqua Rosie. Quand tante Valérie raconte que la poule est morte, maman lui répond de la boucler. Je ne sais pas qui a raison, mais j'ai très envie d'aller à Disneyland l'année prochaine et de rencontrer Mickey Mouse. Le vrai, pas un faux.

Zeke se rappela que Chad s'était plaint de s'ennuyer chez lui – ce qui n'avait rien d'étonnant, s'il écoutait du rap à longueur de journée. Le regard franc de Rosie lui fit honte : furieux des dégâts causés par le jeune garçon, il avait insisté pour lui donner une bonne leçon. Mais, parfois, même les lanceurs de tomates avaient besoin qu'on leur lâche un peu les baskets.

— Tu peux garder mon argent, reprit la petite fille. Maman et moi, nous viendrons aider Chad à réparer ce qu'il a abîmé. quand nous aurons travaillé assez pour te rembourser, tu nous préviendras, et nous arrêterons.

Comment contrarier ces grands yeux bruns ?

— D'accord.

Alors elle se laissa glisser à terre et lui tendit la main.

— Il faut qu'on se serre la main. Poppy dit que, sans ça, on n'est pas vraiment d'accord.

Zeke acquiesça. La petite main de Rosie lui parut incroyablement fragile, au creux de la sienne.

— Je travaille dur, assura-t-elle avec un grand sourire. Tu verras.

Zeke tenta de l'imaginer en train de soulever des planches plus grandes qu'elle.

— Et toi, qu'as-tu eu comme distraction, cet été ?

— Des tas de trucs : tante Valérie a toujours une idée de jeu. Mais Chad n'aime pas ce qu'on fait, il trouve ça nul.

— Qu'est-ce que vous faites ?

— Parfois, on vernit nos ongles. D'autres fois, on joue aux dames ou à autre chose. Quand on en a marre, tante Valérie fait des caramels, ou alors elle pique la télécommande de papi et on regarde un film pour enfants. Ça lui plaît parce qu'elle n'est pas encore une grande personne. Elle dit qu'elle n'en sera jamais une et que c'est très ennuyeux, d'être une grande personne.

Zeke tenta de se représenter la très sexy Valérie captivée par un film pour enfants.

— En tout cas, vous avez l'air de bien vous amuser, toutes les deux.

— Tout est amusant, avec tante Valérie. Mais pas autant qu'avec maman... Ah, je voulais te demander : mon frère raconte que tu es un très bon cuisinier, c'est vrai ?

— Je ne sais pas, j'essaie.

— Maman aussi, elle aime bien faire la cuisine, reprit Rosie en fronçant le nez. Mais elle n'est pas très douée, faut avouer. Elle a voulu te préparer un gâteau, en signe de bienvenue, mais il était tellement raté que Poppy a proposé d'enlever le glaçage pour te faire croire que c'était une crêpe. Alors maman s'est mise en colère et a juré que plus jamais elle ne ferait de gâteau. On était plutôt contents, parce qu'ils sont toujours mauvais… Bon, faut que je m'en aille, maintenant. Tante Valérie va finir par remarquer mon absence et s'inquiéter.

— Oh… J'espère que tu ne seras pas punie.

Elle lui jeta un regard surpris.

— Par tante Valérie ? Oh non ! Elle voudra savoir comment est ta maison. Elle te trouve très beau, mais Chad assure qu'elle sera déçue parce que tu es gay.

Avant que Zeke ait pu répliquer, Rosie avait franchi la porte.

— À demain ! cria-t-elle depuis le porche. D'accord ?

— D'accord.

Lorsque la porte fut refermée, Zeke s'assit dans la cuisine silencieuse en se demandant s'il avait rêvé cette visite. Puis il examina les pièces qu'il avait dans sa main. Un buggy pour Barbie ? Qu'est-ce que c'était ? Il allait se renseigner dès que possible.

4

Peu après le départ de Rosie, Zeke se rendit au magasin de fournitures pour ranch qu'il avait racheté à son père. Il discuta avec le gérant et les employés, puis garnit les rayonnages jusqu'à 20 heures, l'heure de la fermeture. Ensuite, il consacra deux heures à la comptabilité, aux commandes à passer le lundi suivant et à organiser le planning de chacun pour les trois semaines à venir. Enfin, fatigué, il brancha l'alarme et quitta le bâtiment. Il traversait le parking lorsqu'il se souvint de Rosie Patterson et de l'accord qu'ils avaient conclu. Il devait en informer la mère de la petite fille. Il lui devait aussi des excuses. Dire qu'il l'avait accusée de dorloter son fils ! Comme s'il était un expert en matière d'éducation… Chad avait des problèmes, certes, mais cela ne signifiait pas que Nathalie en était responsable.

Il regarda sa montre : il n'était pas tout à fait 23 heures, et le *Perroquet bleu* n'était qu'à quelques pâtés de maisons de là : pourquoi ne pas régler cette affaire dès ce soir ? Il en profiterait pour prendre un verre – un peu de bourbon pourrait lui faciliter la tâche.

Quelques minutes plus tard, Zeke poussait la porte du club. L'élégance de l'établissement faillit lui faire faire demi-tour. Son jean et sa chemise en coton n'étaient pas du tout adaptés à cet endroit, dont les rares clients, assis autour de tables nappées de blanc, portaient des costumes et des robes du soir. Des appliques en cuivre et des chandeliers jetaient une lueur chaude sur les murs tapissés de bleu foncé. Il avait l'impression d'être un charançon égaré dans un sac de farine.

Lorsqu'il aperçut Nathalie, debout sur une estrade, il en oublia sa timidité. Elle ressemblait à Rosie, mais en version adulte, et vêtue d'une robe rouge à paillettes. Au-dessus de la scène, une plate-forme soutenait de nombreux appareils, amplis, haut-parleurs et spots dirigés stratégiquement sur la jeune femme. Le son de sa voix était chaud et onctueux comme du miel. La guitare sur la hanche, elle se déplaçait gracieusement sur la scène en chantant l'amour d'une femme qui refusait de renoncer à l'élu de son cœur. Subjugué, Zeke s'assit à une table au fond de la salle.

À la fin de sa chanson, Nathalie descendit de l'estrade pour bavarder et rire avec les clients comme s'ils étaient de vieux amis. Chacun de ses gestes faisait scintiller la robe qui soulignait ses courbes voluptueuses et son port de reine, tandis que ses yeux immenses illuminaient l'ovale délicat de son visage.

— Avant de faire une pause, je voudrais chanter une chanson que j'aime particulièrement, murmurat-elle dans le micro. Je l'ai composée il y a longtemps, quand je croyais encore aux dénouements heureux.

Grâce à Rosie et à Chad, Zeke avait désormais une vague idée de la façon dont elle avait perdu ses illusions. Il s'installait confortablement pour l'écouter quand elle courba la tête ; un nuage de boucles noires dissimula son visage. Un silence électrique s'instaura, puis sa voix jaillit. Elle écarta ses mèches et dévoila une expression à briser le cœur.

— *Pourquoi est-ce que je t'aime ?* chantait-elle. *Pourquoi est-ce que je me soucie de toi ?*

Les yeux errant au-dessus de la salle, elle semblait avoir oublié la présence des spectateurs.

— Quand tout pourrait être si parfait, pourquoi, dans l'obscurité de la nuit, mon oreiller est-il mouillé de larmes ? Nous avions tout, mais tu l'as rejeté.

Une serveuse s'approcha de Zeke.

— Un whisky, s'il vous plaît.

— Simple ou double ?

— Simple, répondit-il en se rappelant qu'il devait prendre le volant pour rentrer.

Il avait hâte qu'elle s'éloigne afin de pouvoir écouter tranquillement sa séduisante voisine, mais lorsqu'il se retrouva enfin seul, un verre à la main, la chanson était presque finie. Nathalie leva un bras sur la dernière note et le laissa lentement retomber. Puis, la tête inclinée, elle resta immobile une seconde.

Les applaudissements ne se déclenchèrent que lorsqu'elle se redressa, comme si elle avait délivré son public d'un sortilège. Alors elle posa sa guitare et s'approcha du pianiste. Tous deux feuilletèrent une partition, puis elle lui tapota le bras avant de quitter la scène, flamme brillante dont aucun des hommes présents ne pouvait détacher les yeux. Elle s'apprêtait à pousser une porte située à droite de l'estrade lorsqu'elle aperçut Zeke. Elle s'arrêta et ses épaules s'affaissèrent légèrement. Faisant demi-tour, elle se fraya un chemin entre les tables tandis que le pianiste entamait un air de jazz.

Zeke se leva pour lui avancer une chaise.

— Bonsoir, monsieur Coulter, dit-elle. Le monde est petit ou bien mon fils aurait-il à nouveau vandalisé votre propriété ?

— Que diable faites-vous à Crystal Falls ? s'écria-t-il. Vous devriez prendre Nashville d'assaut.

La question avait jailli de ses lèvres malgré lui. Cette femme méritait de se produire devant des milliers de gens au lieu de gâcher son talent pour quelques péquenauds.

— Vous cherchez à me flatter, monsieur Coulter? demanda-t-elle en s'asseyant à sa table.

— Ce n'est pas de la flatterie. Avec une voix comme la vôtre, vous pourriez faire un tabac.

— J'ai fini de croire aux rêves, hélas! soupira-t-elle, comme résignée. À la fin du spectacle, ma guitare pèse une tonne, reprit-elle en se frottant le cou.

Cette guitare était sûrement le plus léger de ses fardeaux, songea Zeke.

— Qu'est-ce qui vous amène au *Perroquet bleu*? Vous ne ressemblez pas aux habitués de ce genre d'établissement.

La serveuse s'approcha d'eux à cet instant.

— Apportez à madame ce qu'elle boit d'habitude, et mettez son verre sur ma note, ordonna Zeke à son adresse.

— De l'eau, fit Nathalie. Et compte cinq dollars, ce monsieur est plein aux as.

Il lui avait marché sur les pieds et elle lui signifiait qu'elle ne lui pardonnerait pas facilement. C'était de bonne guerre, il ne pouvait lui en vouloir.

— J'ai parlé avec Chad, ce soir, il a l'air de vous apprécier, reprit-elle en lissant la nappe. Apparemment, vous aviez raison: il semble avoir retrouvé une certaine confiance en lui, depuis qu'il a commencé à travailler avec vous. Il en avait besoin.

— Je suis venu m'excuser, expliqua Zeke. Et sachez que ça m'arrive rarement.

— Je vous crois sur parole.

Il eut un petit rire.

— Voilà une repartie que j'ai méritée, j'imagine.

— Effectivement.

— Je vous présente mes excuses. Je me suis comporté comme un imbécile.

Réticente, elle scrutait son visage.

— Puis-je savoir ce qui vous a fait changer d'avis?

— Votre fille m'a rendu visite, tout à l'heure.

Nathalie écarquilla les yeux de surprise.

— Rosie ?

— Vous avez deux filles ?

— Non, grâce au ciel. Une seule me suffit. Qu'est-elle venue faire chez vous ?

— Négocier, répondit Zeke avec un sourire. Et me confier les économies qu'elle destinait à l'achat d'un buggy pour Barbie.

— Oh, non !

— Si ! C'est une sacrée négociatrice.

— Ma Rosie est très maligne.

— Exact. Après m'avoir demandé pourquoi j'étais tyrannique, elle m'a prévenu que papi et vos vaches nourrissaient de mauvaises intentions envers mes choux. N'ayant aucunement le désir de me faire botter le train par un vieillard, j'ai rapidement accepté sa proposition.

La bouche charmante de Nathalie esquissa un sourire.

— Qui est ?

— Rosie et vous êtes les bienvenues chez moi pour aider Chad à rembourser sa dette. Je ne veux pas que son cerveau pourrisse à force d'écouter les disques de rap de votre sœur...

La jeune femme éclata de rire. Ce n'était peut-être pas aussi magique que d'entendre sa voix quand elle chantait, mais ce rire avait quelque chose d'enchanteur.

— Rosie... elle répète tout !

— Et avec beaucoup d'éloquence.

— Je suis désolée qu'elle vous ait embêté. Chad a raison, c'est une enquiquineuse.

— Non, je suis content qu'elle soit venue. Vous aviez raison, je me comportais en tyran. Je m'en suis rendu compte cet après-midi, en faisant la connaissance de votre fils.

— Vous commencez à apprécier sa compagnie autant que lui la vôtre ?

Zeke acquiesça d'un hochement de tête.

— Il est sans doute un peu déboussolé, mais ce n'est pas un mauvais garçon. J'avais tort de vouloir sévir. J'ai même honte de vous avoir menacée d'appeler la police…

Il avala une gorgée de whisky pour se donner le temps de réfléchir et reprit :

— Je voulais aussi m'excuser de vous avoir accusée de le dorloter. On voit à son regard qu'il souffre. Que se passe-t-il avec son père, bon Dieu ?

Des larmes firent briller les yeux de Nathalie.

— Rien, justement, répondit-elle. Robert n'est pas un père… Je ne vois pas d'autre façon d'expliquer les choses.

— C'est ce que j'avais cru comprendre.

— Je ne voudrais pas vous donner une mauvaise image de Robert. Il est… lui-même. Ses parents ne se sont jamais occupés de lui, et il les imite en toute innocence.

— Cela ne l'excuse pas.

Elle rit tristement, puis souffla pour écarter les boucles qui lui masquaient le visage.

— Il n'est pas question d'excuser Robert. Tout n'est pas entièrement sa faute : il est aussi bon père que le sien l'a été. Trop souvent, nous devenons comme nos parents.

C'était vrai, Zeke en était convaincu. D'innombrables fois, on lui avait répété qu'il était le portrait craché de son père – et pas seulement physiquement.

— Votre fils est persuadé qu'il est nul. Lorsqu'il réussit quelque chose, il n'en revient pas.

— Robert est un peu critique.

— *Un peu* ?

— C'est compliqué.

Elle se tut et, durant un instant, Zeke crut qu'elle n'en dirait pas plus.

— Je pense qu'il est complexé et qu'il le cache en plastronnant. Robert fait partie de ces gens qui se prétendent plus malins que tout le monde et excellent dans tous les domaines. Sports, études, affaires, etc. Pour lui, le pauvre Chad n'est jamais à la hauteur.

Chad n'était sûrement pas la seule victime de Robert. Zeke connaissait d'autres individus de ce genre dont les critiques et les airs supérieurs n'épargnaient personne. Subjugué par le regard brun de Nathalie Patterson, il éprouva soudain un étrange sentiment, quelque chose qui se rapprochait de la peur. Tout comme sa fille, cette femme l'émouvait profondément et l'attirait irrésistiblement. L'envie de fuir s'empara de lui.

Il sortit de sa poche un billet de vingt dollars et le posa sur la table. C'était beaucoup plus que ce que coûtaient son whisky et le verre d'eau fraîche mais, vu les sandales de sa fille, Nathalie avait plus besoin d'argent que lui.

— J'ai dit ce que j'avais à dire, marmonna-t-il.

Rien d'autre ne lui venait à l'esprit.

— Il faut que je m'en aille, ajouta-t-il gauchement.

Elle se leva.

— Merci d'être passé, monsieur Coulter. J'apprécie que vous vous soyez excusé et que vous ayez changé d'avis. Chad a besoin d'un peu d'indulgence. Le séjour au camp lui est particulièrement nécessaire, cette année.

— Maintenant que je le connais un peu, je suis d'accord avec vous. S'il reste du travail à faire, je lui donnerai sa semaine et il pourra terminer le soir, après l'école.

Tandis qu'il achevait sa phrase, Nathalie prit le billet et s'approcha de lui pour le glisser dans sa poche de poitrine. Son parfum et la chaleur de son corps le brûlèrent comme si on le marquait au fer.

— La boisson est offerte par la maison! lança-t-elle en s'éloignant.

Pétrifié, Zeke la suivit des yeux – plus précisément, il suivit des yeux le balancement de ses hanches.

Mon Dieu, cette femme n'était pas seulement une flamme, mais un véritable incendie ! Il fallait être un vrai crétin pour risquer de se brûler à son côté.

Le lendemain matin, lorsque Zeke ouvrit sa porte, il découvrit le même petit employé renfrogné que la veille, mais cette fois il avait noué ses lacets.

— Bonjour ! lui lança-t-il gaiement.

Chad entra sans répondre, la bouche pincée.

— Comment ça va ? s'enquit Zeke, surpris par sa froideur après la journée plutôt agréable qu'ils avaient passée ensemble la veille.

— Comme d'habitude, grommela l'enfant en enfonçant les mains dans ses poches.

— Tu as faim ?

— Pas vraiment.

— Tant mieux. Je suis un peu paresseux ce matin, je vais me contenter de céréales.

— Ça signifie qu'on ne va pas travailler ?

Zeke rit.

— Ah non, ce n'est pas en option ! Désolé.

— On ne devrait pas travailler, le dimanche.

— Tu vas à l'église ?

— Plus maintenant. Avant, on y allait toutes les semaines, mais maintenant on habite trop loin du village, et l'essence coûte cher.

Les parents de Zeke avaient eux aussi connu des périodes de vaches maigres quand il était enfant.

— Je suis désolé.

— Pourquoi ? Ça ne te concerne pas.

Sur ces mots, Chad pénétra dans la cuisine, se laissa tomber sur une chaise et fixa le sol d'un air lugubre. Retour à la case départ, songea Zeke un peu dépité.

— Tu veux en parler ? demanda-t-il en se préparant un grand bol de céréales avant d'y verser une rasade de lait.

— Parler de quoi ?

— De ce qui te rend triste.

Chad rejeta la tête en arrière pour repousser ses cheveux.

— À quoi bon ?

— Parfois, ça aide.

— Ça ne m'aidera pas.

— C'est comme tu veux, soupira Zeke en haussant les épaules.

Chad regarda par la fenêtre, l'air irrité.

— J'ai de nouveau essayé d'appeler mon père, hier soir, révéla-t-il enfin.

— Ah !

— Je suis encore tombé sur son répondeur. Je pense qu'il sélectionne ses appels avant de répondre et qu'il ne veut pas me parler.

Zeke demeura silencieux. Il se sentait impuissant face à la détresse du garçon. Le tic-tac de la pendule murale et le crissement des céréales dans son bol parurent s'amplifier.

— Il est peut-être très occupé, lâcha-t-il enfin.

— Peut-être, fit l'enfant sans conviction.

Zeke se versa une large cuillerée de sucre et se mit à manger. Il aurait tellement aimé trouver les mots justes pour rassurer Chad. Il souffrait tellement, il était si fragile…

— J'ai eu la visite de ta sœur, hier soir, annonça-t-il entre deux bouchées.

— Je suis au courant. Tante Valérie m'a raconté que Rosie t'avait convaincu de laisser maman et ma frangine travailler avec nous. Tu n'étais pas obligé d'accepter, tu sais.

Tout en parlant, Chad avait attrapé la boîte de céréales pour en lire la liste des ingrédients.

— Je ne suis pas un bébé, reprit-il après un court silence. Je n'ai pas besoin que ma mère vienne à mon secours.

Relevant la tête, il lança un regard noir à Zeke.

— Elle n'y connaît rien en outillage électrique ou en matière de clôture, elle va tout bousiller.

Zeke était quelque peu réticent, en ce qui concernait l'arrangement proposé par la fillette, mais il se garda bien d'abonder dans son sens.

— Eh bien je lui apprendrai, comme à toi, riposta-t-il, je suis sûre qu'elle y arrivera.

— Tu parles! C'est une fille… Mon père ne la laissait jamais rien faire, il lui disait d'aller se vernir les ongles et de ne pas gêner les hommes dans leur travail.

— C'est ton père qui dit ça, pas moi. J'ai grandi dans un ranch.

— Qu'est-ce que ça a à voir?

— Tout. Sans ma mère, mon père ne s'en serait pas sorti. Il n'y avait rien dans le ranch qu'elle ne pouvait faire aussi bien qu'un homme.

— Ma mère n'est pas comme ça: elle ne sait que chanter.

— Eh bien, ça nous distraira agréablement pendant le boulot.

La colère éclaira les yeux du garçon.

— Peut-être que je n'ai pas envie de passer tout ce temps avec elle, tu y as pensé?

— Vous ne vous entendez pas, tous les deux?

— Je la déteste. Si mon père ne veut pas me voir ni répondre à mes coups de téléphone, c'est uniquement sa faute.

Zeke repoussa son bol. N'étant pas pédopsychiatre, il craignait d'empirer les choses par des propos maladroits, d'un autre côté il ne pouvait oublier ce que lui avait révélé Rosie la veille.

— Je crois que tu es injuste envers ta mère, Chad.

— Qu'est-ce que tu en sais?

— On ne peut pas lui reprocher les choix de ton père.

— Il les fait à cause d'elle. Elle se conduit comme une garce avec lui.

Lorsque le vin est tiré, il faut le boire, soupira Zeke *in petto*. Il s'agissait désormais de parler franchement.

— Ton père n'est pas obligé de la voir, Chad, il peut tout à fait te donner rendez-vous au bout de l'allée ou bien dans le parking d'un magasin. Et il a le droit de te parler au téléphone aussi souvent qu'il le souhaite.

— Dis-le à ma mère.

— C'est la loi, répliqua Zeke, et je suis sûr que ta mère le sait. Après un divorce, l'animosité entre les deux parents est une chose fréquente. La cour accorde à celui qui n'a pas la garde des enfants le droit de les voir régulièrement. Si ta mère s'y oppose, ton père a les moyens légaux d'obtenir ce droit.

— Si c'est vrai, pourquoi il ne le fait pas, hein ?

— Je ne sais pas. Tu devrais le lui demander.

— Ah oui ? Et comment je fais pour le lui demander s'il ne prend pas mes appels ?

À cela, Zeke n'avait pas de réponse. Une chose était sûre, il détestait désormais Robert Patterson sans l'avoir jamais vu. La tristesse de Chad et sa colère envers sa mère risquaient de déclencher de vrais drames. Pour le moment, le jeune garçon s'était contenté de saccager un potager et de défoncer une porte et des fenêtres, mais sur quoi ou sur qui exprimerait-il son ressentiment, la prochaine fois ?

5

Nathalie n'en revenait pas : la sonnerie de son réveil n'avait pas fonctionné et il était déjà 9 heures.

— Ce n'est pas grave, si on est en retard, la rassura Rosie. M. Coulter ne sera pas fâché.

Elles traversaient le champ et la fillette ramassait des lupins bleus tout en discourant sur les fleurs sauvages. Sa mère ne l'écoutait que d'une oreille – revoir Zeke la rendait nerveuse. Tant qu'elle le détestait, elle n'avait eu aucun mal à ignorer à quel point il était séduisant, mais les excuses qu'il lui avait présentées l'avaient décontenancée, et la compassion dont il faisait montre envers Chad la désarmait. Elle qui, d'ordinaire, était plutôt réservée, s'était livrée à lui, évoquant les défaillances de Robert. Plus inquiétant encore était l'emballement de son pouls lorsqu'il la regardait. Il lui fallait contrôler ses sentiments avant d'en devenir esclave.

Hélas ! pour une raison inconnue, elle ne parvenait pas à atténuer cette excitation de gamine qui l'animait, très semblable à celle qu'elle avait éprouvée jadis lorsqu'elle avait rencontré Robert. Or il n'était pas question pour elle de s'abîmer encore dans la souffrance...

De toute façon, il fallait être deux pour danser, se reprit-elle, elle ne risquait donc rien. Il était peu probable que Zeke Coulter soit attiré par elle. Certes, avec une bonne couche de maquillage, une robe bien choisie et un éclairage étudié, elle avait une certaine allure, mais alors elle n'était pas elle-même. La véritable Nathalie était une femme très ordinaire dotée d'un quotient intellectuel moyen et d'un physique banal, entourée d'une famille de cinglés.

Elle tira sur la chemise qu'elle avait empruntée à son père sans remarquer les taches de graisse qui la constellaient. Son vieux jean était si serré à la taille qu'elle avait du mal à respirer – rappel insistant des huit kilos gagnés lors de ses grossesses. Il fallait qu'elle ait perdu la tête pour se croire susceptible de plaire à leur voisin... Zeke Coulter avait sans doute l'habitude de fréquenter de superbes femmes ; il ne s'intéresserait pas à l'allure de Nathalie, mais à l'énergie qu'elle mettrait à travailler.

— Ça va, maman ? s'enquit Rosie.

— Très bien, assura la jeune femme en s'efforçant de respirer calmement. Je suis juste un peu essoufflée par notre marche à travers champs...

Contournant l'atelier, elles trouvèrent Chad et Zeke qui s'apprêtaient à faire une pause. Zeke portait un jean délavé et une chemise en coton rouge dont les manches retroussées laissaient voir ses bras tannés et musclés. Ébouriffés par la brise matinale, ses cheveux bruns retombaient sur son front. Le soleil accentuait son nez droit, ses pommettes saillantes et son menton volontaire.

Nathalie prit une grande inspiration pour calmer ses nerfs, comme elle avait appris à le faire avant de monter sur scène.

— Bonjour ! lança-t-elle. Désolée d'arriver si tard. J'avais mis mon réveil, mais il n'a pas sonné... Quelqu'un a oublié de me réveiller, ajouta-t-elle en jetant à son fils un regard accusateur.

— Je pouvais pas deviner que tu voulais venir avec moi, grommela Chad en s'essuyant les mains sur un chiffon.

— Tu le sauras pour demain, répliqua tranquillement sa mère.

Rassemblant son courage, elle s'obligea à croiser le regard de Zeke. Le bleu de ses yeux, qui contrastait avec son teint hâlé, la laissa sans voix.

— Rassurez-vous : je sais que vous vous êtes couchée tard, je ne vous attendais pas avant midi. Nous allions faire une pause, dit-il en désignant l'ombre d'un chêne, j'ai préparé de la citronnade. Voulez-vous vous joindre à nous ?

— Oh, je ne… commença Nathalie, gênée de ne pas se mettre tout de suite au travail.

— J'adore la citronnade ! s'écria Rosie.

Une lueur malicieuse éclaira le regard de Zeke.

— Vous êtes en minorité, apparemment, remarqua-t-il.

Comme la petite fille le rejoignait en bondissant, Zeke lui passa la main dans les cheveux.

— Comment vas-tu, ce matin, jeune demoiselle ?

Rosie s'arrêta pour le regarder. Elle était adorable vêtue d'un pantalon à fleurs un peu court et d'un tee-shirt orné de lapins.

— Très bien. Malheureusement, on ne peut pas en dire autant de tout le monde.

— Ah bon ? s'inquiéta Zeke. Quelqu'un est malade ?

— Pas vraiment malade, répondit Rosie. Tante Valérie a mal au ventre, comme tous les mois. Poppy dit qu'un vieil ours grognon serait plus aimable.

Zeke eut l'air ahuri que prennent les adultes confrontés à la précocité des enfants.

— Mmm… Je suis désolé d'apprendre qu'elle ne se sent pas bien, lâcha-t-il.

Rosie soupira.

— En général, elle va mieux au bout d'un jour ou deux. Mais les hémorroïdes de papi, c'est une autre histoire.

La fillette ne laissa pas à sa mère le temps de l'interrompre.

— Il est très étourdi et perd ses affaires. Ce matin, il ne trouvait pas sa pommade spéciale.

— Ah bon ?

— Maman et moi, on a cherché partout. Poppy pense qu'il l'a confondue avec une autre pommade contre les démangeaisons, et qu'il s'en est mis sur le zizi…

— Rosie ! cria Nathalie.

Sa fille lui lança un regard innocent.

— Qu'est-ce qu'il y a ?

— Il y a des choses dont tu ne dois pas parler en dehors de la famille.

— Pourquoi ? demanda l'enfant en se tournant vers leur hôte. Tu n'as jamais entendu parler d'hémorroïdes ou de démangeaisons au zizi ?

— À vrai dire, si, admit-il.

— Tu vois, maman, il n'y a pas de problème.

Zeke adressa à Nathalie un regard amusé. Vaincue, celle-ci haussa les épaules et le suivit vers le chêne à l'ombre duquel il avait déposé une grande carafe de citronnade et quatre verres.

— Désolé, dit-il en s'asseyant dans l'herbe, je n'ai pas encore acheté de meubles de jardin.

Chad s'installa aussi loin de sa mère qu'il le pouvait, arborant un air boudeur et évitant son regard. Rosie s'agenouilla auprès de son nouvel ami en babillant sans discontinuer. Avant qu'il ait eu le temps de servir la citronnade, Zeke avait appris que Valérie venait de rompre avec son petit ami et qu'elle cherchait vainement un boulot, que Poppy avait mal au dos et que Nathalie luttait sans succès contre un excédent de poids.

— Maman ne mange que des yaourts allégés et du céleri, expliqua l'enfant. Poppy a peur qu'elle se rende malade.

— Pour moi, vous êtes très bien, dit Zeke en tendant son verre à la jeune femme.

Hélas! les miroirs n'étaient pas de cet avis. Or maigrir était vital pour Nathalie : dans une robe moulante et sous les spots, grossir, ne serait-ce que de trois kilos, pouvait être fatal. Et il n'était pas question de donner à un ivrogne excité l'occasion de crier: «Allez, la grosse, chante-nous encore une chanson!»

Zeke était adossé au chêne, un bras reposant sur son genou relevé, l'autre jambe étendue devant lui, attitude qui soulignait la largeur de ses épaules. Dans la lumière mouchetée que laissait filtrer le feuillage, les poils de ses bras brillaient tels des fils de soie. Il avait de longs doigts, des mains d'artisan à la paume large et au poignet épais.

Il était aussi différent de Robert que la nuit du jour, pensa Nathalie en l'observant discrètement. Un styliste onéreux coiffait les cheveux blonds de son ex-mari, dont les mains manucurées étaient aussi douces que celles d'une femme. Avec la petite bedaine qu'il arborait, on ne risquait pas de le prendre pour un travailleur manuel...

S'apercevant que Zeke avait pris conscience qu'elle l'observait, elle s'efforça de détourner les yeux. En vain. Pendant une seconde qui parut durer une éternité, leurs regards se soudèrent. Elle se figea.

Inconsciente de ce qui se passait entre les deux adultes, Rosie avait abandonné sa citronnade pour courir derrière un papillon.

— Devine ce que j'ai attrapé, monsieur Coulter ? demanda-t-elle en revenant, une minute plus tard, les mains en coupe.

— Un lutin ?

— Mais non, idiot. Les lutins, on en trouve seulement en Irlande.

— Comment le sais-tu ?

— Maman m'a lu un livre sur les lutins. On peut apprendre des tas de choses, dans les livres.

— Peut-être que, sans le vouloir, quelqu'un a rapporté d'Irlande un lutin dans sa valise.

Rosie fit une petite moue, mimique qui lui avait valu le surnom de Bouton de Rose.

— Peut-être, mais ce n'est pas un lutin.

— Mmm, fit Zeke en feignant de réfléchir. Un oiseau mouche ?

— Non, je ne suis pas assez rapide.

— Je suis nul en devinettes. Montre-moi.

Rosie s'approcha et écarta les mains. Un crapaud en jaillit soudain, dont le corps gras et verruqueux heurta le visage de Zeke. Celui-ci sursauta et renversa son verre.

— Hé, mer... flûte ! cria-t-il en attrapant l'animal.

La petite fille plaqua une main sur sa bouche pour retenir un éclat de rire.

— Tu trouves ça drôle, hein ? s'écria-t-il en feignant d'être en colère. Tiens, reprends-le et relâche-le dans ce qui reste de mon potager. Les crapauds mangent les insectes.

Rosie s'éloigna en courant, suivie de Chad qui, en bon frère aîné, se crut obligé d'aboyer des ordres.

— Pas là ! Il a besoin d'ombre. Ils vivent dans la boue, idiote !

— Je ne suis pas idiote.

— Si.

— Non !

— Pas d'injures, Chad ! cria Nathalie sans succès.

La fillette explorait le potager à la recherche d'un endroit idéal où relâcher sa proie.

— Les crapauds ne vivent pas dans la boue, expliquait-elle à son frère. Ils s'y enfoncent dans la journée pour rester au frais.

— Mais non, crétine !

— Mais si, imbécile !

Et ainsi de suite.

— J'avais oublié, dit Zeke.

— Oublié quoi ?

— À quel point les enfants aiment se chamailler. Nous étions six, dans ma famille, et, du matin jusqu'au soir, il n'y avait pas un seul moment de paix. C'est un miracle que mes parents ne soient pas devenus chauves à force de s'arracher les cheveux.

Un peu détendue par son attitude amicale, la jeune femme posa son verre à côté d'elle et referma les bras sur ses genoux pliés.

— Six enfants ? J'ai dû mal à imaginer ça. Chad et Rosie me suffisent amplement… Parfois, j'ai envie de cogner leurs têtes l'une contre l'autre !

— Multipliez-les par trois et vous aurez une idée de ce qu'a été mon enfance. J'ai quatre frères et une sœur, je suis le deuxième.

— Je compatis avec votre sœur, souffla Nathalie en riant. Comment a-t-elle pu survivre ?

— C'était le bébé. On y allait mollo, avec elle, répondit Zeke, attendri par les souvenirs. Bethany vous dirait le contraire, bien entendu. C'est surtout Hank, le plus jeune des garçons, qui l'embêtait, mais elle se défendait très bien, et je pense que ça lui a fait beaucoup de bien : elle est devenue une femme courageuse et solide, aujourd'hui.

— Et vos frères, comment sont-ils ?

— Physiquement, ils me ressemblent beaucoup. Sur les autres plans aussi, je pense. Jake et Hank élèvent des vaches et des chevaux. Les jumeaux, Tucker et Isaiah, sont vétérinaires. Quant à moi, je possède *Les travaux*, un magasin de fournitures pour ranch situé dans le quartier ouest de la ville.

Le père de Nathalie avait été un bon client, avant que son dos ne commence à le faire souffrir. À présent, il louait ses terres à des fermiers voisins et vivait des loyers et de sa pension d'invalidité.

— Je connais votre magasin. Il est magnifique.

— Il me procure de quoi vivre agréablement, et ce genre de commerce me plaît.

— Et votre sœur, que fait-elle ?

— En plus d'être une épouse et une mère merveilleuse, elle vient d'ouvrir un centre équestre pour enfants handicapés.

— Quelle bonne idée ! Il y a quelques années, j'ai vu une émission sur un club de ce genre. En voyant les visages rayonnants des gosses lorsqu'ils se retrouvaient à cheval pour la première fois, j'ai failli pleurer. J'espère que votre sœur réussira et qu'elle pourra en vivre.

— Pas de souci de ce côté-là : son mari n'est autre que Ryan Kendrick.

Personne à Crystall Falls n'ignorait que les Kendrick étaient plus riches que Crésus.

— Ah… Pas de soucis, en effet !

Zeke sourit.

— Ryan la soutient activement dans ce projet. En réalité, je pense que c'est lui qui en a eu l'idée. D'avoir épousé une femme paraplégique le rend plus apte que n'importe qui à comprendre la souffrance des enfants handicapés.

— Votre sœur est paraplégique ?

— Oui, suite à un accident de *barrel-racing* : elle avait dix-huit ans et pensait intégrer l'équipe nationale… Enseigner l'équitation à des enfants est une merveilleuse façon pour elle de rester active.

Nathalie se rappela soudain cette histoire qui avait fait le tour de la ville : le plus jeune des fils Kendrick avait épousé une femme condamnée au fauteuil roulant.

— Si Ryan Kendrick est votre beau-frère, vous avez des amis haut placés, monsieur Coulter.

— Zeke, rectifia-t-il. Et j'en ai aussi des quantités qui sont placés très bas ! Mais assez parlé de moi. Passons aux Westfield, maintenant.

— Y a-t-il quelque chose que vous ne savez pas, après tout ce que vous a raconté Rosie ?

Il rejeta la tête en arrière et éclata d'un rire sonore qui parut remonter du fond de sa poitrine.

— Elle a en effet défriché un bon bout de terrain en un rien de temps. J'imagine que je ne suis pas le premier à vous dire qu'elle est adorable…

— Oh non, vous n'êtes pas le premier ! En général, on me fait ce compliment juste après qu'elle a lâché quelque chose de très embarrassant ! Parler est son point fort. Elle ne se tait que lorsqu'elle dort.

— Ce qui m'épate, reprit Zeke, c'est sa maîtrise de la langue. J'ai du mal à croire qu'elle n'a que quatre ans… Elle fait quelques erreurs de vocabulaire, mais c'est rare.

Nathalie lâcha un soupir résigné.

— Parfois, elle me met très mal à l'aise, je n'arrive pas à l'empêcher de répéter tout ce qu'elle entend. Elle entre en maternelle à la rentrée, et je suis terrorisée à l'idée de ce qu'elle va raconter à sa maîtresse.

— La maîtresse sera très compréhensible, je n'en doute pas, la rassura Zeke en souriant. Les institutrices en entendent des vertes et des pas mûres, vous savez. Quand j'étais en cours d'éveil, je me suis levé devant toute la classe pour décrire avec force détails la naissance de ma petite sœur. Ma maîtresse ne s'est pas évanouie, mais elle a dû s'asseoir.

— Vous n'aviez quand même pas assisté à l'accouchement ?

— Si. Ma mère nous a tous mis au monde à la maison. Mon père a essayé de nous éloigner, mais Jake, mon frère aîné, et moi avions décidé de voir ce qui causait tout ce tohu-bohu : nous nous sommes faufilés dans la chambre de ma mère ! La morale de l'histoire, c'est que vous ne devez pas vous tracasser au sujet de ce que votre fille peut raconter. Elle ne choquera personne, on la trouvera tout simplement adorable.

À cet instant, le sujet de leur conversation revint en pleurs, suivie de loin par son frère, qui baissait la tête, penaud.

— Chad m'a tiré les cheveux ! balbutia la fillette entre deux sanglots.

— C'est pas vrai ! cria le garçon.

La lèvre inférieure de Rosie tremblotait et de grosses larmes coulaient sur ses joues.

— Si, maman, il l'a fait, je te jure.

— Bon, ça va, je lui ai tiré les cheveux. Mais c'est pas si grave… J'ai même pas fait exprès.

Nathalie jeta un regard interrogateur à son fils.

— Comment ça s'est passé ?

Le visage de Chad rougit de colère.

— Tu te mets toujours de son côté !

— Je ne me mets d'aucun côté, je te demande seulement de m'expliquer. Si c'est un accident, l'histoire est close.

— Je l'ai attrapée par l'épaule, expliqua-t-il d'un ton grognon. Elle a cru que je voulais prendre son crapaud et s'est tortillée pour m'échapper. Il y avait des cheveux sous ma main, mais, moi, je croyais ne tenir que sa chemise.

Le récit parut plausible à la jeune femme, qui attira la fillette contre elle.

— Là, tu vois, c'était un accident, chérie. Chad n'avait pas l'intention de te tirer les cheveux.

— Mais ça m'a fait mal ! cria Rosie, indignée.

Nathalie embrassa les boucles de sa fille et lui tapota le dos.

— Je sais mais, puisque c'était un accident, tu ne dois pas en vouloir à Chad. Ça te fait encore mal ?

Rosie fit non de la tête mais continua de pleurnicher.

— J'ai perdu mon crapaud

— Oh ! c'est dommage ! Tu vas peut-être en attraper un autre.

— Je n'en veux pas d'autre. C'est celui-là que j'aimais.

— Eh bien peut-être le retrouveras-tu, il n'a pas dû aller bien loin, suggéra sa mère.

Comme Rosie s'élançait à la recherche du crapaud, Nathalie se leva et sourit à Chad.

— Ça serait gentil que tu l'aides, chéri.

— Arrête de m'appeler « chéri », je ne suis pas un bébé.

Tandis que Zeke se levait pour ramasser les verres, signalant la fin de la pause, la jeune femme remarqua avec soulagement que la plupart des taches de tomate se trouvaient sous une avancée du toit – ils ne travailleraient pas en plein soleil.

— Nous avons fini de lessiver, annonça Zeke. Il faut passer à la peinture, maintenant.

— Je suis prête. Vous avez assez de pinceaux ?

Quelques minutes plus tard, tout le monde, y compris Rosie, en avait un en main. Debout sur une échelle, Chad peignait l'espace situé sous l'avancée du toit. Nathalie vit avec plaisir que son fils travaillait avec ardeur. Pourtant, bien qu'elle en eût très envie, elle n'osa pas le féliciter de peur qu'il ne le prenne mal.

Zeke résolut le problème.

— Tu es sûr que tu n'as jamais peint, Chad ?

— Tout à fait sûr. Mon père embauche des ouvriers, pour faire ce genre de travaux.

— Tu fais un boulot excellent, assura Zeke. On jurerait que tu as une longue expérience. Un vrai pro !

Chad haussa les épaules, feignant l'indifférence, mais Nathalie sentit que le compliment l'avait touché.

— Et moi, il est comment, mon travail ? demanda Rosie.

Zeke ne couvrit pas l'enfant de compliments mensongers, comme l'auraient fait beaucoup d'adultes. Il s'accroupit à côté d'elle et examina le morceau de mur qu'elle avait peint. La fillette attendait son verdict avec gravité. Il lui emprunta son pinceau pour lisser quelques coulures.

— Pas mal, jeune demoiselle, lâcha-t-il enfin. Pas mal du tout.

C'était suffisant pour lui faire plaisir, mais pas assez élogieux pour que son frère en éprouve de la jalousie. Le comportement de Zeke envers ses enfants était exactement celui que Nathalie aurait aimé que Robert adopte : ferme et exigeant, il était aussi patient et prêt à encourager celui qui faisait des efforts. Chad s'épanouissait à vue d'œil, et semblait gagner de l'assurance à chaque coup de pinceau.

Il allait bientôt être midi. Le soleil gagna le zénith, jetant sur les travailleurs une chape de chaleur moite. Nathalie avait la gorge cotonneuse et mourait de soif.

Elle repeignait la gouttière lorsque Zeke s'approcha d'elle pour lui toucher légèrement l'épaule.

— Nous avons de la visite… Ce doit être pour vous.

La jeune femme, jetant un coup d'œil vers l'allée, retint un gémissement : son ex-belle-mère, Grace Patterson, descendait d'une Lexus argentée.

— Flûte. C'est la mère de Robert.

— Apparemment, vous ne la portez pas dans votre cœur…

— Bien deviné.

— Elle vient souvent vous rendre visite ?

— Rarement, grâce au ciel. Il doit y avoir un problème.

— Allez voir ce qu'elle veut, proposa Zeke en lui prenant le pinceau qu'elle tenait à la main. Je vais m'occuper des enfants.

Reconnaissante, elle s'essuya les mains sur sa chemise et se dirigea vers l'allée. Grace était une femme blonde et élégante, au port de reine. Au début de son mariage, Nathalie craignait toujours de lui déplaire mais, au fur et à mesure des années, cette peur avait cédé la place à l'ennui.

— Mon Dieu! s'exclama Grace en examinant la tenue de sa belle-fille. Que fais-tu là?

— De la peinture.

Nathalie lui conta brièvement les bêtises de Chad.

— M. Coulter a gentiment accepté que Rosie et moi l'aidions à rembourser sa dette en heures de travail afin que tout soit fini avant le départ au camp.

Grace prit l'air hautain.

— Il n'en est pas question! s'écria-t-elle en ouvrant son sac. Combien dois-tu à cet homme?

— Je ne veux pas d'argent, Grace. Votre proposition me touche, mais il n'est pas question que j'accepte.

— Ne sois pas sotte. Tu es l'épouse d'un homme riche et important. Peindre la maison d'un inconnu est indécent.

— Robert et moi sommes divorcés, vous avez oublié?

— Il faut quand même respecter les convenances. Rembourser une dette en heures de travail! C'est vraiment prolétaire...

Nathalie pointa un doigt en direction de la maison où elle avait grandi.

— Je fais partie du prolétariat, Grace. Je suis issue de ce milieu et et ce sera toujours le mien.

Une moue de dégoût défigura brièvement le visage parfaitement maquillé de la vieille femme. Grace n'avait jamais aimé la famille de Nathalie, et de lui être apparentée l'avait toujours mise dans l'embarras.

— Tu es la mère de mes petits-enfants, quand même. Tu dois leur donner le bon exemple.

— À mon avis, c'est précisément ce que je fais. Ils apprennent ainsi à assumer la responsabilité de leurs actes.

Grace rangea son carnet de chèques dans son sac.

— Je ne suis pas venue pour me disputer, Nathalie.

— Tant mieux, je suis fatiguée. Que voulez-vous ?

— C'est Robert.

Nathalie remarqua soudain les mains tremblantes de son ex-belle-mère.

— Qu'a-t-il encore fait ?

Les yeux bleus de Grace s'emplirent de larmes.

— Tu dois faire quelque chose, Nathalie. Sa conduite est tellement scandaleuse que les gens commencent à jaser.

Les frasques de Robert provoquaient sans doute des haussements de sourcils au sein du country club...

— Je suis désolée, Grace, mais je ne peux rien faire.

— Retourne auprès de lui ! Au moins, il était discret quand il était marié.

Nathalie n'avait pas oublié les innombrables nuits durant lesquelles elle avait arpenté la maison en s'inquiétant pour son mari, avant de le voir revenir à l'aube, traînant dans son sillage le parfum d'une autre femme.

— Il n'a jamais été discret. Pour rien au monde je ne revivrai cela.

Grace étreignit son sac.

— Il n'est pas le premier homme à vagabonder... Les femmes intelligentes surmontent l'orage.

L'orage en question avait commencé peu après leur mariage et n'avait jamais connu d'accalmie au cours de onze années de vie commune.

— Eh bien, je ne dois pas être assez intelligente.

— Je suis passé chez lui, ce matin, je voulais lui parler... Mais il était avec cette petite traînée de Cheryl Steiner, ajouta-t-elle perfidement.

Ainsi, Bonnie Decker avait été remplacée. Nathalie s'en fichait. De toute façon, les conquêtes de Robert étaient interchangeables, jeunes, blondes et peu farouches.

— Je les ai trouvés dans ton lit, déclara Grace, espérant que son ex-belle-fille allait hurler d'horreur.

Le lit en question était un héritage Patterson, offert à Robert par son père.

— Ce n'est pas mon lit, Grace.

— Le juge en a décidé autrement.

Nathalie ne pouvait la contredire : Robert avait insisté pour que leurs biens soient divisés à parts égales, mais ils s'étaient secrètement mis d'accord pour se restituer leurs héritages personnels – la jeune femme refusait de voir la moitié de la ferme Westfield, que lui avait léguée sa grand-mère, tomber aux mains de son ex-mari.

— Peu importe à qui appartient ce lit, soupira Nathalie en croisant les bras. Robert et moi sommes divorcés. Je me moque de ses fréquentations.

— Il te couvre de honte !

— Non, c'est lui qu'il couvre de honte, comme vous dites. Ses choix ne me concernent plus.

— Comment peux-tu dire ça ? Tu sais bien que tes enfants portent son nom !

La jeune femme hocha la tête en signe de dénégation.

— Chad et Rosie ne sont pas responsables de la conduite de leur père.

Grace se tapota les joues avec un mouchoir en papier en prenant garde à ne pas abîmer son maquillage.

— Robert était furieux de ma visite, il m'a ordonné de sortir. Il m'a même interdit de revenir chez lui sans y être invitée…

La souffrance que Nathalie perçut dans les yeux de la vieille femme n'était pas feinte.

— Grace…

— Je suis sa mère ! Après tout ce que j'ai fait pour lui, comment peut-il me traiter ainsi ? Et devant cette petite traînée ! J'étais hors de moi. Tu ne peux pas imaginer à quel point. Si j'avais eu une arme, je lui aurai tiré dessus, je te le jure.

Nathalie lui tapota l'épaule.

— Vous ne le pensez pas vraiment. Robert est votre fils. Vous êtes très en colère, et avec raison, mais ça passera.

— Non, repartit Grace à mi-voix, pas cette fois-ci. Je ne le comprends pas, ajouta-t-elle avec un regard désespéré.

Cela faisait longtemps que Nathalie avait renoncé à comprendre Robert. Il pouvait se montrer chaleureux, compatissant et merveilleux quand cela lui convenait mais, en réalité, c'était un homme égoïste et malhonnête qui vivait selon ses propres règles. Un joli vernis et rien en dessous, disait Pop. Malheureusement, à l'époque où elle l'avait rencontré, Nathalie était trop jeune pour s'en rendre compte.

— J'ai appelé mon notaire, reprit Grace. Je le déshérite. À ma mort, tout reviendra à Chad.

Nathalie savait que Robert s'excuserait et que sa mère lui pardonnerait. Ce ne serait ni la première fois ni la dernière.

— Je suis désolée que vous soyez aussi bouleversée, Grace, mais vous vous en remettrez. Vous verrez.

— Non, c'est fini, protesta son ex-belle-mère en redressant les épaules. Je suis venue annoncer à mon petit-fils qu'il était désormais mon seul héritier.

Grace avait toujours utilisé sa fortune comme moyen de pression sur son fils. Il n'était pas question qu'elle se serve de Chad dans ce chantage.

— Non, répliqua fermement la jeune femme. Je regrette que Robert vous ait déçue, Grace, et je comprends que vous ayez besoin d'exprimer votre chagrin, mais laissez Chad en dehors de tout ça.

— Pourtant c'est une bonne nouvelle pour lui ! Il sera un jour très riche.

— Vous le lui annoncerez quand il sera plus âgé. Il est suffisamment perturbé pour le moment.

— Je n'avais pas l'intention de lui expliquer pourquoi j'ai modifié mon testament.

— Je ne veux pas qu'on lui en parle. La situation actuelle est déjà assez difficile pour lui.

Grace acquiesça à contrecœur.

— Si je promets de me taire, tu le laisseras au moins me rendre visite ?

Une boule de colère se forma dans la gorge de Nathalie.

— Avec Rosie ?

— Oh, bien sûr !

La jeune femme brûlait de refuser, mais elle ne pouvait empêcher Chad et Rosie de rencontrer leur grand-mère.

— D'accord, ils viendront vous voir.

— Quand ? insista Grace.

— Dans l'immédiat, c'est difficile. Nous avons beaucoup à faire avant le départ de Chad pour le camp, et il ne reviendra que quelques jours avant la rentrée scolaire.

— En septembre, alors ?

Nathalie espérait que d'ici là Grace n'aurait plus envie de jouer à la grand-mère.

— Si vous voulez, en septembre.

— Je t'appellerai pour convenir de la date et de l'heure.

Sur ces mots, et bien qu'elle ne fût pas particulièrement démonstrative, Grace serra son ex-belle-fille dans ses bras.

— Mon fils est un idiot, murmura-t-elle en lui tapotant le dos. Il se repentira et te suppliera de revenir à lui, crois-moi. Et ce sera la meilleure solution : c'est ensemble que vous devez élever vos enfants.

Nathalie se força à sourire à la vieille femme, puis resta immobile un long moment en regardant s'éloigner la Lexus.

— Ça va ? fit la voix grave de Zeke derrière elle.

— Ça va.

Malgré la chaleur, la jeune femme avait froid. Elle croisa les bras sur sa poitrine et se retourna vers son voisin.

— Grace est bouleversée.

— Ça se voyait. Que voulait-elle ?

— Son fils lui fait honte ; or le seul moyen qu'elle a de le punir est de le déshériter. C'est un jeu auquel ils se livrent depuis des années, tous les deux. Cette fois-ci, elle a voulu aller un peu plus loin en annonçant à Chad qu'il était à présent son unique héritier. Simplement pour provoquer Robert en rendant la chose officielle...

— Sans blague ?

— Les méthodes de Grace en matière d'éducation sont essentiellement basées sur la manipulation. Si Robert croit que son fils va hériter à sa place, peut-être reprendra-t-il le droit chemin – c'est ce qu'elle espère, en tout cas. Elle voudrait aussi que je retourne auprès de lui afin qu'il se montre plus discret... Quand on n'a rien fait pour mériter le respect de ses enfants, il est difficile d'attendre d'eux qu'ils vous témoignent de la considération, une fois qu'ils sont devenus adultes.

— Vous retourneriez auprès de lui ?

— Lorsque Robert et moi étions mariés, il voyait ses petites amies en cachette. Maintenant, il ne se donne même plus cette peine, et les amies de Grace commencent à médire : elle en est terriblement mortifiée.

Le regard de Zeke se fit acéré.

— Cela pourrait arriver ?

— Quoi donc ?

— Que vous retourniez auprès de lui.

— Absolument pas ! s'écria Nathalie avec un rire amer. Pourquoi cette question ?

Les yeux de Zeke s'éclairèrent et ses lèvres esquissèrent un sourire.

— Par curiosité, c'est tout.

Nathalie savait repérer l'intérêt qu'elle suscitait parfois chez un homme. Elle fut parcourue d'un frisson d'excitation et, l'espace d'un instant, elle se sentit jeune, jolie et désirable. Malheureusement, cet instant ne dura pas.

— Je n'ai pas cherché à vous espionner, reprit Zeke, mais, tandis que je peignais la gouttière, la brise m'a apporté quelques bribes de votre conversation. Elle parlait sérieusement ?

— À propos de quoi ?

— En disant qu'elle lui aurait tiré dessus si elle avait eu une arme.

Nathalie eut un petit rire.

— Robert provoque parfois ce genre de réaction. Elle surmontera cet affront, comme d'habitude. En tout cas, je suis désolée qu'elle soit venue ici. Pop ou papi ont dû lui dire où j'étais. Il n'y a rien de pire que de laver son linge sale dans l'allée du voisin…

— Ce n'est pas votre linge sale, protesta-t-il avec un regard amical. Et c'est scandaleux que vous ayez toujours à le laver.

— Ça risque de durer jusqu'à la majorité de mes enfants, hélas ! Robert est leur père.

Zeke plissa les yeux, ce qui accentua ses pattes-d'oie. Tandis que le regard de la jeune femme s'attardait sur son visage buriné, ses pensées prirent un tour dangereux. Un baiser de cet homme, le contact de ces grandes mains sur sa peau, l'étreinte de ces bras musclés… Agacée, Nathalie secoua la tête pour chasser ces fantasmes de son esprit.

Elle avait assez de problèmes comme ça, et Zeke Coulter était visiblement le type d'hommes à en susciter de nombreux...

6

Peu après le départ de Nathalie et de ses enfants, Zeke trouva une montre par terre, à côté de la maison. Précautionneusement, il la ramassa pour en examiner le bracelet délicat, et le reflet du soleil sur le verre. Cette Timex ordinaire dont le plaquage or était par endroits effacé semblait le fasciner.

Ce n'était pas la montre qui l'intriguait ainsi, mais sa propriétaire aux facettes multiples, tantôt séductrice en robe à paillettes, tantôt mère de famille attentionnée. Il avait pris plaisir à l'observer alors qu'elle se balançait en peignant, comme emportée par une musique qu'elle seule pouvait entendre, souriant tendrement à Rosie, un peu ahurie par les réactions de Chad – parfois même blessée. Elle avait de grands yeux mélancoliques, d'un brun profond tacheté d'ambre, qui trahissaient chacune de ses émotions. Lorsqu'il croisait son regard, Zeke éprouvait une curieuse sensation de plénitude, le sentiment d'une harmonie parfaite qu'il n'avait jamais expérimentée jusqu'à présent.

Il glissa la montre dans sa poche. Il était presque 18 heures ; Nathalie devait s'apprêter à partir au travail, et sa montre lui manquait sûrement. S'il se dépêchait, il pourrait la lui rendre avant qu'elle ne quitte la ferme.

Arrivé au bout du champ, Zeke songea à faire demi-tour : cette histoire de montre n'était qu'un prétexte ridicule pour revoir Nathalie. Or cette femme avait deux enfants et une famille de cinglés. Tenait-il vraiment à se lier à elle ?

Il secoua la tête. Ses frères avaient raison, il était trop sérieux. Un tas de types de son âge sortaient avec des femmes déjà mères, et qui n'avait pas un ou deux cinglés dans sa famille ? Nathalie était très belle, sur scène comme au naturel. Elle l'attirait étrangement, et il prenait grand plaisir à sa compagnie. Alors, pourquoi hésitait-il ?

Il fit le tour de la maison. La cour était bordée de parterres si abondamment fleuris qu'ils se répandaient sur les gravillons et dans l'herbe. L'œuvre de Nathalie, supposa Zeke – Pete avait mal au dos, papi n'avait plus l'âge de se plier en quatre et Valérie était trop occupée à se pomponner.

Il approchait du porche délabré quand il entendit la voix de la jeune femme s'élever. Il s'arrêta pour l'écouter chanter, regrettant de devoir l'interrompre. Lorsque, au bout de quelques minutes, il monta lentement les marches du perron, il aperçut Nathalie tournoyer autour de la table de la cuisine en brandissant une grande fourchette en guise de micro. Fasciné, Zeke s'immobilisa. Cette femme n'avait pas besoin de spots, d'amplis ou de robe à paillettes : c'était une bête de scène.

Rassemblant ses esprits, il frappa sur le chambranle de la porte restée ouverte. Elle sursauta si violemment qu'elle faillit s'embrocher le nez.

— Oh ! s'exclama-t-elle en pressant les mains sur son cœur. Zeke ! Vous m'avez fait peur.

— Pardon.

Elle s'était changée et avait enfilé un short rose et un chemisier à fleurs dont le fin tissu soulignait sa poitrine généreuse. Ses cheveux dénoués retombaient sur ses épaules en un nuage d'ébène.

— Vous avez oublié votre montre, balbutia-t-il. J'ai pensé que vous en auriez besoin...

Elle posa la fourchette et traversa la cuisine en tirant sur son short dans une vaine tentative pour couvrir ses cuisses nues.

— Je ne travaille ni le dimanche ni le lundi, dit-elle en écartant la moustiquaire. Frank me remplace, et je lui rends la pareille le mardi et le mercredi.

Zeke déposa la montre dans la main tendue de Nathalie, en s'efforçant de ne pas baisser les yeux sur ses jambes splendides.

— Je l'avais retirée pour peindre. Merci de me l'avoir rapportée.

— Je vous en prie.

— J'ai fait du thé glacé, vous en voulez un verre ?

— Avec plaisir.

Au même instant, Nathalie fronça le nez en reniflant.

— Oh ! les blancs de poulet !

La moustiquaire retomba brutalement sur l'épaule de Zeke tandis qu'elle se ruait vers la cuisinière pour soulever le couvercle d'une grosse cocotte en fonte. Elle agita la main et toussa, gênée par la fumée qui s'en échappa.

— Oh, zut !

Du jardin, une voix se fit entendre. Celle de papi ou celle de Pete, Zeke ne put le déterminer.

— Nattie, tu as encore laissé brûler le dîner ?

Elle fit la grimace et répondit :

— C'est juste bien cuit.

Puis, attrapant la fourchette, elle retourna la viande et ajouta :

— Un peu grillé d'un côté, c'est tout.

Un sourire aux lèvres, Zeke s'assit devant une table éraflée qui lui rappela celle de sa grand-mère. Sur l'un des brûleurs de la cuisinière, le couvercle d'une casserole tressautait. Une odeur de pommes de terre bouillies flottait dans la pièce.

— Il vaudrait mieux baisser le feu, ça va déborder, conseilla Zeke.

La jeune femme tourna le bouton et s'essuya les mains sur son chemisier.

— Le thé! s'écria-t-elle en se précipitant sur le réfrigérateur. Je suis désolée, je ne suis vraiment pas organisée.

Zeke, lui, la trouvait adorable. Lorsqu'elle se pencha pour sortir une carafe du frigo, il profita sans le vouloir d'une vue fabuleuse sur son postérieur et sur ses cuisses nues. Si elle avait de la cellulite, il n'en voyait rien – de toute façon, il n'était pas opposé à quelques fossettes par-ci par-là.

— Du citron?

Il sursauta et releva les yeux.

— Pardon?

Troublée par son regard, elle rougit tout en lui servant un verre.

— Oui, un petit peu, s'il vous plaît.

Elle se rinça les mains avant de planter une tranche de citron sur le bord de son verre, puis sortit une cuillère d'un tiroir avant de pousser le thé et le sucrier vers Zeke.

— Merci, dit-il en lui souriant.

— Je vous en prie... Vous voulez rester dîner? demanda-t-elle en retournant devant la cuisinière. Il y a de quoi: Valérie et les enfants ne sont pas là.

— Où sont-ils?

— L'avocat pour qui travaillait Valérie a pris sa retraite, expliqua Nathalie tout en retournant les blancs de poulet. Elle a reçu son chèque d'indemnités par le courrier de ce matin; du coup, elle a emmené Chad et Rosie manger une pizza et voir un film.

— C'est très gentil de sa part.

— Oui. D'autant que mes enfants ne sont pas très gâtés, en ce moment...

La jeune femme reposa le couvercle sur la cocotte et réduisit le feu avant de se servir un verre de thé.

— Pourtant, reprit-elle en s'asseyant, je me demande où elle a la tête… Elle a suivi pendant deux ans des cours à l'université pour devenir assistante juridique, mais il n'y a aucun débouché dans sa spécialité, en ce moment. J'espère toujours qu'elle acceptera un autre travail en attendant, un poste de secrétaire ou de réceptionniste, mais elle refuse même d'y penser. Et, entre-temps, elle dilapide son argent…

Zeke fit tomber la tranche de citron dans son verre et la pressa avec sa cuillère. Il avait nourri des inquiétudes semblables à propos de ses plus jeunes frères.

— Je vous comprends. Vous vous demandez si elle deviendra un jour adulte.

Elle parut un peu déconcertée. Puis sa bouche, qu'il avait terriblement envie d'embrasser, se retroussa sur un léger sourire.

— Oui. Comment avez-vous deviné ?

— J'ai quatre frères et une sœur, rappelez-vous. Et je suis le deuxième. Vous voyez ces cheveux gris ? fit-il en montrant sa tempe. C'est à cause d'eux qu'ils ont poussé !

— Quels cheveux gris ?

— J'en ai, croyez-moi. D'abord, il y a eu l'accident de Bethany. Quand elle s'est retrouvée paraplégique, j'ai cru que c'était la fin du monde. Ensuite, ça a été le tour de Hank – qui a fini par s'amender, Dieu merci ! Maintenant, ce sont les jumeaux qui me rendent fous.

— Tucker et Isaïah ? Que font ces petits chéris pour vous inquiéter ?

Zeke pouffa de rire.

— Les petits chéris auront trente-trois ans en décembre. Ils n'ont que onze mois de moins que moi.

— Mon Dieu, votre pauvre mère !

— Ça, c'est une autre histoire. Je suis passé chez eux à l'improviste, l'autre soir... Ce n'était pas une bonne idée.

— Ah bon ? s'étonna-t-elle, prête à éclater de rire. Qu'avaient-ils donc inventé ?

— Tucker recevait une dame.

— C'est tout ?

— Non, ce n'est pas tout.

— Dites-moi, alors. Ils étaient en train de...

Zeke effleura de la langue la peau du citron, dont la douceur et l'acidité l'incitèrent à regarder la bouche de Nathalie.

— Non. Tucker préparait des verres et sa compagne tournait autour de lui : pour ce qui est de l'intimité, ça s'arrêtait là.

— Alors quoi ? Je meurs de curiosité.

— Elle l'appelait Isaïah.

Un long silence se fit. Nathalie regardait Zeke sans comprendre, quand soudain ses yeux s'écarquillèrent.

— Ô mon Dieu ! Il se faisait passer pour son frère ?

— C'est puéril, non ?

— Puéril ? C'est minable et impardonnable !

— Je suis d'accord avec vous. Vous comprenez à présent pourquoi ils me rendent fou.

La jeune femme posa son verre sur la table. Zeke était content de l'avoir distraite : elle avait cessé de tirer sur son short.

— La pauvre fille !

— Tucker n'a sans doute pas poussé les choses trop loin, ce n'est pas un salaud. Enfin, reprit-il avec un haussement d'épaules, je ne crois pas. Mais ça me tracasse. Je ne l'ai pas trahi, évidemment : comment expliquer la situation à cette inconnue émoustillée ?

— Oh, Zeke ! fit Nathalie d'un ton compatissant.

— Je suis sûr que Tucker essayait de rendre service à son jumeau. Isaïah, c'est un type studieux – il l'a toujours été, même enfant. Pendant que Tucker se balançait, suspendu aux rideaux, il lisait tranquillement dans son coin. Rien n'a changé : Isaïah est aujourd'hui trop absorbé par ses recherches pour penser à faire le joli cœur.

— Vous les aimez beaucoup, remarqua Nathalie avec un sourire attendri.

— Heu… oui, bien sûr, je…

Il renifla et bondit vers la cuisinière.

— Puisque je reste dîner, je vais vous aider à préparer le repas. Si ça ne vous ennuie pas, bien sûr.

— Au contraire. Chad affirme que vous êtes un grand chef.

— C'est excessif. Disons que j'aime bien faire la cuisine.

Bien que trop cuits, les blancs n'étaient pas irrécupérables. Il éteignit le feu et remit le couvercle, puis jeta un œil dans la casserole : les pommes de terre viraient à la purée.

— Comment comptiez-vous les servir ?

— En purée.

Eh bien, tant mieux ! Zeke se lava les mains et sortit le lait et le beurre du réfrigérateur.

— Vous avez un presse-purée ?

Elle lui donna l'instrument.

— J'espère que ça ne vous ennuie pas, s'excusa Zeke, je suis incapable de rester à ne rien faire, dans une cuisine.

— Je vous en prie, faites, faites. Moi, je suis une catastrophe ambulante.

Tandis que Nathalie lavait la salade, Zeke éminça le poulet et en utilisa quelques miettes pour confectionner une sauce. Tout en préparant le repas, ils discutèrent de jardinage, de chevaux, de la rotation du personnel dans le magasin de Zeke, de la récolte de luzerne dans les champs de Poppy et des différentes façons de préparer le poulet.

Jouissant pleinement de ce moment délicieux, Zeke parlait sans peser ses mots, et avec un plaisir qui le surprenait lui-même. Nathalie semblait partager son enjouement.

Une fois les plats posés sur la table et les convives rassemblés, tous joignirent les mains et remercièrent le Seigneur pour ses bienfaits. Zeke se plia volontiers au rituel, qui lui rappelait la maison familiale.

— Vu l'odeur qui règne ici ce soir, on peut vraiment rendre grâces, commenta papi.

Nathalie adressa à Zeke un sourire penaud.

— Ma réputation en matière de cuisine est légendaire.

— En tout cas, c'est pas comme ça qu'elle gagnera le cœur d'un homme, reprit le vieil homme. Cette fille a trop de chansons dans la tête pour s'occuper des fourneaux.

— Les choses ont changé, papi, répliqua Nathalie. Les femmes n'ont plus à confiner leurs talents dans une cuisine.

— Ça, en tout cas, c'est drôlement bon, intervint Pete.

Nathalie prit une bouchée et s'exclama :

— C'est fabuleux, Zeke !

Papi mâchait en ronronnant de plaisir.

— Tu devrais épouser ce type, Nattie, il sait vraiment cuisiner.

D'ordinaire, ce genre d'allusion au mariage donnait à Zeke l'envie de prendre la fuite mais, cette fois, il n'y songea même pas.

— Je suis content que vous aimiez.

— Mmm, soupira la jeune femme. Comment avez-vous réussi à rendre mon poulet si succulent ?

Zeke lui décocha un clin d'œil.

— Avec une bonne sauce, on peut déguiser le goût de presque tout.

Pete se tapota la bouche avec une serviette en papier et jeta à sa fille un regard insistant.

— Si tu ne l'épouses pas, pense au moins à l'embaucher. Le type qui te sert de chef au restaurant aurait bien besoin de prendre des cours…

— Ça vous intéresserait, un boulot ? demanda-t-elle à leur hôte.

Zeke se contenta de plonger les yeux dans ceux de Nathalie, sans répondre.

Le repas s'acheva trop rapidement à son goût. Bien que l'agriculture et l'élevage soient deux métiers différents, les similitudes étaient nombreuses, et il prit plaisir à la conversation de papi et de Pete.

Quand ceux-ci regagnèrent le salon pour regarder Court TV, Zeke aida Nathalie à ranger la cuisine. Un bloc-notes, couvert de griffonnages, reposait sur le plan de travail, près de l'évier. Zeke reconnut des notes de musique et des vers.

— Je laisse un carnet dans chaque pièce afin d'y noter les idées qui me passent par la tête, expliqua Nathalie avec un petit rire gêné. Ça m'évite d'écrire sur ma main…

— C'est malin, approuva Zeke en cessant aussitôt de lire, de peur d'accroître sa gêne.

— Qu'est-ce qui est malin ? demanda-t-elle avec un sourire. D'écrire des trucs ou de s'arranger pour ne pas ressembler à un tatouage ambulant ?

— Les deux. Ce serait dommage d'oublier une chanson qui pourrait faire un tube.

— C'est peu probable… Mon père menace de tapisser les murs avec mes chansons. J'en ai écrit des centaines, mais je n'en ai vendu aucune.

— Vous avez essayé ?

— Pas encore. Le restaurant et les enfants m'occupent à plein temps… À propos, je suis désolée qu'ils vous aient ainsi taquiné, tout à l'heure, reprit-elle en lui adressant un sourire d'excuse. Ma famille ne cherche pas vraiment à me marier, papi plaisantait.

Elle rinça une assiette et la posa sur l'égouttoir.

— Je m'en suis rendu compte, dit Zeke en prenant l'assiette pour l'essuyer.

— Tant mieux. D'ailleurs, je ne cherche pas non plus à me remarier. Il ne faut pas que vous croyiez que... que j'ai des vues sur vous.

— Ne vous inquiétez pas. Il y a une raison particulière ?

— À quoi ?

— À ce refus obstiné de trouver un nouveau mari ?

Elle sourit en plongeant la casserole dans l'eau savonneuse.

— Le premier m'a guérie pour la vie. Enfin, reprit-elle plus sérieusement, si je rencontre un jour un homme vraiment exceptionnel, peut-être... Mais je ne pense pas. Chat échaudé... vous connaissez la suite.

— Robert vous a fait mal à ce point ?

Elle garda le silence si longtemps qu'il renonça à espérer une réponse.

— Un millier de fois, admit-elle enfin d'une voix étranglée.

Le cœur de Zeke se serra devant tant de souffrance contenue.

— Et vous ? poursuivit-elle d'un ton plus allègre. Une méchante femme vous a-t-elle brisé le cœur ? Ce n'est pas normal qu'un type comme vous soit encore libre.

— Je fais partie de ces rares individus qui ne sont jamais tombés amoureux.

— Jamais ?

— Peut-être une fois, si l'on compte un béguin d'enfant. Mais, ensuite, je n'ai rencontré personne d'exceptionnel, comme vous dites.

Zeke rangea un verre dans le placard et en prit un autre sur l'égouttoir.

— À vrai dire, je n'ai jamais pensé au mariage. Il y a des gens qui sont destinés à la vie de famille, et d'autres à la solitude.

— Et vous, vous êtes un solitaire, donc ?

— Pas spécialement. Simplement, le mariage n'a jamais figuré parmi mes priorités. Sans doute parce que j'ai grandi au sein d'une famille nombreuse. Quand j'étais enfant, j'avais l'impression d'être une sardine coincée dans une boîte, je n'avais pas de chambre personnelle, pas de coin où lire ou rester seul. Avec trois frères et une sœur plus jeunes que moi, je ne pouvais même pas aller me balader sans qu'il y en ait un, ou plusieurs, qui me suivent. Quand j'ai pu enfin quitter la maison, j'ai vraiment apprécié la solitude ; je ne pensais pas une seconde à me marier.

Zeke réalisa soudain qu'il s'exprimait au passé. Quelle mouche le piquait ? Croisant le regard chaud de Nathalie, il comprit.

— Ça ne veut pas dire que je ne changerai pas d'avis, précisa-t-il. Mais pour cela il me faudra rencontrer une femme exceptionnelle.

Elle hocha la tête avec compréhension.

— Pour le moment, vous profitez donc de la solitude.

— Oui.

Laquelle semblait brusquement moins désirable qu'il y a une semaine.

— Pas de bruit de fond quand j'ai besoin de silence, pas de dispute pour la télécommande, pas d'attente devant la porte des toilettes.

Elle éclata de rire.

— Ici, il faut prendre son tour pour avoir accès à la salle de bains !

— Il n'y en a qu'une ?

— Rien dans cette maison n'a été modernisé. Une seule baignoire, pas de lave-vaisselle et un seau tapissé de papier journal en guise de poubelle. Papa refuse de dépenser de l'argent en frivolités.

Pete Westfield n'avait sans doute pas beaucoup d'argent à dépenser…

Un silence amical s'établit et, très vite, la vaisselle fut lavée, rincée, essuyée et rangée. Zeke n'avait plus aucun prétexte pour rester.

— Eh bien, soupira-t-il à regret, je ferais mieux de m'en aller, maintenant.

Elle le scruta de ses splendides yeux bruns qui le bouleversaient tant.

— Cette soirée fut très agréable, en tout cas. Je suis contente que vous soyez venu.

Zeke aurait aimé qu'elle s'empare d'une cuillère et chante pour lui – n'importe quoi, du moment qu'il n'était pas obligé de partir. Il songea à la grande maison qui l'attendait, prête à l'engloutir dans son silence.

N'était-ce pas ce qu'il avait désiré ? À cet instant, pourtant, il en était moins sûr.

Elle le raccompagna jusqu'à la porte, laissant la moustiquaire claquer derrière elle.

— Encore une chose, dit-elle à voix basse.

— Oui ?

Des grillons chantaient dans le pré et une vache mugissait dans la vieille étable qui se dressait au-delà de la clôture.

— Au sujet de Tucker, murmura-t-elle.

Le cœur de Zeke chavira. Il avait espéré follement qu'elle lui demanderait un baiser. Mais ce n'était pas son genre. Elle était trop… timide, peut-être, malgré son pouvoir de séduction.

— Cessez de vous inquiéter à propos de ce qu'il a pu faire avec cette femme. La pomme ne tombe jamais loin de l'arbre ; votre frère ne s'abaisserait pas à commettre une vilenie pareille.

La gorge de Zeke se noua.

— Merci du compliment.

— Il était sincère.

— Vous me connaissez à peine.

— C'est faux. J'ai vu la manière dont vous vous comportiez avec mes enfants.

Comme elle se frictionnait les bras, il eut très envie de l'enlacer pour la réchauffer.

— Je suis peut-être très bon comédien.

— Ça ne marcherait pas, avec Rosie.

— C'est vrai. Elle est trop maligne.

Embrasser une femme n'avait jamais rendu Zeke nerveux – d'un autre côté, c'était la première fois qu'il avait la possibilité d'embrasser une femme aussi belle. Peut-être repousserait-elle ses avances. Il se contenta d'écarter doucement une boucle de sa joue avant de caresser l'ovale de son visage. Elle avala sa salive. Ses cils frémirent. Il se rapprocha.

— Zeke ?

— Oui ? souffla-t-il contre ses lèvres.

— Tout à l'heure, je vous ai dit que j'avais souffert un millier de fois… Je ne cherche pas à améliorer mon record.

— Ne vous inquiétez pas, la rassura-t-il en lui soulevant le menton. Je ne vous ferai jamais de mal.

— Je voudrais seulement…

Il l'interrompit d'un baiser. Elle avait une bouche chaude, soyeuse, humide, d'un goût enivrant, d'une texture douce et frémissante. Lorsqu'elle entrouvrit les lèvres pour l'accueillir, il posa la main sur sa nuque et enfouit ses doigts dans les boucles noires. Alors la jeune femme gémit doucement, et il la sentit se détendre. Il aurait pu en profiter pour accentuer son baiser, mais son instinct lui conseilla de se retenir, et il s'écarta.

Elle leva sur lui un regard où se lisait un mélange d'émerveillement et de peur qui lui donna envie de l'étreindre – ce qu'il s'apprêtait à faire lorsqu'il entendit un sifflement derrière lui.

— Chester, non ! cria Nathalie.

Trop tard ! Une vive douleur irradia dans l'une des fesses de Zeke. Se retournant, il aperçut une masse blanche qui s'apprêtait à réitérer son assaut. Il bondit dans la cour et s'enfuit en courant, poursuivi par le jar.

— Oh ! Zeke, je suis navrée ! entendit-il Nathalie crier alors qu'il atteignait déjà le milieu du champ.

7

Tomber amoureux…

Effleurer accidentellement la main de Nathalie, la regarder dans les yeux. Sourire sans raison quand il était seul. Rester éveillé la nuit sans pouvoir la chasser de ses pensées.

Zeke aimait son rire qui pénétrait en lui comme un rayon de soleil, il aimait la manière qu'elle avait de froncer le nez lorsqu'elle était embarrassée, son regard quand elle réfléchissait. Il aimait même le feu qui incendiait ses prunelles lorsqu'elle était perturbée.

En célibataire endurci, il tentait de se persuader qu'il ne s'agissait que d'une attirance physique particulièrement forte, un désir puissant mais passager. Ce que pourtant démentait l'attachement chaque jour un peu plus fort qu'il éprouvait envers Nathalie, mais aussi envers ses enfants.

Il était facile d'aimer Rosie – un ange aux cheveux noirs et aux immenses yeux bruns, dont la fossette faisait fondre Zeke chaque fois qu'il la voyait sourire. Chad, c'était une autre histoire : ses sautes d'humeur, ses sarcasmes et son air boudeur, surtout en présence de sa mère, mettaient à l'épreuve la patience de Zeke, qui oscillait entre le désir de le secouer comme un prunier et celui de le prendre dans ses bras pour le serrer contre son cœur.

Le manque d'assurance dont souffrait le garçon prenait parfois un tour alarmant : s'il lui arrivait d'être fier de ce qu'il avait accompli, il était toujours certain de bousiller chaque nouvelle tâche qui lui était confiée. Si bien qu'à force de douter de lui, il lui arrivait effectivement de rater des travaux très simples. Pour lui donner confiance, Zeke essayait de se rappeler comment son père avait procédé pour l'initier à tel ou tel ouvrage, mais ses souvenirs l'aidaient peu. Chad démarrait de zéro – non seulement il ne savait pas utiliser les instruments, mais il ignorait leurs noms et à quoi ils servaient. Zeke devait ainsi passer beaucoup de temps avec lui, tandis que Nathalie et Rosie s'occupaient de leur côté.

Ainsi, tout en s'éprenant malgré lui de la jeune femme, il cédait au charme de Rosie et développait des sentiments paternels envers Chad.

Le dimanche suivant, une semaine après avoir embrassé Nathalie, Zeke s'assit sous le porche pour suivre des yeux la jeune femme et ses enfants qui rentraient chez eux. Un combat désespéré se livrait en lui : il était bel et bien tombé amoureux, mais jamais il n'avait songé à se marier et à élever une famille.

En tout cas, décida-t-il en se levant d'un bond, il devait absolument être sûr de ses sentiments et de leur pérennité avant d'y céder.

Le lendemain matin, Chad se présenta seul à sa porte.

— Rosie dort toujours, expliqua le garçon. Maman viendra aussi vite qu'elle le pourra.

— Pas de problème. Tu as faim ? J'avais envie de crêpes…

Les yeux de Chad brillèrent.

— Avec du sucre et du sirop ?

— Pourquoi pas ?

Ils étaient en train de déjeuner lorsqu'un coup de téléphone prévint Zeke que les panneaux vitrés étaient prêts.

— Voilà qui modifie nos plans, annonça-t-il à Chad. Puisque je dois aller en ville, autant profiter de cette escapade et passer quelques heures au magasin.

— Tu as du travail ?

— J'y suis resté assez tard, hier soir, et j'ai fini la paperasserie, mais il y a toujours quelque chose à faire. Lundi est le jour des livraisons, il faut ranger le stock.

— Je peux venir t'aider, si tu veux.

Face à l'expression enthousiaste de Chad, Zeke s'émerveilla : s'agissait-il de ce garçon renfrogné à qui il avait ouvert sa porte, huit jours plus tôt ?

— Merci de ta proposition, mais j'aurai sûrement quelques papiers à remplir : tu risques de t'ennuyer mortellement. Quel est votre numéro de téléphone ? demanda-t-il en sortant son portable de sa poche. Je vais appeler ta mère pour la prévenir.

En entendant la voix de Nathalie, il ne put retenir un sourire.

— Bonjour. Comment vas-tu ce matin ?

— Très bien, répondit-elle en riant. À part quelques courbatures. Cela faisait des années que je n'avais pas manié le marteau…

Zeke jeta un coup d'œil par la fenêtre pour regarder le bac à compost que Nathalie et Rosie avaient fabriqué la veille.

— Eh bien, on ne dirait pas ! Je n'aurais pas fait mieux.

— Merci, mais c'est difficile de rater un bac en bois.

Zeke expliqua la raison de son appel, puis poursuivit :

— Bref, si cela te convient, je libère Chad – le temps que je rentre, l'après-midi sera presque fini.

— Ça tombe bien, il faut que j'achète des vêtements aux enfants. Ça m'arrange d'y aller un jour où je ne travaille pas.

Zeke observa Chad, qui avait pris l'initiative de charger le lave-vaisselle, puis se rendit au salon afin d'être hors de portée de voix.

— Nathalie, au sujet de ces vêtements… Je sais que tu es un peu juste, en ce moment, je serais heureux de te faire un petit prêt.

— Oh… C'est très gentil, reprit-elle après un long silence, mais je peux me débrouiller.

— Tu es sûre ? J'ai un peu d'argent à la banque, dont je n'ai absolument pas besoin en ce moment. Je sais que je peux te faire confiance pour me le rendre quand les choses s'amélioreront.

Il y avait de la gaieté dans sa voix lorsqu'elle répondit :

— Je suis une Westfield. Devant les difficultés, nous devenons créatifs.

Craignant de l'offenser, il n'insista pas.

Zeke rangeait des fournitures lorsqu'il entendit la voix de Rosie dans la travée voisine. Il monta sur un carton pour passer la tête au-dessus des rayonnages et plongea son regard dans les grands yeux bruns de Nathalie.

— Ah, tu es là ! s'exclama-t-elle en posant la main sur la tête de sa fille. Les enfants voulaient voir ton magasin, j'espère que ça ne t'ennuie pas.

— Pas du tout. Ne bougez pas, je vais vous faire visiter.

Après avoir guidé ses visiteurs à travers les rayons du rez-de-chaussée, Zeke les fit entrer dans un ascenseur.

— Dis donc ! siffla Nathalie. C'est rare de trouver un ascenseur dans les bâtiments à un seul étage.

— Nous l'avons installé pour ma sœur quand elle est revenue de Portland, expliqua Zeke comme la porte s'ouvrait sur un grand couloir. Comme ça, elle peut aller partout avec son fauteuil roulant.

— Elle a travaillé pour toi ?

— Pour mon frère Jake, en fait. C'est une longue histoire, le magasin a changé plusieurs fois de propriétaire. Mon père a ouvert le magasin avant de le transmettre à Jake, qui ne l'a gardé qu'un an. Maintenant, c'est moi qui m'en occupe.

— Oh ! regarde, maman ! s'écria Rosie. Il y a des chevaux sur les murs !

Nathalie s'arrêta pour examiner les photographies.

— Ce sont les tiens ? demanda-t-elle à Zeke.

— Oui. Celui-ci, c'est Windwalker. L'alezan s'appelle Cinnamon et cette petite jument, Jelly Bean.

Chad s'approcha pour regarder.

— C'est avec eux que tu lances le lasso ? demanda-t-il.

— Ce sont les meilleurs de l'État ! acquiesça Zeke en lui ébouriffant les cheveux. Ne prends pas ça pour argent comptant, ajouta-t-il en voyant le regard émerveillé du garçon. Je les aime tellement que je les surestime sans doute un peu… Mais ce sont quand même des animaux exceptionnels.

— Zeke a promis de m'apprendre à lancer le lasso, expliqua Chad à sa mère.

— Ce serait merveilleux… C'est votre sœur ? s'enquit-elle en montrant le cliché d'une jeune femme assise sur un fauteuil roulant.

— Oui.

— Elle est très belle.

— Je trouve aussi. Et voici Tucker et Isaïah. Cette photo a été prise le jour où ils ont ouvert leur clinique vétérinaire. Voilà mon père, qui tient dans ses bras le fils de Jake. Ici, ce sont Jake et Hank dans leur ranch. Les femmes qu'on aperçoit à l'arrière-plan, la blonde et la rousse, sont leurs épouses, Carly et Molly.

— C'est fou comme vous vous ressemblez, s'étonna Nathalie. Vous êtes tous les portraits crachés de votre père.

Zeke acquiesça d'un signe de tête.

— Que diriez-vous d'un soda ? demanda-t-il aux enfants.

Rosie bondit sur place en applaudissant tandis que Chad haussait les épaules, comme à son habitude. Zeke les conduisit dans son bureau. Après avoir servi ses invités, il fit asseoir Nathalie dans son fauteuil et prit un tabouret.

— Nous devrions partir, suggéra la jeune femme, nous te faisons perdre du temps. Je voulais seulement m'arrêter quelques minutes pour que les enfants voient le magasin...

— Je suis content que vous soyez venus, affirma Zeke.

Il était sincère. Il avait pris plaisir à partager avec elle cette partie de sa vie – ce qui d'ailleurs l'inquiétait un peu : d'ordinaire, il refusait de mêler sa vie privée et sa vie professionnelle. Nathalie chamboulait jusqu'à ses goûts. Elle consulta sa montre.

— Dépêchez-vous de boire, les enfants. On a encore des tonnes de choses à acheter.

Chad et Rosie vidèrent rapidement leurs verres, puis Zeke les raccompagna à la porte.

— Faites de bonnes courses !

— Merci de nous avoir reçus, dit Nathalie. C'était très sympathique.

— Reviens quand tu veux.

Zeke suivit des yeux la voiture qui s'éloignait. *Reviens quand tu veux ?* Fallait-il qu'il soit mordu !

120

Ce soir-là, Zeke n'était rentré que depuis trente minutes lorsque Rosie se présenta chez lui. L'enfant arborait un joli haut bleu, un short assorti et des sandales en cuir.

— Que tu es belle ! s'écria Zeke.

L'enfant tournoya sur le paillasson en levant ses bras fluets pour faire admirer sa nouvelle tenue estivale.

— J'ai aussi des tas de vêtements pour l'école ! Maman dit que je serai la plus jolie petite fille de la classe.

— Ta maman a parfaitement raison, approuva Zeke en espérant que Nathalie ne s'était pas endettée. Mais je croyais que vous achetiez vos habits d'occasion…

— C'est ce qu'on fait, d'habitude, mais maman en avait assez de ses boucles d'oreilles, alors elle les a accrochées à un clou, expliqua l'enfant avec un grand sourire satisfait.

— Elle les a mises au clou, corrigea Zeke.

En se rappelant les boucles d'oreilles qui scintillaient dans les boucles brunes de Nathalie, il eut un soupir triste.

— Vous avez de la chance qu'elle s'en soit lassée.

— Oh oui, alors ! Bon, il faut que je rentre maintenant, je voulais juste te montrer mes habits.

— Tu es ravissante dans cette tenue.

Rosie s'éloigna en courant. Zeke attendit qu'elle soit arrivée chez elle pour rentrer. Il ne souriait plus. Lui qui avait toujours aimé la solitude en souffrait à présent. Il ouvrit le réfrigérateur pour en examiner le contenu avant de le refermer – rien ne le tentait.

En cet instant, comme il aurait aimé manger un blanc de poulet calciné ! Ou préparer le dîner des Westfield… Il avait apprécié la soirée passée avec le père et le grand-père de Nathalie. Avec Valérie et les deux enfants, la conversation à table devait être animée, ce soir.

Il s'assit sur une chaise et regarda fixement la surface étincelante de la table. Il était temps pour lui de réfléchir sérieusement à son avenir. Il était amoureux de Nathalie Patterson, c'était un fait. Pourtant, avant d'aller plus loin, il lui fallait être sûr de la solidité de son amour ; on ne faisait pas d'essai, avec une femme comme elle.

Mais comment savoir, alors que leur relation commençait à peine ? Pour un homme aussi prudent que lui, l'idée de s'engager durablement était un pas gigantesque et, avant de s'y risquer, il voulait être sûr qu'il ne se trompait pas. Pour cela, il pouvait passer beaucoup de temps avec Nathalie et ses enfants, mais s'entendraient-ils sur le plan sexuel ? Un seul baiser ne permettait pas de le découvrir.

Et là était la difficulté majeure : s'il insistait pour que leur relation devienne plus intime, elle risquait d'espérer plus qu'il ne pourrait lui offrir. Or il n'était pas question qu'il la fasse souffrir, elle en avait assez bavé comme ça.

La gorge irritée à force d'appeler Chad, Nathalie entra dans l'étable. L'odeur du foin et de la poussière la fit éternuer. Elle caressa le mufle de Marigold avant de grimper sur l'échelle. Son fils n'était pas là.

Peu après leur retour, Chad avait passé un coup de fil, puis il avait quitté la maison en courant comme si le diable était à ses trousses. Trois heures s'étaient écoulées depuis, et la nuit tombait.

Comme elle redescendait, elle entendit Valérie l'appeler.

— Je suis là ! cria-t-elle. Il est revenu ?

— Non, répondit sa sœur. Tu ne l'as pas vu dans les champs ?

— Non... souffla Nathalie, la gorge nouée. J'ai peur.

— Quelque chose l'a bouleversé. Tu ne crois pas que c'est à son père qu'il a téléphoné ?

— C'est possible, même si j'ai du mal à imaginer que Robert ait décroché.

— Peut-être s'est-il lassé de sa dernière conquête et a-t-il décidé d'accorder quelques minutes à son fils. Tu le connais, il est capable de tout, même de jouer au papa pour s'amuser, conclut Valérie d'une voix amère.

Cela faisait des années qu'elle détestait son ex-beau-frère. Nathalie se souvenait avec émotion du jour où sa sœur l'avait coincé contre un mur en le menaçant d'une lime à ongles, promettant de l'émasculer s'il continuait à tromper son épouse. Robert avait pris l'avertissement au sérieux et s'était tenu tranquille pendant près de deux mois, ce qui, pour lui, était un record.

— Crois-tu que Chad est allé chez Zeke ? demanda Valérie.

— Zeke m'aurait appelée, si c'était le cas.

— Il pense peut-être que nous sommes au courant.

— Tu as raison, je vais lui téléphoner.

Les deux sœurs reprirent le chemin de la ferme.

— Si Chad n'est pas chez Zeke, il faudra appeler la police, dit Valérie.

Le cœur de Nathalie fit une embardée.

— La police ?

— Ça fait des semaines que Chad est comme un baril de poudre, prêt à exploser. Et nous ignorons pour quelle raison il s'est sauvé... Ça pourrait être une fugue.

La peur glaça le sang de Nathalie.

— Je sais qu'il est troublé et malheureux, mais pas à ce point, quand même ! Nous avons passé une bonne journée. Après les courses, je les ai emmenés manger une pizza, je lui ai même donné deux dollars pour ses jeux vidéo. Pourquoi aurait-il décidé tout à coup de fuguer ?

— Les gamins n'ont pas besoin de raison, pour s'enfuir, remarqua Valérie. Tu te rappelles le jour où je me suis sauvée ? Eh bien c'était parce que papa m'avait obligée à me débarbouiller; il refusait que je me maquille avant d'avoir seize ans.

Se souvenant de l'incident, Nathalie frémit.

— Il nous faudra prévenir les flics, s'il n'est pas chez Zeke, insista Valérie. Tu n'as jamais regardé d'émissions sur les disparitions d'enfants ? On dit que les premières vingt-quatre heures sont d'une importance cruciale : au-delà de ce délai, les chances de retrouver l'enfant sain et sauf diminuent rapidement.

— Que tu es réconfortante ! grommela sa sœur. Tant qu'à faire, commence donc à organiser l'enterrement !

— Voyons, ne sois pas susceptible. Je ne dis pas qu'il est mort, mais qu'il faut agir vite.

Quelques minutes plus tard, Nathalie composait en tremblant le numéro de Zeke.

— Chad est chez toi ? attaqua-t-elle dès qu'il eut décroché.

— Je ne l'ai pas vu. Il n'est pas à la ferme ?

— Non, il s'est sauvé.

— Sauvé ? Depuis combien de temps ?

— Environ trois heures, balbutia Nathalie en pressant les doigts sur ses tempes. Au début, j'ai pensé qu'il était quelque part dans les champs, mais je les ai explorés en long et en large, ainsi que les bâtiments qui entourent la maison : il n'est nulle part. Zeke, j'ai peur qu'il n'ait fait une fugue.

— Pour quelle raison ?

La jeune femme ferma les yeux.

— Je ne sais pas. Valérie suppose qu'il a parlé avec Robert. Il a appelé quelqu'un, puis il est parti en courant.

Elle fit une pause pour reprendre souffle avant de poursuivre :

— Tu crois que je devrais appeler la police ?

— Pas de précipitation, répondit Zeke calmement. Je vais prendre ma voiture et rouler en direction de la ville. S'il a fugué, c'est à pied.

Nathalie hocha la tête avant de réaliser qu'il ne pouvait pas la voir.

— Bonne idée, approuva-t-elle, troublée de ne pas y avoir songé. Je m'en occupe, inutile de te déranger.

— Ça ne m'embête pas. De toute façon, il vaut mieux que j'y aille. Il reconnaîtra ta Chevrolet, alors qu'il n'a vu ma Dodge qu'une seule fois ; il lui faudra une seconde de plus pour réagir.

— C'est vrai. Merci, Zeke.

— Ne t'inquiète pas, la rassura-t-il d'une voix tendre. Dans ce coin reculé, on ne risque pas de tomber sur un psychopathe.

Nathalie le remercia de nouveau, puis alla se poster devant la fenêtre pour guetter son fils.

— Je suis allée voir ce que faisait Rosie, annonça Valérie en la rejoignant un peu plus tard. Papi lui passe des dessins animés : elle est captivée.

— Tant mieux, ça ne sert à rien de l'inquiéter.

— Et ça ne sert à rien non plus de nous ronger les sangs. Que dirais-tu d'une bonne tasse de thé ?

— Non merci. Prends-en une, toi.

— Voyons, ne te mets pas dans cet état. Que peut-il arriver à un enfant, dans ce trou paumé ?

Serrant les bras autour de ses genoux, Nathalie tourna la tête vers la fenêtre sans répondre.

Zeke s'apprêtait à monter dans sa camionnette lorsqu'un picotement lui parcourut la colonne vertébrale. Il fit demi-tour et balaya les alentours du regard.

— Chad ?

Il n'obtint aucune réponse mais contourna la maison, préférant vérifier. Au bout de quelques minutes, il repéra l'enfant, adossé au chêne, la tête posée sur ses genoux.

Zeke s'approcha lentement et s'assit auprès de lui.

— Je te cherchais. Ta mère m'a appelé, elle est très inquiète.

Les épaules de Chad tressautaient, mais il ne faisait aucun bruit. Zeke comprit que le garçon n'était pas en état de lui répondre. Mieux valait attendre, songea-t-il. De toute façon, pour l'instant aucune parole n'apaiserait un si grand chagrin.

Lorsque Chad fut en mesure de parler, ce fut d'une voix faible.

— J'ai appelé mon père et il m'a dit de lui foutre la paix.

Zeke était ulcéré mais il n'en laissa rien paraître.

— Pourquoi a-t-il dit une chose pareille ?

La bouche de Chad se tordit et son menton trembla.

— Parce que je l'ai engueulé et que ça l'a mis en colère.

— Oh ! Et pourquoi tu l'as engueulé ?

Le garçon s'essuya le nez sur la manche de son tee-shirt.

— Parce que maman a vendu ses boucles d'oreilles. Elles appartenaient à sa grand-mère. Depuis le divorce, elle a presque tout vendu, sauf les boucles d'oreilles car elle y tenait. Et, maintenant, elle a dû les mettre au clou pour nous acheter des habits... On n'aura sûrement jamais assez d'argent pour les racheter, elles seront certainement vendues avant.

Résistant à l'envie de prendre le garçon dans ses bras, Zeke restait immobile, le laissant déballer ce qu'il avait sur le cœur. Les sanglots s'espaçant, il intervint :

— C'est dur de devenir un homme, hein ? soufflat-il en le poussant un peu pour s'adosser au tronc. Et c'est cruel de voir nos parents se sacrifier pour nous.

— Je ne risque pas de voir mon père faire ça…

Zeke garda le silence.

— Il s'en fiche si les sandales de Rosie ne tiennent qu'avec des bouts de sparadrap. Il s'en fiche si je dois aller en classe avec des habits tout usés. Je pourrais mourir, il s'en ficherait aussi.

— Allons…

— C'est vrai! Il n'y a que maman qui m'aime… Et j'ai été méchant avec elle tout l'été, ajouta-t-il avec une grimace de chagrin. Parfois, je la détestais presque, je ne voulais pas croire que mon père se moquait de moi, aussi je lui mettais tout sur le dos.

Il s'essuya les joues et renifla.

— Quand elle a laissé les boucles d'oreilles de sa grand-mère, elle a ri en prétendant que c'était pas grave, reprit-il. Après, elle a dépensé tout l'argent pour nous. Rosie n'a pas compris ce qu'elle avait fait mais, moi, si.

— Tu es plus âgé que Rosie, Chad. Elle est encore toute petite.

— Je sais, je ne lui en veux pas. C'est à mon père que j'en veux.

Zeke s'interdit tout commentaire. Chad effectuait un voyage très pénible, mais il avait besoin d'aller jusqu'au bout, à sa façon et à son allure.

— Je pensais que mon père ne savait pas que les choses allaient mal pour nous, murmura le garçon. C'est bête, hein?

— Non, ce n'est pas bête. C'est normal de penser ça de son père.

Chad laissa échapper un lourd soupir.

— Je pensais que, si je lui disais que nous étions à court d'argent, il enverrait un chèque à maman. Il a ricané: «Comme on fait son lit, on se couche.»

Il leva sur Zeke un regard incrédule, profondément blessé.

— Il ne nous donnera pas un centime. Si Rosie et moi, on n'a plus de quoi manger, eh bien tant pis. Tout ce qu'il veut, c'est punir maman de l'avoir quitté. Il prétend lui avoir donné tout ce que l'argent pouvait offrir, et que ça ne lui a pas suffi…

L'argent ne pouvait acheter tout ce qu'une femme attendait d'un homme, songea Zeke. Un long silence plana avant que Chad ne reprenne :

— Il était avec une femme, quand j'ai appelé. Je pense qu'ils étaient au lit.

— Ah… Ton père est divorcé, c'est possible.

— C'est sûr. Il était si occupé à s'amuser avec elle qu'il n'a pas écouté la moitié de ce que je lui ai dit. C'était ça, le pire, ajouta Chad d'une voix fêlée, découvrir qu'après tout ce temps, ça l'ennuyait de me parler.

Zeke ferma les yeux songeant à son père, qui n'avait jamais cessé de l'aimer sans réserve et de le lui montrer.

— Ça m'a fait mal ici, dit le garçon en pressant le poing sur son cœur. Jamais rien ne m'avait fait aussi mal.

— Je suis navré, mon vieux.

Chad émit un petit bruit qui ressemblait à un miaulement.

— Je n'avais pas réalisé à quel point ma mère souffrait quand elle lui parlait au téléphone alors qu'il était avec une de ses petites amies. J'aurais dû la soutenir toutes ces fois-là, et je ne l'ai pas fait…

— Ne te ronge pas les sangs pour ça.

— Elle souffrait, protesta Chad. J'aurais dû l'embrasser, faire quelque chose pour la soulager. Au lieu de quoi je lui balançais des horreurs.

— Ce que tu éprouves envers ta mère en ce moment, ça s'appelle de la compassion, expliqua Zeke, et tout le monde n'en est pas capable. Il faut avoir souffert soi-même pour comprendre la souffrance d'autrui.

Zeke resta quelques instants silencieux avant de reprendre :

— Quand j'étais jeune et qu'il m'arrivait des choses pénibles, mon père me répétait que celles-ci feraient de moi un homme meilleur. J'avais ton âge quand j'ai enfin compris ce qu'il voulait dire : recevoir un bon coup nous apprend à ne pas frapper quelqu'un qui est à terre.

Chad se frotta les joues en reniflant. Il y avait toute une vie de regrets et de sagesse dans ses yeux emplis de larmes.

— Quand j'ai entendu la femme glousser comme s'il la chatouillait, j'ai compris que ce genre de chose avait dû arriver à ma mère une centaine de fois… Et puis elle a dit à mon père de se débarrasser de moi, et c'est exactement ce qu'il a fait : il m'a demandé de lui foutre la paix et il a raccroché, acheva Chad en fermant les yeux.

Zeke ne savait plus quoi dire.

— Il est épouvantable, mon père, hein ? balbutia le garçon.

Ce n'était pas vraiment une question et, à nouveau, Zeke ne sut que répondre.

— C'est peut-être un peu excessif, essaya-t-il sans grande conviction. Il arrive que des gens très bien sortent du droit chemin. L'avenir seul dira si ton père est capable d'y revenir.

— Je le déteste.

— Ça passera.

Zeke respira à fond avant de poursuivre. À cet instant, il regrettait que son expérience en matière d'éloquence soit si minable.

— C'est ton père, Chad, il a ses défauts, comme tout le monde. Voilà une autre des difficultés auxquelles la vie nous confronte : il s'agit d'apprendre à aimer nos parents, quels qu'ils soient. Tu vois ce que je veux dire ?

— Comme maman m'aime ?

— Oui, exactement comme ça. Personne ne peut deviner en la voyant si tu as été gentil ou méchant avec elle, cet été. Elle s'échine pour t'aider à rembourser ta dette afin que tu puisses partir en camp. C'est l'exemple parfait de l'amour inconditionnel.

— Je pense qu'elle a essayé de téléphoner à mon père plusieurs fois et qu'elle m'a menti.

— Pourquoi ?

— Pour me cacher le fait qu'il ne m'aimait pas assez pour décrocher le téléphone.

— Il t'a bien répondu, cet après-midi.

— Oui. Il attendait sans doute un coup de fil pour ses affaires, et le téléphone de sa chambre n'indique pas l'origine de l'appel.

— C'est possible.

Chad soupira et un nouvel accès de larmes emplit ses yeux.

— Je n'ai jamais été assez bon pour lui. Ni en sport ni en classe, en rien. Tout ce que je voulais, c'était qu'il m'aime… Mais non, il ne m'aime pas. Je ne suis pas à la hauteur.

Zeke empoigna son épaule pour le secouer légèrement. Il avait beau ne pas vouloir critiquer Robert Patterson, il ne pouvait laisser cette idée s'incruster dans la tête de l'enfant.

— Non. Tu ne dois pas penser ça. Tu es un garçon bien. Si quelqu'un ne l'est pas, c'est ton père.

— Pourquoi ne m'aime-t-il pas, alors ?

— Peut-être t'aime-t-il, mais il ne sait probablement pas comment te le dire. Montrer de l'affection, être loyal, aider les autres, ce sont des choses qui s'apprennent, comme la compassion. Tu as de la chance, tu sais, tu as une mère qui t'enseigne ces valeurs. Peut-être ton père n'a-t-il pas eu cette chance, quand il était enfant.

Chad fronça les sourcils.

— Peut-être pas, en effet. Grand-père Patterson ne s'est jamais vraiment intéressé à moi, et grand-mère Grace est complètement coincée. Si j'oublie de mettre une serviette sur mes genoux, elle pousse des cris comme si c'était un crime. Grammy, la mère de ma mère, est beaucoup plus amusante, elle fait des cookies et joue avec nous. Si Rosie l'embrasse avec des mains pleines de confiture, ça la fait rire. Avec grand-mère Grace, on a toujours peur de se faire gronder.

— Eh bien, tu vois, ta mère a été élevée par des gens affectueux, ça se sent à la façon dont elle vous traite. Il est possible que ton père n'a pas eu cette chance.

— Ouais, sans doute.

— Quoi qu'il en soit, tu n'as pas à te sentir coupable vis-à-vis de ton père. Si tu as besoin de connaître ta valeur, Chad, observe ta mère : elle est visiblement très fière de toi.

— Après la discussion que j'ai eue avec mon père, murmura l'enfant, je n'ai pas pu supporter de la voir.

— Ah... C'est pour ça que tu t'es octroyé le droit de squatter mon chêne !

Chad eut un bref sourire, qui disparut aussitôt.

— Qu'est-ce que je vais lui dire ? Que je regrette d'avoir été méchant et idiot ? J'arrête pas de l'engueuler, depuis qu'on a déménagé. J'ai même débité des conneries au sujet du club qui allait faire faillite, alors que je sais très bien que c'est à cause de mon père, qui lui a pris la moitié de l'argent.

— Ta mère comprend ce que tu éprouves mieux que tu ne l'imagines.

— N'empêche que je ne sais pas quoi lui dire.

— Ne dis rien, embrasse-la très fort. Elle comprendra le message.

— J'aimerais pouvoir lui racheter ses boucles d'oreilles. Elles devaient revenir à Rosie, plus tard. Et, maintenant, c'est une inconnue qui va les porter.

— Voilà un problème que je vais peut-être pouvoir t'aider à résoudre, suggéra Zeke en souriant.

— Comment ça ?

— En t'accordant un prêt.

— Tu ferais ça ?

— Ça dépend. Tu paies tes dettes, d'habitude ?

— Elle les a vendues un peu cher...

— Combien ?

— Trois cent cinquante.

Zeke pointa le doigt en direction de ses champs.

— J'ai vingt hectares de prés à clôturer. Ça va être un sacré boulot, d'enfoncer tous les piquets. Le temps que tu me dois n'y suffira pas, et je pensais embaucher quelqu'un à la rentrée. Si tu es d'accord pour t'y coller, je te prête de quoi racheter les boucles d'oreilles de ta mère.

— C'est vrai ? s'écria Chad, les yeux brillants.

Zeke tendit sa paume ouverte.

— Tope là, partenaire.

Le garçon posa sa main dans celle de Zeke.

— Tu vas vraiment me prêter de quoi les récupérer ?

— Tu me rembourseras ?

— Oui.

— Alors, marché conclu. Mais n'oublie pas que ça peut te prendre beaucoup de week-ends.

— Ça m'est égal. J'aime bien travailler avec toi.

— Moi aussi, j'aime travailler avec toi, répliqua Zeke en lui ébouriffant les cheveux.

La sonnerie du téléphone fit bondir Nathalie. Elle courut dans la cuisine, heurta sa sœur qui y faisait irruption et trébucha. Valérie recula pour la laisser décrocher.

— Allô ? souffla-t-elle, hors d'haleine.

— Bonsoir, chérie. C'est Zeke.

— Tu l'as trouvé?

— Oui. Et ce n'était pas une fugue: il était assis sous mon chêne.

Soulagée, Nathalie se laissa tomber sur une chaise.

— Il va bien?

— Il est un peu bouleversé, mais il va bien. Il sera chez vous d'une minute à l'autre. Mais écoute-moi bien.

— J'écoute.

— Chad a eu une conversation désagréable avec son père. Il était dans tous ses états et avait besoin de solitude pour s'en remettre. Ne lui reproche pas de t'avoir fait peur, d'accord?

— D'accord, promit-elle malgré son envie de tordre le cou à son fils.

— Je pense que tu vas apprécier le parti qu'il a pris.

— C'est-à-dire? demanda-t-elle, la main crispée sur l'appareil.

Zeke sourit lorsqu'il répondit:

— Le parti de sa mère.

Nathalie avait à peine raccroché que la porte s'ouvrait et son fils apparut. En voyant ses yeux rouges et ses paupières gonflées, elle sentit son cœur se serrer.

— Maman? couina-t-il.

Sans répondre, elle se leva et ouvrit grands ses bras dans lesquels, pour la première fois depuis six mois, son fils se blottit. Un étau broya la poitrine de Nathalie, l'empêchant de parler. Un long moment, elle berça son enfant, tout en se reprochant les choix désastreux qu'elle avait faits dans sa jeunesse, et que Chad payait cher à présent. Puis elle se reprit en songeant que, sans Robert, son fils ne serait pas né.

— Je t'aime, parvint-elle à balbutier.

Les bras de Chad l'étreignirent convulsivement.

— Moi aussi, je t'aime, maman.

Il enfonça profondément sa tête dans l'épaule de Nathalie et ajouta:

— Merci pour les habits.

Les habits? Ahurie, la jeune femme lui caressa le dos.

— Je t'en prie, mon chéri. J'ai été heureuse de les acheter. C'est mon boulot, après tout : je suis ta mère, tu te souviens?

Il se raidit puis s'écarta. Nathalie découvrit alors que le regard qui croisait le sien n'était plus celui d'un petit garçon.

— Je vais racheter tes boucles d'oreilles, déclara-t-il.

— Comment?

— Tu as bien entendu : je vais te les racheter.

Jamais il ne parviendrait à rassembler une telle somme, se dit Nathalie, mais elle se garda bien de formuler ses craintes.

— Oh! Chad, ce n'est pas nécessaire! Grand-mère comprendrait.

— Non, riposta-t-il fermement. C'est un héritage, il doit rester dans la famille. Un jour, elles appartiendront à Rosie. Je vais les racheter, je te dis.

Elle hocha la tête, sans oser demander comment il comptait y parvenir.

— D'accord. Je serais très heureuse de les récupérer.

— C'est comme si c'était fait! décréta Chad en s'essuyant le nez sur son tee-shirt.

Puis, lançant un regard affectueux à sa tante, qui avait assisté à la scène, il sortit de la cuisine.

— Chad ne peut pas racheter ces boucles, remarqua Valérie à mi-voix. Pourquoi fais-tu comme s'il le pouvait?

Nathalie jeta un coup d'œil au téléphone en souriant et se hâta d'aller s'asseoir, tant ses jambes étaient faibles.

— Parce qu'il le peut, répondit-elle enfin.

— Coulter?

Trop émue pour parler, la jeune femme acquiesça d'un hochement de tête.

— Bon, jouons cartes sur table, maintenant, lança Valérie en lui décochant un sourire taquin. Ça te gêne, si je baise avec ce beau cow-boy?

Tout à sa joie d'avoir retrouvé son fils, Nathalie n'enregistra pas immédiatement les propos de sa sœur. Lorsqu'elle y parvint, une fraction de seconde plus tard, elle s'appuya au dossier de sa chaise et la regarda droit dans les yeux.

— Ne t'approche pas de lui, sinon tu es morte.

8

Le lendemain, Zeke emmena Chad chez le prêteur sur gages de Crystal Falls. N'ayant jamais eu à pratiquer ce genre de transaction, il croyait pouvoir racheter sans problème les boucles d'oreilles de Nathalie.

— Je suis désolée, dit la gérante, une dame d'un certain âge. Je suis obligée de les garder pendant un mois. Donnez-moi votre nom et votre numéro de téléphone et, si Mme Patterson ne les a pas reprises à ce moment-là, je vous appellerai.

— Vous ne comprenez pas, insista Zeke en posant la main sur l'épaule de Chad. Ce jeune homme est le fils de Mme Patterson, il aimerait racheter les boucles de sa mère.

La femme adressa un sourire navré au garçon.

— Je suis désolée, mon petit. Je ne peux te les vendre sans l'autorisation de ta mère.

Elle ouvrit le tiroir de son bureau et en sortit une feuille.

— Lis ce contrat, tu verras que je suis obligée de les garder.

Chad y jeta un coup d'œil.

— Mais ma mère sera d'accord, nous voulons les lui rapporter.

— Ce n'est pas comme si nous étions des étrangers, intervint Zeke.

— Si seulement vous aviez le reçu... soupira la femme. Je contournerais le règlement, si j'étais sûre que vous êtes bien celui que vous prétendez être.

— Vous croyez que nous mentons ? s'étonna Chad.

— Pas vraiment, non, admit-elle gentiment. Et je trouve que c'est très gentil de ta part de racheter les bijoux de ta mère. J'ai bien vu, hier, que ça lui brisait le cœur de s'en séparer.

— J'ai une idée ! s'écria Chad avec un grand sourire. Composez le numéro qu'elle vous a donné et demandez à parler à Valérie. C'est ma tante, elle vous dira que je suis bien moi.

La phrase fit rire la gérante. Tandis qu'elle examinait le garçon, son expression s'attendrit et elle décrocha le téléphone.

Quelques minutes plus tard, Chad fourrait les boucles d'oreilles de sa mère dans sa poche.

— Quoi que tu fasses, ne perds pas ces babioles, conseilla Zeke comme ils s'installaient dans la voiture.

— Oh non ! promit Chad d'une voix triomphale. J'aimerais bien discuter un peu avec maman, quand je lui rendrai ses boucles d'oreilles. Ça t'ennuie, si je viens travailler un peu plus tard que d'habitude ?

Cette conversation, la première depuis plusieurs mois, risquait de prendre quelques heures, songea Zeke en acceptant de bon cœur.

En voyant une ombre glisser devant la baie vitrée du salon, Zeke leva la tête : Nathalie le regardait de ses yeux rougis par les larmes. Les boucles d'oreilles de sa grand-mère scintillaient entre ses cheveux.

— Bonjour, dit-il.

— B'jour, fit-elle d'une voix nasillarde. Je…. je suis venue avant les enfants pour te remercier.

— Me remercier de quoi ?

Elle effleura l'une de ses boucles en souriant.

— Tu sais bien… Chad n'aurait pas pu les racheter sans ton aide.

Il se releva un peu trop brusquement et l'un de ses genoux protesta, lui rappelant qu'il n'avait plus l'âge de se laisser guider par ses impulsions.

— Ne me remercie pas. Chad devra travailler long-temps, pour me rembourser.

— Quand même.

Elle haussa les épaules et se mordit la lèvre infé-rieure. Zeke craignit de la voir fondre en larmes.

— Tu lui as prêté de l'argent, c'était très généreux de ta part.

— C'est un gentil garçon. Je lui fais confiance.

— C'est un gentil garçon, oui, répéta-t-elle d'une voix tremblante. Merci aussi pour tout ce que tu lui as dit hier soir.

— Je n'ai pas dit grand-chose.

— Grâce à toi, j'ai retrouvé mon fils. Tu l'as aidé à se remettre de sa conversation avec son père. Robert l'a profondément blessé, mais il a repris courage.

— Je n'y suis pour rien, protesta Zeke qui, à son grand désarroi, sentait une boule se former dans sa gorge. C'est toi qui as élevé Chad, pas moi. Tu lui as donné un modèle à suivre.

Nathalie laissa échappa une larme. Soudain, elle s'approcha, se hissa sur la pointe des pieds et noua les mains autour du cou de Zeke.

— Merci. Merci beaucoup.

Il ne put que l'enlacer.

— Je t'en prie, grommela-t-il, je l'ai juste récon-forté.

— Tu as fait ce qu'il fallait. Exactement ce qu'il fal-lait, murmura-t-elle.

Elle lui embrassa la joue, dans l'intention visible de s'écarter aussitôt. Zeke, lui, n'avait pas prévu de la retenir mais, tournant la tête au dernier moment, il s'empara de sa bouche. Elle sursauta, puis ses lèvres

s'entrouvrirent. Alors il inclina la tête pour approfondir le baiser, sans tenir compte de l'alarme qui se
déclenchait au fond de son cerveau.

Elle se serra contre lui en agrippant sa chemise. Sa
bouche était chaude d'avoir pleuré, son parfum doux
et enivrant. La main sur sa nuque, il la maintenait à
sa merci. Lorsqu'il l'entendit gémir doucement, il ne
put se maîtriser ; il la voulait plus que tout – ce n'était
ni une décision ni un calcul, mais un besoin irrépres-
sible. Elle l'embrassait avec un tel abandon qu'il en
perdait la tête. Toute sa vie, il s'était félicité de sa prudence et de son sang-froid, et voilà qu'il ne contrôlait
plus rien, et que la prudence était la dernière de ses
préoccupations. Il glissa une main sous son chemisier
et caressa sa peau, chaude et satinée, puis la plaqua
contre le mur. Le souffle court, la jeune femme lui
mordillait les lèvres tout en promenant les mains sur
ses épaules, ses bras, son dos. Elle soupira lorsqu'il
caressa la pointe de l'un de ses seins, pressant son
ventre contre le sien.

— Qu'est-ce que tu fais, maman ?

Nathalie et Zeke s'écartèrent brusquement l'un de
l'autre, tels deux adolescents coupables.

— Rosie ! s'écria-t-elle. Tu m'as fait peur.

— Vous vous embrassiez ?

Nathalie se recoiffa d'une main, tirant sur sa jupe
de l'autre.

— Nous... euh... Bon Dieu, non !

Zeke n'osait intervenir. Sa compagne avait sûrement plus d'imagination que lui.

— Qu'est-ce que vous faisiez, alors ? insista la petite
fille avec un regard soupçonneux.

— M. Coulter m'aidait à remettre ma boucle
d'oreille. L'attache s'est défaite et je n'arrivais pas à
la rattacher.

— Oh ! s'étonna Rosie, peu convaincue. Vous aviez
pourtant bien l'air de vous embrasser...

140

Zeke s'était accroupi, feignant de s'affairer sur la glissière de la baie vitrée. Il avait vraiment perdu la tête.

Il passa le reste de la journée à se reprocher cette incartade. Dieu sait qu'il avait fait des bêtises, dans sa vie, mais cette étreinte passionnée était la plus lourde de conséquences : désormais, il lui était impossible de regarder Nathalie sans penser aux sensations fabuleuses qu'il avait éprouvées en caressant son corps. De son côté, chaque fois qu'elle jetait les yeux sur lui, la jeune femme rougissait, signe évident qu'elle partageait son émoi.

Qu'y avait-il de changé, depuis qu'il avait décidé qu'il était plus sage d'étouffer cette folie dans l'œuf ? Rien ne prouvait que ses sentiments étaient pérennes. Et, malgré l'incident de la matinée, il ne savait pas non plus s'ils étaient sexuellement compatibles… Nathalie n'était pas du genre à donner son corps sans offrir aussi son cœur. Pouvait-il prendre le risque d'entamer une relation qui peut-être ne lui conviendrait pas ?

Tous les matins, pourtant, Zeke devait lutter contre ses élans les plus instinctifs en voyant Nathalie arriver, terriblement séduisante dans son jean délavé et sa vieille chemise d'homme, ses cheveux bouclés voletant autour de son visage ; elle travaillait tout le jour en se déhanchant au rythme d'une musique qu'elle seule entendait. Le soir, il devait prendre des douches froides pour s'endormir. Et la même séance de torture recommençait le lendemain.

Ainsi, sa résolution de résister aux charmes de sa voisine l'abandonnait de jour en jour. Elle était tout ce dont il avait rêvé sans le savoir… Mourant d'envie de l'entendre chanter à nouveau, il devait lutter pour ne pas passer au *Perroquet bleu* en sortant du magasin, le soir. Parfois, en son absence, il humait l'air dans l'espoir de respirer son parfum. Il rêvait d'elle – des rêves passionnés, torrides, qui l'obligeaient à se lever au milieu de la nuit pour prendre une énième douche froide.

Incapable de supporter plus longtemps cette tension, Zeke alla trouver l'unique personne dont les conseils lui avaient toujours paru fiables : son père.

Harv Coulter cueillait des tomates dans son potager quand son fils arriva.

— Je n'ai jamais vu autant de tomates, ronchonna le vieil homme lorsque Zeke apparut. Je vais en avoir pour une semaine à aider ta mère à les mettre en conserve.

— Papa, j'ai une question à te poser.

— Vas-y.

— Quand tu as épousé maman, est-ce que vous aviez… Je veux dire… Est-ce que tu as pu faire un essai avant de sauter à pieds joints dans le mariage ?

Tout en déversant dans le panier les tomates qu'il avait ramassées, Harv lui jeta un regard sévère.

— Tu insultes ta mère, fiston ?

— Non, bien sûr que non, papa.

— Tu crois qu'elle était femme à laisser un homme goûter le lait avant d'acheter la vache ?

— Non, papa.

— Alors, ne pose pas une question aussi stupide ! Ta mère a toujours été une chrétienne pratiquante : jamais elle n'aurait bafoué ses principes pour moi, grommela Harv en secouant la tête. Pour l'avoir, j'ai dû lui mettre la bague au doigt et lui promettre un amour éternel.

— Tu ne doutais pas ? s'enquit Zeke, incrédule.

— De quoi ?

Serrant les dents, Zeke entreprit d'aider son père à cueillir les tomates.

— Doucement, ne les abîme pas, prévint Harv. Je te reconnais bien là, fils, tu as toujours été un garçon prudent. Déjà enfant, tu tournais autour du pot jusqu'à creuser une ornière, avant de prendre une décision.

Zeke ne put retenir une grimace. Bien que peu flatteuse, l'image lui convenait parfaitement.

— C'est vrai, reprit son père, tu veux toujours assurer tes arrières.

— Je ne devrais pas ?

— Tu oublies que les meilleures choses de la vie nous sont proposées sans garantie : si on ne veut pas passer à côté du bonheur, il faut accepter de prendre des risques.

— Quand tu es tombé amoureux de maman, comment as-tu su que ça durerait toujours ?

— Mais je n'en savais rien ! Je savais seulement que je ne pouvais pas m'éloigner d'elle. L'amour n'est pas une décision, fiston, il te tombe dessus et, que tu aies des doutes ou non, tu te retrouves planté jusqu'aux genoux dans du ciment en train de prendre... Si tu peux t'éloigner de cette femme, mets ton chapeau et taille-toi : ce n'est pas la bonne.

— Et si j'en suis incapable ?

Harv lui décocha un clin d'œil.

— Alors ne fais pas l'idiot, et saute dessus avant qu'un autre type ne te la pique !

Ce soir-là, Zeke ne résista pas au désir qu'il avait de s'arrêter au *Perroquet bleu*. Il s'y était même préparé. Il avait enfilé une chemise blanche et emporté une veste de sport dans sa voiture. Lorsqu'il pénétra dans le club, peu après 21 heures, Nathalie était sur scène, vêtue d'une robe bleu nuit fendue jusqu'à mi-cuisses, et chantait *Up !*, un tube de Shania Twain. Subjugué, Zeke se laissa tomber dans un fauteuil sans prêter attention aux gens qui l'entouraient. Une serveuse s'approcha. Il lui commanda un whisky, puis il s'abandonna à des rêveries érotiques dans lesquelles il froissait des draps de soie en compagnie de Nathalie Patterson.

La chanson suivante, *Toujours et à jamais*, un autre succès de Shania Twain, exprimait la détermination d'une femme amoureuse. Les yeux de Nathalie restèrent rivés sur Zeke jusqu'à la fin du morceau, comme si elle voulait s'adresser à lui à travers la musique. Puis elle annonça une pause et, se faufilant entre les tables, se dirigea vers lui d'une démarche chaloupée. Le cœur de Zeke s'emballa. Il se leva pour lui avancer une chaise.

— Bonsoir, lança-t-elle d'une voix chaude. Qu'est-ce qui t'amène ici ?

— Toi.

— Moi ?

— Je voulais te voir, annonça-t-il en se rasseyant, et t'entendre chanter, bien sûr. Tu as un immense talent, Nathalie. Je parlais sérieusement, quand je disais que tu méritais le public de Nashville.

— Si les désirs étaient des chevaux, personne n'irait à pied. C'est ce qu'on disait autrefois, et c'est toujours vrai.

Pour la première fois, elle admettait que sa vie n'était pas telle qu'elle l'avait rêvée.

— Que s'est-il passé ? De nombreuses chanteuses ont des enfants. Qu'est-ce qui t'a empêchée de faire carrière ?

— Un mauvais virage, répondit-elle avec un sourire triste. Parfois, cela suffit… J'ai de merveilleux enfants et je les aime de tout mon cœur.

— Cesse de te comporter en mère de famille, rien que deux secondes, et parle-moi franchement, lui intima Zeke en se penchant en avant. Bien sûr, que tu aimes tes enfants et que tu ne regrettes pas de les avoir eus, cela va de soi. Je veux seulement savoir ce qui s'est passé…

— Juste après mon bac, j'ai participé à un concours de chant. Robert y assistait. Il a dû se dire qu'une fille de la campagne dotée du sens du rythme lui procurerait un agréable divertissement : il s'est montré charmant, et j'étais naïve. Il n'y a pas grand-chose à ajouter… Quand je suis tombée enceinte, mon père a braqué son fusil sur le bas-ventre de Robert et je me suis retrouvée mariée avec un homme qui considérait comme vulgaire le fait de chanter sur scène.

— Tout le monde n'est pas de cet avis.

— Mais les Patterson, si. Ils sont obsédés par les apparences et très imbus de leur statut dans la haute société.

— À Crystal Falls ? J'ignorais que nous avions une haute société !

La remarque la fit rire.

— Robert a fait une mésalliance en m'épousant, soupira-t-elle, et Cendrillon a dû restreindre ses ambitions pour mériter le nom de Patterson. Il m'a fallu plusieurs années pour m'endurcir et les envoyer promener.

— C'est à ce moment-là que tu as acheté le club ?

Elle acquiesça d'un hochement de tête en regardant autour d'elle.

— Je loue le bâtiment. Je n'avais besoin que du capital nécessaire pour faire des rénovations et démarrer… Aussi, poursuivit-elle avec un sourire malicieux, j'ai élevé des cochons et des veaux à la ferme – une activité carrément vulgaire, qui horrifiait ma belle-famille ! Au bout de cinq ans, j'avais économisé suffisamment d'argent.

— Robert ne voulait pas t'en donner ? s'étonna Zeke avant de se rattraper aussitôt : Oh ! mais j'oubliais la haute société !

— Il m'a menacée de divorcer.

— Qu'as-tu répondu ?

— Qu'il me manquerait, répliqua-t-elle en riant.

— Bien joué.

La jeune femme prit le verre de Zeke et but une gorgée de whisky.

— Il y a toujours de la musique, dans ma tête. Des paroles, des mélodies qui pourraient devenir des chansons si je les arrangeais et les travaillais un peu.

Le cœur de Zeke se serra. Il ne s'agissait pas d'un caprice, Nathalie était une vraie musicienne.

— J'aime beaucoup la chanson que tu as chantée, la dernière fois. Elle était magnifique.

— *Rêves brisés* ?

Zeke acquiesça d'un battement de cils.

— Tu as un don, Nattie. C'est vraiment dommage de le gaspiller.

Il s'absorba dans la contemplation de son verre, comme s'il était fasciné par le glaçon qui flottait dans le liquide ambré avant de reprendre :

— Tu as le pouvoir de toucher les gens profondément, Nathalie, de les émouvoir, de les faire vibrer. C'est si rare que cela te donne une responsabilité.

— Où étais-tu, il y a douze ans ? demanda-t-elle, les yeux soudain humides. J'en ai trente. Il est trop tard pour moi, à présent.

— Foutaises ! Tu es encore jeune, voyons. Il te suffit seulement de croire en toi.

— Je n'ai jamais douté de moi, riposta-t-elle, j'ai toujours su que j'étais musicienne. Adolescente, j'avais l'impression d'avoir un volcan en pleine éruption à l'intérieur de moi. Ma famille me soutenait, mais je n'ai pas choisi le bon mari.

Les yeux rivés sur le visage de Nathalie, Zeke réalisa à cet instant qu'il ne pouvait s'éloigner de la jeune femme, sa vie en eût-elle dépendu. Elle était celle qu'il lui fallait, il le sentait au plus profond de lui.

146

— Je suis en train de tomber amoureux, avoua-t-il d'une voix enrouée. Je crois qu'il faut que tu le saches.

— Comment ? fit-elle en blêmissant.

— Tu as très bien entendu : je suis en train de m'éprendre de toi. Ce n'était pas du tout prévu et ça me fout la trouille, mais c'est un fait.

Elle éclata soudain d'un rire aigu, un peu hystérique.

— Mais voyons, tu es un célibataire endurci ! Une sardine qui a découvert le luxe d'une salle de bains toujours disponible, tu te souviens ?

— Plus maintenant.

Il vida son verre d'une traite avant de le reposer brutalement sur la table.

— Nathalie, ce n'est pas une aventure que je cherche. Si tu partages mes sentiments, ne prends pas de décision à la légère, parce que je ne te faciliterai pas la vie. On n'a pas le droit de renoncer à ses rêves. Si Dieu donne à certaines personnes un grand talent, c'est qu'il a une bonne raison de les choisir.

Repoussant sa chaise pour se lever, il acheva :

— Je ne te laisserai pas gaspiller le tien, quitte à t'aiguillonner à chaque pas.

Si Zeke Coulter avait été un cow-boy de rodéo, de ceux qui vont de ville en ville en plastronnant auprès de la gente féminine locale, Nathalie aurait ri de sa déclaration et souri de l'absurdité de la situation. Mais il était aussi solide qu'un roc, et semblait être un homme qui ne parlait jamais à la légère.

Il n'était pas le seul à avoir peur. Nathalie quitta le club, les nerfs à vif. Elle était incapable de se comporter comme Valérie ; elle n'était pas du genre à prendre son plaisir où elle le trouvait avant de s'éloigner d'un pas dansant pour rentrer chez elle et se vernir tranquillement les ongles des orteils. En même temps, tout engagement sérieux la terrifiait. Elle avait déjà essayé le grand amour et les vœux éternels, cela n'avait pas marché. Il n'était pas question pour elle de revivre de tels moments.

Elle s'assit dans sa Chevrolet déglinguée et resta un moment sans bouger, le regard perdu, butant sur cette vérité. Rien que l'idée de coucher avec Zeke la terrorisait. Les mains tremblantes, elle tourna la clef et mit le contact. Après tout, sa vie actuelle n'était pas désagréable : elle aimait sa famille ; le soir, elle pouvait enfiler un tee-shirt trop grand, omettre de se brosser les dents et étreindre son oreiller avant de s'endormir. Il y avait bien pis.

— Tu as une sale tête, déclara Valérie lorsque Nathalie rentra.

— Merci. Maintenant, je me sens encore plus moche.

Valérie s'assit sur une chaise en croisant nonchalamment les jambes. Sa sœur jeta un regard envieux sur les cuisses fines que révélait la liquette et alla se servir un verre d'eau.

La vie était injuste : Valérie se nourrissait de pizzas et de pop-corn et ne prenait jamais un gramme, tandis que Nathalie grossissait rien qu'en humant l'odeur de ces aliments...

— Eh bien, s'exclama Valérie, tu n'as pas l'air de bon poil !

— Je fais ma ménopause avec vingt ans d'avance... Et puis fiche-moi la paix, tu n'es qu'une enfant. Lorsque tu auras ta première ride, on pourra peut-être discuter.

— Ça saute aux yeux : il s'agit d'un homme, diagnostiqua Valérie en retroussant sa liquette pour sortir un paquet de Marlboro de son short.

Nathalie n'avait jamais vu sa sœur fumer. Celle-ci saisit une cigarette, l'alluma et souffla avec délices un nuage de fumée.

— C'est une très mauvaise habitude.

— C'est mon substitut pour le sexe, répliqua Valérie avec une grimace narquoise, tu devrais essayer. Dieu sait que tu as besoin de quelque chose pour te détendre!

— Je t'interdis de fumer en présence de mes enfants.

— Est-ce que je l'ai fait? protesta Valérie. Lâche-moi un peu, tu veux? Je suis déprimée. J'envoie des CV toute la journée et personne n'y répond.

— Pourquoi n'essaies-tu pas autre chose que le droit?

— Pourquoi n'essaies-tu pas autre chose que le chant?

Trop fatiguée pour ferrailler, Nathalie agita la main et se dirigea vers la porte.

— Bonne nuit. Continue à te cramer les poumons, je m'en fiche complètement.

— Qu'est-ce qui te rend aussi furieuse?

Nathalie s'arrêta sur le seuil et se retourna vers sa sœur.

— Est-ce que tu te rends compte que, dans cinq ans, tu risques d'avoir des nichons flasques et des cuisses comme du tapioca? Avec un gosse ou deux dans l'intervalle, c'est garanti.

— Quoi? fit Valérie en ôtant la cigarette de sa bouche.

— À l'heure qu'il est, tu imagines que tu seras éternellement jeune et belle. Mais ce n'est qu'un leurre. Toutes les femmes ont droit à dix ou quinze ans de jeunesse et de beauté: à dix-huit ans, le monde leur appartient, mais très rapidement elles en ont trente, et la jeunesse et la beauté ne sont plus que de lointains souvenirs. Au début, tu ne comprends pas ce qui se passe. Tu triches, tu ne regardes que ton bon profil dans la glace, tu rentres de force dans tes vieux jeans trop étroits, et tu te crois toujours aussi jolie. Et puis, un jour sinistre, alors que tu es en train de nettoyer ta voiture, tu découvres ton visage dans le rétroviseur, et tu vois les petites rides qui entourent tes yeux, sillonnent tes joues, encadrent ta bouche. Ça te fait un choc : tu n'es plus jeune. Tu te dis qu'il doit y avoir une solution et tu cours acheter des crèmes, des lotions et autres cache-misère. Mais devine quoi ? Ça ne marche pas.

— Ah, merde ! Ce n'est quand même pas pour ça que tu te mets dans cet état ?

— Zeke prétend qu'il est en train de tomber amoureux de moi, lâcha Nathalie, les yeux brillants.

Valérie s'étrangla, toussa, hoqueta et dut utiliser sa paume en guise de cendrier. Lorsqu'elle eut repris son souffle, elle fouilla dans la poubelle pour en sortir une boîte de conserve où jeter ses cendres. Ensuite, elle regagna sa place et regarda sa sœur avec perplexité.

— Zeke Coulter est amoureux de toi, et c'est une mauvaise nouvelle ?

Nathalie s'adossa au mur pour ôter ses chaussures. Puis, poussant un petit soupir de soulagement, elle tortilla ses orteils.

— Seigneur ! Je déteste les talons hauts. C'est sûrement un homme qui les a inventés.

Valérie prit une bouffée de cigarette tandis que Nathalie revenait s'asseoir auprès d'elle.

— On devrait les châtrer tous… Non, gardons-en une demi-douzaine en bon état, histoire de s'amuser de temps en temps.

L'épuisement l'emportant sur l'émotion, Nathalie rejeta sa tête en arrière pour scruter le plafond. Une toile d'araignée pendillait de la lampe.

— Mon existence actuelle n'est pas fantastique, je te l'accorde, mais elle me convient. Je peux mettre une vieille chemise de nuit sans en avoir honte, et personne ne m'embête.

— Le sexe ne te manque pas ?

— Si, bien sûr. Mais pas les ennuis qui vont avec. Je vais peut-être m'acheter un vibromasseur, après tout…

— Tous les types ne ressemblent pas à Robert, tu sais.

— Peut-être mais, franchement, ça ne m'intéresse plus.

Nathalie se tourna vers sa sœur.

— Je te laisse Zeke, finalement. Moi, je suis fatiguée.

— Pas question. Il n'y a pas écrit « idiote », sur mon front. Je ne veux rien avoir à faire avec lui.

— Moi non plus. Donne-moi une cigarette.

— Tu ne fumes pas.

— Je vais peut-être m'y mettre.

— Ça va abîmer ta voix.

— Une cigarette n'abîmera pas ma voix. D'ailleurs, pourquoi devrais-je la protéger ? Je ne ferai jamais carrière. C'est une autre des découvertes que tu fais, passé la trentaine, et avec laquelle tu dois vivre : une bonne occasion ne se présente pas deux fois. Si on l'a loupée, c'est fichu pour toujours.

Valérie réfléchit un instant avant de ressortir le paquet de Marlboro de son short.

— Tant qu'on y est, dévergondons-nous en beauté. Il y a de l'alcool dans la maison ?

— Je ne crois pas, répondit Nathalie en regardant autour d'elle. Ah si ! papi garde des tonnelets de vin ordinaire, sous son lit. J'en ai vu deux, en cherchant sa pommade contre les hémorroïdes.

— Super ! Je vais lui en piquer un. Il est tellement sourd qu'on pourrait chanter *God Bless America* auprès de son lit, il ne se réveillerait pas.

Quelques minutes plus tard, Nathalie s'enivrait en compagnie de sa petite sœur – événement sans précédent. Était-ce dû au vin, ou bien leurs cerveaux se rencontraient-ils pour la première fois ? Quoi qu'il en soit, Valérie semblait enfin faire preuve de bon sens.

— Tu sais quel est ton problème ? demanda-t-elle.

Nathalie lui lança un regard interrogateur.

— Tu te tracasses trop, reprit sa sœur en lâchant une bouffée de fumée. L'aspect physique d'une femme, ça ne compte pas longtemps. Si un type aime ce qu'il voit quand tu es habillée, détends-toi : dès que tu auras ouvert sa braguette, il deviendra carrément aveugle.

Nathalie s'étrangla en avalant une gorgée de vin et s'esclaffa longuement.

— Sommes-nous seulement apparentées, toi et moi ? demanda-t-elle.

— J'en ai peur.

— Ça t'ennuie, hein ? Je suis tellement rasoir...

— Pas rasoir, non. Ton problème, c'est que tu te fais trop de mouron. Par exemple quand tu te plains d'être vieille. Moi, je te trouve superbe.

— Habillée, ça va, mais pas nue, protesta Nathalie. Mes phares éclairent moins bien.

Valérie gloussa.

— Ce n'est pas drôle. Tu n'as pas idée de l'effet que ça fait de baisser les yeux et de t'apercevoir que tes seins font pareil. Et j'ai cette horrible texture de tapioca sur les cuisses... Je m'accroupis tous les matins jusqu'à ce que mes genoux se dérobent, mais ça ne marche pas.

— Comme si un type allait le remarquer ! S'il y pense, c'est que tu n'auras pas fait ton boulot, ma petite.

Nathalie se calma et ses pensées revinrent à Zeke.

— Il est d'une beauté écœurante. Tu l'as regardé ?

— Oh, oui ! soupira Valérie en agitant la main devant sa figure. Il est follement séduisant.

— Il pourrait avoir toutes les femmes qu'il veut, alors pourquoi moi ? J'ai du ventre et des vergetures.

L'idée seule de me déshabiller devant lui me donne envie de mourir.

Valérie bondit sur ses pieds, retroussa sa liquette et baissa son short, dévoilant des hanches minces.

— Tu vois ces vergetures ? Je les ai attrapées en grandissant trop vite. Bon sang, Nattie, vis un peu ! Tu te tracasses vraiment trop...

— Mais j'ai une vie ! J'ai une merveilleuse famille et deux enfants fabuleux. Pourquoi céder à un homme qui me brisera encore le cœur ?

— Parce que tu es une Westfield et que les chances sont de ton côté. Il est splendide, je ne le conteste pas. Mais tu n'es pas mal non plus. Alors qu'importe, si tu n'as plus vingt-cinq ans ? Des quantités de types aiment les femmes qui ont de l'expérience.

— Ce qui m'exclut.

— Que veux-tu dire ? Tu as été mariée pendant presque onze ans.

— Certes. De temps à autre, quand Robert avait besoin de se reposer, il m'honorait de ses attentions, mais sans se donner beaucoup de mal – il gardait ses talents pour ses petites amies.

— Ah, Nattie ! soupira Valérie, les yeux humides.

— Je n'avais pas ce qu'il fallait pour le rendre heureux, reprit tristement Nathalie. Tout s'est bien passé entre nous durant environ un mois, et puis il a commencé à rentrer tard. J'étais enceinte de Chad depuis six mois déjà quand j'ai compris pourquoi.

— Je serais capable de le tuer pour t'avoir fait souffrir ainsi...

— C'est entièrement ma faute. Je suis tombée enceinte et je l'ai épousé, non ?

— Tu n'étais qu'une gamine sur laquelle s'était jeté un prédateur de trente et un ans. Comment peux-tu te le reprocher ? Si vous vous étiez rencontrés deux mois plus tôt, il aurait été inculpé pour viol ou pour détournement de mineure.

Nathalie ferma les yeux.

— Je l'aimais, murmura-t-elle. Je l'aimais tant… Peu avant la naissance de Chad, je partais à sa recherche tous les soirs, roulant à travers la ville pour essayer de repérer sa voiture. La plupart du temps, je rentrais bredouille. Mais, à deux reprises, j'ai eu la certitude qu'il était dans son bureau avec une autre femme. Un soir, à la fin du mois de janvier, alors qu'il faisait horriblement froid, je suis restée assise dans la nuit en grelottant et en pleurant. Ça faisait très mal, Valérie, ça me déchirait les entrailles, j'avais l'impression de perdre ma vie. Je ne veux plus jamais éprouver cela.

— Je sais. Mais réfléchis un peu: aucune femme au monde ne peut retenir Robert. Il est comme un virus qui cherche où se loger, et n'importe quel corps chaud fait l'affaire.

— Peut-être. Mais ça ne change rien, je n'en suis pas ressortie indemne. Je ne l'aime plus, j'en suis même venue à le haïr, je crois. Pourtant, il y a comme une zone morte à l'intérieur de moi. Je ne veux plus aimer. Je ne suis même pas sûre d'en être capable…

— Si c'est vrai, tu dois le dire à Zeke, et le plus tôt sera le mieux.

9

Entendant un coup léger frappé à la porte de la cuisine, Zeke regarda sa montre : il était 2 heures du matin. Il ramassa son jean en grommelant, sautilla pour l'enfiler puis traversa la maison obscure, un peu inquiet de cette visite nocturne.

Il ouvrit la porte. Baignant dans la lumière argentée du clair de lune, Nathalie était, à n'en pas douter, la plus belle femme qu'il eût jamais vue. Elle portait toujours sa robe bleu sombre fendue jusqu'à mi-cuisses. Un bref instant, il craignit de rêver, mais l'air frais qui caressait sa poitrine nue le rassura.

Il cligna des yeux et réprima un bâillement.

— Salut

— Je... euh...

Détournant prudemment les yeux du torse nu de Zeke, elle se força à le regarder dans les yeux.

— J'espère que je ne t'ai pas réveillé.

— Non, mentit-il.

Quand une telle apparition surgissait, aucun homme sensé ne désirait la renvoyer.

— J'allais... m'endormir

Elle lui décocha un sourire en lui tendant un tonnelet de vin.

— J'ai apporté de quoi boire. Tu as quelques minutes ?

— Bien sûr, fit Zeke. Entre.

Elle posa un pied fin sur le seuil métallique.

— Tu as traversé le champ?

— Bien sûr.

— Sans chaussures?

— Ce ne sont pas des chaussures, mais des instruments de torture.

Elle entra dans la cuisine, frôlant Zeke et l'enivrant de son parfum.

— Je suis une fille de la campagne, tu te souviens? Je me suis promenée pieds nus la moitié de ma vie.

Zeke n'avait rien contre les pieds nus. Observant le balancement des hanches de Nathalie, il souhaita même la voir entièrement nue. Il ferma la porte et alluma la lumière.

— Quel bon vent t'amène à cette heure-ci? Un problème?

— Pas vraiment, répondit-elle en ouvrant un placard. Où sont les verres? Ah, voilà!

Elle prit le tonnelet, déjà bien entamé, et remplit deux grands verres.

— Je suis venue te parler, expliqua-t-elle. Ce que tu m'as dit ce soir au restaurant me tracasse terriblement: tu n'as pas l'air d'un amateur de tapioca.

— Ah bon?

— Non. Et cela pose un problème insurmontable.

— À vrai dire, j'aime le tapioca, dit Zeke, perplexe.

— Tu n'aimeras pas le mien.

Il hocha la tête comme s'il comprenait – ce qui n'était pas le cas. En revanche, il sentait qu'elle était légèrement ivre.

— Tu aimes beaucoup le tapioca, toi?

— Mon Dieu, non! s'écria-t-elle avec une grimace. Mais j'en ai, c'est le hic!

Elle avala une rasade de vin pour s'encourager.

— Je pourrais me faire opérer, reprit-elle, mais ça reviendrait sûrement.

— Pourquoi ai-je l'impression que nous ne parlons pas de pudding?

Elle lui lança un regard ahuri.

— De pudding ? Pourquoi parles-tu de pudding ?

— À cause du tapioca. Je pensais... Mais peu importe. De quoi parlions-nous, exactement ?

Les yeux de Nathalie prirent un éclat humide inquiétant.

— De mon corps.

Où était le problème ? s'étonna Zeke en se laissant tomber sur une chaise. Il savait le terrain dangereux : lors d'une émission de radio qu'il avait récemment écoutée, un journaliste et un psychologue discutaient des sentiments négatifs que les femmes nourrissaient envers leurs corps. Dans une société qui vantait la jeunesse et la maigreur, les considérant comme les critères absolus de la beauté, les interventions esthétiques étaient légion, et la plupart étaient superflues. De nombreuses femmes en effet se sentaient laides si elles dépassaient le 38 et n'arboraient pas des ballons de foot en guise de seins.

— Qu'est-ce qu'il a, ton corps ?

— Il est moche.

— Moche ?

Zeke l'observa de la tête aux pieds. Nathalie n'était pas mince, mais son corps était ferme, et chacune de ses rondeurs était à sa place.

— Comment ça ?

— Tu veux que je te fasse une liste de mes défauts ? Eh bien allons-y : je n'ai jamais eu une silhouette parfaite et, maintenant, j'ai deux enfants. Je fais un régime et de la gymnastique, mais il me faut livrer une bataille incessante pour paraître à moitié décente. Je ne suis plus une jeune fille.

— Tant mieux. Moi non plus, je ne suis pas un perdreau de l'année.

— Les hommes vieillissent mieux que les femmes.

— Je te trouve très belle, déclara Zeke en croisant les bras.

— Tu ne m'as jamais vue nue.

— Cette robe ne cache pas grand-chose...

— Oh, si ! soupira-t-elle avec un petit rire triste. Tu crois qu'il m'a suffi d'entrer dans un magasin et de la décrocher d'un portant ? Non. Avant de l'acheter, j'en ai essayé des douzaines qui avaient l'air affreuses sur moi. Chacune de mes robes a été choisie avec soin.

Zeke l'examina à nouveau. Comment une robe pouvait-elle avoir l'air affreuse sur Nathalie ?

— Quels mystérieux défauts cache-t-elle donc ?

— Le truc qui m'ennuie le plus, c'est cette texture de tapioca qui envahit mes cuisses.

Elle rougit soudain et avala une autre gorgée de vin.

— Bref, je ne suis pas belle. Passable, peut-être. Pourquoi crois-tu que mon ex-mari avait des liaisons ?

— Parce que c'est un crétin et un salaud.

— Ça, oui ! Mais c'est aussi parce que ce qu'il avait chez lui ne le satisfaisait pas.

Elle sourit en poursuivant :

— Tu es un type splendide, Zeke, et tu m'attires follement. J'aimerais vraiment, vraiment...

Elle s'interrompit, visiblement distraite, et Zeke s'aperçut qu'elle fixait à nouveau son torse. Il songea à aller chercher une chemise pour se couvrir mais se reprit aussitôt – aucun atout ne devait être écarté.

— Tu disais ?

Rougissante, elle leva les yeux et parut s'intéresser à la poignée en cuivre d'un placard.

— Je disais que j'aimerais être capable d'envisager un nouvel amour, mais que cette idée me terrifie.

— Nathalie, je...

Elle l'interrompit d'un geste de la main.

— Ces sentiments que j'éprouve – et que tu dis éprouver – ne peuvent nous mener nulle part.

— Mais pourquoi ?

— Parce que! Écoute-moi, s'il te plaît.

— Je t'écoute.

— Je ne prétendrais pas que ma vie actuelle me comble, commença-t-elle en tripotant nerveusement l'une de ses boucles d'oreilles, ni que parfois je ne souhaite pas autre chose. Mais je ne suis pas malheureuse: j'ai une grande famille et deux merveilleux enfants. Si j'arrive à redresser les finances du club, tout ira bien. Alors pourquoi tout chambouler en m'éprenant d'un homme? Surtout s'il s'agit de quelqu'un comme toi?

— Qu'est-ce qui ne va pas, chez moi?

— Rien. Et c'est bien le problème. Moi, je suis passable et, toi, tu es très beau. C'est bancal, tu ne peux pas dire le contraire. J'aimais Robert, quand je l'ai épousé, j'aurais fait n'importe quoi pour sauver notre mariage, mais j'ai échoué... Et ça a laissé un grand vide à l'intérieur de moi, acheva-t-elle en plaquant une main sur son cœur. Plus jamais je ne pourrais aimer un homme comme je l'ai aimé, en m'abandonnant entièrement.

— Tu es très belle. J'ignore quel était le problème de Robert, mais je peux te jurer que tu n'es en rien responsable de son infidélité.

Il se leva et s'avança vers elle.

— Si je pouvais passer ma vie avec toi, si je savais que tous les soirs nous nous retrouverions, je serais le plus heureux des hommes.

— Des mots, murmura-t-elle. Ils sont très flatteurs, mais ils ne peuvent réparer ce qui est cassé. Je ne te vise pas personnellement, mais je ne peux plus revivre ce que j'ai enduré.

Zeke s'arrêta à quelques pas de Nathalie et serra les poings.

— J'aimerais rouer de coups ce salopard de Robert Patterson. Tu es la plus belle femme que je connaisse et tu es convaincue que je te trouverai des défauts! C'est insensé.

Elle sourit timidement.

— Oh… C'est très gentil à toi de…

— Gentil! la coupa-t-il, scandalisé. Je suis un homme qui parle franchement, Nathalie. Je ne raconte pas de salades juste pour faire plaisir aux gens. Tu es très belle, point. Et, sur scène, tu es fantastique. Le public retient son souffle quand tu chantes, et tous les hommes présents ont la langue pendante.

— Je sais que je peux chanter, Zeke, mais cela ne…

— Tu peux chanter, oui, l'interrompit-il à nouveau, mais il en faut beaucoup plus pour créer la magie. Il faut un ensemble : une voix fabuleuse, un corps somptueux, un beau visage, une façon émouvante de se tenir et de se déplacer… Tu possèdes toutes ces qualités, Nathalie, et tu n'es pas à ta place dans ce trou perdu de l'Oregon, avec une guitare ordinaire et un pianiste moyen pour tout accompagnement.

— Merci, murmura-t-elle.

— Ne me remercie pas, protesta-t-il, exaspéré. Ce n'est pas un compliment, c'est une constatation. Tu devrais avoir le monde à tes pieds. Et il n'y a aucune raison pour que tu baisses les bras sous prétexte que tu te trouves trop vieille…

Elle se frotta les bras comme si elle avait froid.

— Oh! ça, je n'en suis pas sûre!

— Tu sais ce qui te freine?

— Non.

— Le manque d'ambition. Tu te contentes de chanter devant une poignée de péquenauds incapables d'apprécier un vrai talent. Dieu t'a accordé un don extraordinaire, et tu le gaspilles à tout-va.

Les joues de Nathalie s'embrasèrent.

— J'ai deux enfants, au cas où tu ne l'aurais pas remarqué. Ils sont plus importants que cette chimère.

— Pourquoi devrais-tu choisir entre ton talent et tes enfants? Emmène-les avec toi! Cesse de te cacher derrière la médiocrité, et va exploser sur une scène importante.

Elle eut un regard blessé.

— Tu ignores le prix qu'il faut payer pour essayer seulement de le faire… Je devrais prendre la route, me produire dans un millier de villes différentes avant que quelqu'un ne me remarque. Il me faudrait m'absenter parfois un mois de suite. On ne peut pas entraîner des enfants si jeunes dans ce genre d'aventures. Quant à ne se produire que l'été, c'est l'échec assuré. Autant rester ici. Je suis d'abord une mère, et ensuite une chanteuse. Je refuse de mettre en péril la santé et l'avenir de mes enfants pour poursuivre un rêve.

Zeke sourit avec jubilation.

— S'ils avaient un père convenable, tu pourrais partir un mois sans chambouler leur existence, non ?

— Ils n'ont pas un père convenable, justement.

— Eh bien, voilà la solution : je me porte candidat.

Elle le regarda fixement, les yeux écarquillés.

— Tu es fou ? On se connaît depuis… combien ? Trois semaines ?

— Je suis un Coulter.

— Ça n'a rien à voir.

— Si. Je suis le fils de mon père : je ne donnerai mon cœur qu'à une seule femme. Il m'a fallu près de trente-quatre ans pour te trouver mais, maintenant que je t'ai rencontrée, je ne te lâche plus.

— Il faut que je rentre, la conversation a déraillé. Je suis venue pour te parler franchement, mais tu n'écoutes pas. Il faut que je m'en aille.

— Bien sûr que si, je t'écoute. Je peux même te dire où tu en es : au même point que moi il y a une semaine. Effrayée par tes sentiments et cherchant un moyen de les fuir.

Cet aveu déconcerta Nathalie, qui lui jeta un regard perplexe.

— Crois-tu que j'avais envie de tomber amoureux de toi ? Réfléchis un peu. Pour un célibataire endurci, s'éprendre de la mère de deux enfants est une aberration. J'ai tout fait pour refouler mes sentiments.

— Ah bon ?

— Mais oui. J'aime le silence. J'aime l'espace. J'aime la vie de célibataire.

Zeke s'interrompit. Il n'avait jamais été très à l'aise avec les mots, et il avait l'horrible impression de dire tout ce qu'il ne fallait pas.

— Du moins, je pensais aimer ça, rectifia-t-il. Je sais que Rosie n'arrête pas de parler et que Chad a plein de problèmes. Une partie de moi a très envie de partir le plus loin possible.

— Eh bien, vas-y ! s'écria-t-elle, un peu vexée. Personne ne te retient.

— Mais je ne peux pas ! Je ne *peux* tout simplement pas… Je suis pris au piège, tu comprends, tu m'as pris au piège. J'aimais cette maison lorsque je l'ai achetée. Maintenant, je la trouve trop grande, trop vide. Je déteste mon réfrigérateur d'un blanc impeccable, je voudrais que Rosie le recouvre de dessins. J'ai toujours aimé faire la cuisine et voilà que désormais ça m'ennuie, parce qu'il n'y a personne pour partager mon repas. Je pense avec regret au soir où je suis allé chez toi, lorsque tu chantais avec une longue fourchette en bois en faisant brûler le poulet.

— Je n'ai pas brûlé le poulet. Les morceaux étaient seulement un peu brunis d'un côté.

Il s'avança vers elle en riant.

— Tu sais ce qui s'est passé, ce soir, alors que j'étais au magasin ?

Elle mit les poings sur les hanches dans un geste de défense.

— Quoi donc ?

— J'étais en plein travail quand soudain j'ai senti ton odeur. Le parfum de tes cheveux et de ta peau,

162

comme si tu étais dans la même pièce. Invisible mais présente.

Il vit des larmes affluer dans les yeux de Nathalie et comprit qu'il la touchait enfin.

— Je rêve de toi et je me réveille en sueur. Après, il ne me reste plus qu'à prendre une douche froide. Je ne compte pas le nombre de fois où je suis passé devant ton club, le soir, en crevant d'envie d'y entrer.

— Pourquoi ne l'as-tu pas fait ?

— Parce que je luttais contre mes sentiments et que j'avais une trouille bleue. Tomber amoureux et devenir papa tout d'un coup ne figuraient pas dans mes projets.

— Alors tu devrais être content que je sois venue mettre un point final à cette histoire...

— Ah, mais c'est que je n'ai plus peur, maintenant ! s'exclama-t-il en faisant un pas de plus vers elle. Je ne suis plus capable de faire demi-tour et de m'éloigner, désormais. Je t'aime. C'est comme ça.

— Tu ne pourrais pas t'asseoir, pour qu'on discute tranquillement ? demanda-t-elle d'un air méfiant. Je me sentirais plus en sécurité.

— Tu es en sécurité, Nattie. Et non, je ne peux pas m'asseoir. Quand je parle de choses importantes, j'ai besoin de regarder mon interlocuteur droit dans les yeux.

— Je ne vois pas en quoi ça t'empêche de t'asseoir.

Ce n'était pas de rencontrer son regard qui effrayait Nathalie... Elle tenta de contourner Zeke pour se faufiler vers la porte.

— Je... euh... Il faut vraiment que je m'en aille.

— Non, tu ne peux pas me faire ça, protesta-t-il en agrippant son poignet. Tu crois vraiment que je vais laisser partir la meilleure chose qui me soit arrivée à cause de ce con de Robert Patterson ? Pas question.

— Je ne peux pas prendre le risque d'aimer de nouveau, Zeke. Je ne peux pas.

— Mais si, tu peux. Donne-moi une chance, je t'en prie. Je te promets que tu ne le regretteras pas.

En voyant le regard de Nathalie s'adoucir, Zeke eut la certitude qu'elle l'aimait aussi et, pour la première fois depuis l'arrivée de la jeune femme, il sentit qu'il reprenait espoir.

— Reste. Il y a quelque chose de spécial, entre nous. Tu as déjà éprouvé ça avec Robert?

— Non, admit-elle, le regard craintif. Avec personne. C'est pourquoi cela me terrifie à ce point : je sens que l'enjeu est encore plus important. Tu sais, quand je te regarde, je ne pense pas aux sentiments que j'éprouve en ce moment, mais à ceux qui me broieront le cœur quand tu me quitteras.

— Tu crois que je t'aurais dit toutes ces choses, si je pensais que cela pouvait arriver un jour? murmura-t-il en l'attirant contre lui. Je ne te quitterai jamais, chérie. Jamais.

Comme elle hésitait, il comprit qu'il pouvait renoncer aux mots, lesquels n'avaient jamais été son point fort. Il la prit dans ses bras et l'embrassa avec ardeur. Un bref instant, elle resta rigide, les mains plaquées solidement sur les épaules de Zeke. Puis elle les noua sur sa nuque et lui rendit son baiser. Lorsqu'il la laissa reprendre souffle, elle le regarda dans les yeux

— Je suis terrifiée, Zeke, chuchota-t-elle.

— Il ne faut pas. Je ne te briserai pas le cœur, chérie. Je te le jure.

Il déposait de petits baisers apaisants sur ses pommettes, sur ses paupières, sur ses tempes.

— Fais-moi confiance, murmura-t-il. Je t'en supplie, Nathalie. Envoie promener la prudence et prends le plus grand pari de ta vie. Je te promets que tu ne le regretteras jamais.

Il s'empara à nouveau de sa bouche, plus doucement cette fois, désireux de lui prouver sa tendresse. Entrouvrant les lèvres, elle plongea les doigts dans ses cheveux. Sa bouche chaude et douce était comme affamée. Zeke caressa son dos, ses fesses, puis glissa sa main à l'intérieur de la cuisse. Nathalie émit un râle qui l'enflamma.

— Cela fait si longtemps… souffla-t-elle contre la bouche de Zeke.

Ce qui suivit le prit au dépourvu. Avec un petit cri étouffé, elle se suspendit à son cou et lui encercla la taille de ses jambes, nouant ses chevilles dans son dos. Surpris, il chancela et recula pour garder l'équilibre, tandis que Nathalie reprenait sa bouche et l'explorait avec fièvre. Zeke avait l'impression de perdre la tête.

— Touche-moi! Caresse-moi! soupira-t-elle.

D'un recoin obscur du cerveau de Zeke, une protestation jaillit: il ne pouvait faire l'amour à la femme de sa vie dans cette cuisine… Pourtant, jamais de sa vie on ne l'avait embrassé avec une telle avidité, et il n'avait pas la force de s'arracher à la fièvre qui les avait enflammés tous les deux.

— S'il te plaît… balbutiait-elle.

— La chambre, bredouilla-t-il. Je veux t'offrir la perfection.

Le souffle court, elle pressa son front contre celui de Zeke.

— La perfection n'est pas nécessaire. Notre étreinte me ravit déjà.

Il la souleva et traversa la maison obscure sans cesser de l'embrasser. Haletant de désir, ils ne purent cependant aller plus loin que l'entrée. Adossant Nathalie contre le mur, il inclina la tête et mordilla sa gorge offerte tandis qu'elle gémissait en s'emparant de son oreille pour la lécher. Zeke fit quelques pas. Arrivé sur le seuil de sa chambre, il appuya la jeune femme contre le chambranle pour reprendre son souffle et retrouver ses esprits.

— C'est ta dernière chance, murmura-t-il. Si tu n'es pas sûre, je te laisserai rentrer chez toi. Nous en discuterons plus tard, lorsque tu seras dégrisée.

Elle se redressa pour le faire taire d'un baiser fougueux, que Zeke prit pour une réponse positive. Il avait eu l'intention de la déposer délicatement sur le lit, mais elle écarta les jambes pour se laisser tomber sans lâcher le cou de Zeke. Une fraction de seconde plus tard, il sentit sa main sur son ventre. Une décharge le secoua et, d'une main fébrile, il chercha à lui retirer sa robe. Elle vint à sa rescousse en soulevant les hanches.

— Il faut la faire passer par la tête, chuchota-t-elle.

Il se mit à genoux, empoigna Nathalie par les épaules pour la faire asseoir et la débarrassa de sa robe. Dans le clair de lune, sa peau nacrée scintillait, pâle et sans défaut. Son soutien-gorge en dentelle noire s'attachait par le devant ; Zeke n'avait jamais rien vu d'aussi sexy. Lorsqu'il le dégrafa, les seins lourds et pleins aux larges aréoles brunes vinrent se blottir au creux de ses mains.

— Ils pendent, grommela-t-elle.

— Quoi ?

Zeke s'assit sur les talons pour l'observer.

— Tu es parfaite, déclara-t-il avec sincérité.

D'autant plus belle qu'elle en doutait, songea-t-il.

— Tu es absolument parfaite, Nathalie, répéta-t-il en l'allongeant sur le lit.

— Mais…

— Ne discute pas. C'est moi, l'expert.

Elle frissonna.

— J'ai peur.

— De telles sensations foutraient la trouille à n'importe qui.

Elle éclata de rire.

— Ce soir, laissons tomber les questions de fond, tu veux ? Ni espoir ni engagement. Demain, nous ferons comme s'il ne s'était rien passé.

— Pas question, madame. J'ai des espoirs et je souhaite des engagements. Demain matin, au réveil, je veux que tu saches que tu es à moi, que je suis à toi, et que nous nous appartiendrons toujours.

Il lui mordilla le lobe de l'oreille.

— Une seule fois avec toi ne me suffira pas. Et, si je fais bien mon boulot, ça ne te suffira pas non plus…

Zeke se mit en devoir de procurer à Nathalie l'expérience la plus fabuleuse de sa vie et se lança dans des préliminaires savants. Il picora de baisers l'intérieur de son bras, puis le contour de ses seins. De là, il fit glisser ses lèvres jusqu'à son nombril, savourant la peau satinée de son ventre. La jeune femme se retrouva vite tendue comme un arc, la colonne vertébrale creusée, le souffle court, le corps en quête d'assouvissement. Alors, tout en s'emparant de sa bouche, il tendit la main pour ouvrir le tiroir de sa table de chevet. Ne rencontrant que du vide, il s'immobilisa et un froid glacial lui envahit la tête.

— Oh! merde!

— Quoi?

— Ma table de nuit.

— Eh bien?

— Je l'ai vendue quand j'ai déménagé! Merde!

Nathalie ne comprenait pas pourquoi il pensait à sa table de nuit en cet instant. Avec stupeur, elle le vit s'écarter d'elle pour aller s'asseoir sur le bord du lit. Elle se redressa, le corps palpitant de besoins insatisfaits. Tout avait si bien commencé… Elle aurait voulu le gifler. Elle était sur le point de se laisser emporter par le plaisir et il s'arrêtait en si bon chemin à cause d'une stupide table de nuit?

— Merde! répéta-t-il. C'est le bouquet, vraiment! C'est dans cette table de nuit que je rangeais mes préservatifs…

Nathalie tira sur le drap pour se recouvrir.

— Tu n'as pas de préservatifs ?

— Ils étaient dans cette maudite table de nuit.

— Tu n'as pas vidé les tiroirs, avant de la vendre ?

— Si.

Il y avait donc un espoir.

— Et où as-tu mis les préservatifs ?

— Dans la poubelle, j'avais peur qu'ils ne soient trop vieux. Je me suis dit que j'en rachèterais quand j'en aurais besoin.

— Tu vis ici depuis le mois de mai et tu n'as pas eu besoin de préservatifs ? demanda-t-elle avec un rire un peu hystérique.

— Tu trouves ça drôle ?

Nathalie ne trouvait pas ça drôle du tout. Mais terriblement émouvant, et très révélateur.

— Non. Simplement j'ai du mal à croire que tu n'as couché avec personne depuis que tu as emménagé là.

— Pour qui me prends-tu ?

L'expression indignée de Zeke la fit rire à nouveau et, à cet instant, toutes ses peurs se volatilisèrent. Il était, de loin, le plus bel homme qu'elle avait jamais connu ; à présent, il s'avérait aussi loyal, et promettait d'être le plus fidèle des hommes.

— Je ne couche pas à droite et à gauche, grommela-t-il d'une voix frustrée.

— Oh, Zeke ! souffla-t-elle, les yeux humides.

— Quoi donc ?

— Pas de préservatifs… C'est la chose la plus gentille qu'on ne m'ait jamais dite.

Gentille ? Il aurait voulu déchirer les draps et défoncer le mur à coups de poing. Il avait tout bousillé – il ne retrouverait peut-être jamais une chance pareille.

Il savait ce qu'était le désir physique, il l'avait éprouvé d'innombrables fois, mais ce besoin, cette douleur aiguë qui lui vrillaient les reins et le ventre étaient différents. Et difficilement supportables.

En la voyant tapoter les draps à la recherche de ses vêtements, il sentit son cœur défaillir. Enfin, Nathalie trouva son soutien-gorge et, tournant le dos à Zeke, elle s'assit sur le bord du lit pour l'agrafer. Puis elle se leva, enfila sa culotte et chercha sa robe. Zeke avait envie de pleurer.

— Tu reviendras ? demanda-t-il d'une voix troublée. Je jure que tu n'auras pas à le regretter.

Elle passa la tête dans sa robe et tira sur le tissu pour la faire glisser sur ses hanches. Puis elle se recoiffa en passant les doigts dans ses boucles.

— Bien sûr que je reviendrai ! répliqua-t-elle avec un sourire provocant. Je n'en ai pas fini avec toi, cow-boy.

Zeke soupira de soulagement. Il se leva à son tour, rajusta son jean et la suivit.

— Quand ?

— Quand nous trouverons un moment pour nous isoler. J'ai deux enfants, tu te rappelles ? Ça risque d'être un peu compliqué…

Malgré l'obscurité, sa robe scintillait dans la cuisine.

— Je ne travaille pas, le dimanche soir. Ça te convient ?

— Dimanche ? Mais c'est dans cinq jours ! Demain soir.

Elle refusa d'un hochement de tête.

— En ce moment, j'ai deux boulots à plein temps, ici dans la journée et le soir au club. Il me faut au moins quelques heures de sommeil pour tenir.

Zeke avait remarqué que les yeux de Nathalie étaient souvent cernés.

— Dors, demain matin. Tu n'as pas besoin d'arriver ici de bonne heure.

— C'était notre contrat. Et, maintenant, Chad te doit des heures et des heures de travail supplémentaires, pour les boucles d'oreilles. Je ne peux pas faire la grasse matinée. Tu trouverais ça juste ?

Zeke prit son visage entre ses mains et l'embrassa. Quelques secondes suffirent pour les mettre hors d'haleine.

— C'est ça qui est juste, assura-t-il.

En s'écartant, il réalisa qu'elle avait fermé les yeux et souriait.

— Demain soir ? répéta-t-il.

Elle rouvrit les yeux.

— Jusqu'à quelle heure je peux dormir ?

— Aussi longtemps que tu en as besoin.

Elle se hissa sur les pointes de pied pour l'embrasser à nouveau.

— Vu mon état, je vais rester éveillée toute la nuit, les yeux rivés au plafond.

Zeke se réveilla très tôt, le lendemain. *Nathalie.* Le prénom chantait dans sa tête. Il voulait voir le visage de la jeune femme, il avait besoin de s'assurer que les événements de la veille n'étaient pas le fruit de son imagination. Hélas ! il n'avait aucun prétexte pour débouler chez elle à 6 heures du matin. De toute façon, elle avait besoin de se reposer.

Il prit une douche et alla se préparer du café. Le tonnelet de vin et les verres sales étaient restés sur le plan de travail. Ouf ! C'était la preuve qu'elle était bel et bien venue et qu'ils avaient failli faire l'amour. Cette expérience était la plus frustrante de sa vie... et la plus fabuleuse.

Pas de préservatifs ! Zeke Coulter, le type qui prévoyait tout dans les moindres détails, se sentait minable. Mais il veillerait à se tenir prêt, pour la prochaine fois – à condition, bien sûr, qu'il y ait une prochaine fois. La nuit passée, Nathalie était pompette. Lorsqu'elle se réveillerait, elle remercierait peut-être sa bonne étoile que rien ne se soit passé entre eux.

Cette pensée le tracassait. Elle avait peur de souffrir à nouveau, il l'avait vu dans ses yeux, entendu dans sa voix. « Ce ne sont que des mots », avait-elle soupiré. Comment pouvait-elle savoir qu'il ne les avait jamais dits à personne ?

La lumière jaune du soleil caressait le visage de Nathalie. S'abandonnant avec délices à sa douce chaleur, elle s'enfonça confortablement dans son lit pour écouter les oiseaux qui chantaient dans le jardin. Elle souriait en songeant à Zeke, à la douceur de sa voix lorsqu'il lui parlait à l'oreille, au contact de ses grandes mains calleuses sur sa peau, à la fermeté de ses bras lorsqu'ils se refermaient sur elle. Il était merveilleux, ce séduisant cow-boy qui aurait pu avoir toutes les femmes qu'il voulait et qui l'avait choisie, elle.

Le souvenir du fiasco de la veille, dû à l'absence de préservatifs, la fit soudain éclater de rire. Qu'il était drôle, assis au bord du lit, soufflant comme une baleine, les muscles crispés de frustration ! Jusqu'à cet instant, elle avait eu quelques réticences – il fallait qu'elle soit folle pour se fier à un homme, après ce que lui avait infligé Robert. Les propos de Zeke n'étaient peut-être qu'un tissu de mensonges, mais toutes les craintes de la jeune femme s'étaient dissipées lorsqu'il avait avoué être resté chaste depuis son emménagement avant de s'écrier, indigné : « Pour qui tu me prends ? » Toutes ses craintes ? Peut-être pas, corrigea-t-elle en se redressant. Car Robert l'avait marquée à jamais et, au fond d'elle-même, elle savait que la peur restait tapie. Pourtant, l'angoisse et la défiance ne la submergeaient plus, elle pouvait les surmonter. Zeke lui inspirait une confiance dont elle ne se croyait plus capable.

Nathalie s'étira. Bien qu'elle eût à peine fermé l'œil de la nuit, elle se sentait divinement bien. Et la perspective de leur prochain rendez-vous, le soir même, suscitait en elle une délicieuse excitation.

On frappa doucement à sa porte.

— Qui est-ce ?

La tête de sa sœur apparut dans l'entrebâillement.

— Alors ? Comment ça s'est passé ?

— Comment *quoi* s'est passé ?

Valérie se glissa dans la chambre et referma la porte derrière elle.

— Eh ben ta visite à Zeke, pardi !

— Il m'a fait changer d'avis, avoua Nathalie avec un sourire penaud.

— Il t'a fait *quoi* ?

— Il m'a fait changer d'avis. Je vais prendre le risque, finalement.

La curiosité aiguisa les yeux bruns de Valérie.

— Tu te moques de moi ?

Nathalie lui rapporta la conversation qu'elle avait eue avec Zeke avant de poursuivre :

— Ensuite, il m'a embrassée et, en un rien de temps, je me suis retrouvée dans son lit.

Valérie s'écroula à côté de sa sœur.

— C'est pas vrai !

Son air scandalisé fit rire Nathalie, qui en vint ensuite au meilleur morceau de l'histoire – à savoir l'absence de préservatifs.

— C'était affreux… et merveilleux à la fois. Il n'a couché avec personne depuis qu'il habite ici, et sans doute depuis beaucoup plus longtemps que ça, tu te rends compte ?

— Eh ben ! siffla Valérie, les yeux rêveurs. Un pareil phénomène, c'est rare.

— Je suis en train de tomber amoureuse, Val, annonça Nathalie, qui avait du mal à contenir son bonheur.

— Ça fait des années que tu ne m'as pas appelée comme ça…

— C'est vrai. Ça a l'air bête, mais j'ai l'impression que beaucoup de choses ont changé entre nous, depuis hier soir – comme si tu avais mûri d'un coup : tu n'es plus seulement ma petite sœur, mais aussi une amie.

Le sourire que lui adressa Valérie n'avait rien de railleur.

— Ça fait longtemps que je suis devenue adulte, chère frangine. Simplement, tu ne t'étais jamais livrée à moi. Je suis contente que tu l'aies fait, ça te rend humaine, ajouta-t-elle malicieusement.

— Merci ! rétorqua Nathalie, un peu froissée.

— Tu as toujours été scandaleusement parfaite, sœurette. Belle, talentueuse et intelligente. À part ton mariage avec Robert, tu n'as jamais commis de grave erreur. Ça n'a pas été facile d'arriver après toi, tu sais...

— Mais je... je ne savais pas que tu éprouvais ça.

— Quand j'étais petite, j'allais me réfugier dans la grange pour chanter, là où personne ne pouvait m'entendre. Je voulais tellement te ressembler... Maman et papa étaient très fiers de toi, et je n'avais pas l'impression qu'ils l'étaient de moi. J'étais moyenne en tout – en mathématiques, en littérature, en arts plastiques, en chant... Je ne faisais d'étincelles en rien. Et ça continue, d'ailleurs.

Nathalie se pencha sur sa sœur pour l'étreindre.

— Tu fais des étincelles, murmura-t-elle avec détermination. Tu es merveilleuse, drôle et gentille. Mes enfants t'adorent, et ça n'a rien d'étonnant. Tu es capable de me faire rire quand personne d'autre n'y arrive.

Valérie lui rendit son étreinte.

— C'est sympa de savoir faire rire, mais ce n'est pas ce que j'appelle un grand talent.

— Regarde l'envers de la médaille, reprit Nathalie en s'écartant. À part chanter, à quoi suis-je bonne ?

Sa sœur réfléchit une seconde.

— À pas grand-chose, admit-elle avec une grimace.

— Exactement. Toi, tu es compétente dans un tas de domaines. Être bonne, vraiment bonne, en une seule chose – en être obsédée comme je le suis – a ses inconvénients. Je suis étourdie et mal organisée, je perds le fil de mes idées et je bousille les tâches les plus simples parce que j'entends de la musique dans ma tête et suis incapable de me concentrer sur ce que je suis en train de faire. Tu fais bien la cuisine. Pas moi. Et avec toi, le linge blanc ne vire pas au rose. Tu penses à vérifier l'huile de ta voiture et, lorsqu'on change d'heure, tu n'oublies pas de régler ta montre.

— C'est vrai ! s'écria Valérie en riant.

Elles se turent un instant, échangeant un sourire complice.

— Maintenant que nous nous sommes couvertes de compliments, revenons-en à Zeke, suggéra Valérie. Tu es vraiment amoureuse de lui ?

— Oui, avoua Nathalie en serrant les mains autour de ses genoux. Je suis folle, non ?

— Pas folle du tout, au contraire ! protesta sa sœur en lui assenant un léger coup de poing sur l'épaule. Je suis enchantée pour toi, Nattie. Si quelqu'un mérite un type chouette, c'est bien toi.

Des larmes firent briller les yeux de Nathalie – phénomène qui se répétait relativement souvent depuis qu'elle avait fait la connaissance de Zeke.

— La vie est tellement bizarre, tu ne trouves pas ? J'obtiens le divorce, je me retrouve complètement fauchée et je reviens ici avec mes deux enfants. Toute ma vie semble sur le point de s'écrouler, et c'est alors qu'un bel inconnu achète la maison voisine. Chad se déchaîne sur son potager, saccage ses fenêtres et oblige ainsi Zeke à venir discuter avec moi. C'est à croire que le destin l'a voulu… Tu vois ce que je veux dire ?

— Tout à fait. Et j'y crois : certaines personnes sont destinées à se rencontrer. Tu le remarques à la façon dont elles se regardent.

— À qui penses-tu ?

— À maman et à papa.

Nathalie jeta un regard incrédule à sa sœur. Puis elle éclata de rire.

— Ne rigole pas, c'est vrai ! insista Valérie. Ils s'aiment toujours, mais ils ne se supportent pas.

Nathalie s'effondra sur l'oreiller.

— Une attirance fatale ? balbutia-t-elle tellement elle riait.

— En quelque sorte. L'un des deux a-t-il jamais eu une relation avec quelqu'un d'autre, depuis qu'ils se sont séparés ?

Nathalie cessa de rire.

— Tu as raison, admit-elle, vaincue. Maman est très jolie, elle pourrait aisément se trouver un amant.

— Et papa est marié à sa télévision et à son lumbago, il ne vit plus. Sa vie s'est arrêtée le jour où elle est partie.

— Tu as raison. Ils s'aiment toujours.

C'est à cet instant que Rosie fit irruption dans la chambre. Nathalie ouvrit les bras et l'enfant sauta sur ses genoux en riant.

— Ils sont faits l'un pour l'autre, affirma Valérie. Et je te parie qu'un jour ils se remettront ensemble.

— Il faudrait un miracle ! Ils n'arrêtent pas de se chamailler…

— C'est bien ce que je dis. Pour se disputer aussi systématiquement, il ne faut pas être indifférent. Ce n'est pas qu'ils se déplaisent : ils ne se supportent pas. Il y a sûrement une raison à cela.

Zeke en était à sa troisième tasse de café lorsqu'il vit Nathalie sortir de la cuisine des Westfield, un sac poubelle à la main. Malgré la distance, il la reconnut à sa démarche typique – un balancement très sexy qui n'appartenait qu'à elle seule. Il retint un grognement de frustration. Sa montre indiquait 8 heures : pourquoi diable se levait-elle aussi tôt ? Elle était censée faire la grasse matinée, nom de Dieu !

La jeune femme portait un vêtement rose – une chemise de nuit, sans doute, car elle semblait avoir les jambes nues. Hélas ! la distance l'empêchait de voir les détails. Pourtant, si la vue faisait défaut, l'imagination de Zeke prenait le relais, et il avait hâte de caresser son corps tendre et d'enfouir son visage dans ses cheveux.

Ce soir… Mais une nuit volée de temps en temps ne lui suffisait pas. Puisqu'elle avait deux enfants, ils devaient absolument se marier, et le plus tôt serait le mieux. Il était de son devoir de donner le bon exemple aux enfants – surtout à Chad. Ce garçon devait apprendre à respecter les filles et, pour enseigner ce principe, les bons conseils ne suffisaient pas.

Nathalie regagna sa maison et, peu après, Chad en sortit pour traverser le champ. Zeke lui ayant fait un signe de la main, le garçon lui rendit son salut.

— Bonjour ! cria Zeke dès que l'enfant fut à portée de voix. Ça va être une journée de canicule, aujourd'hui !

— Il fait déjà horriblement chaud, d'ailleurs.

— Tu as déjeuné ?

— Oui, j'ai mangé des céréales et des tartines.

Zeke vida le fond de sa tasse de café dans l'évier.

— Mettons-nous au travail tout de suite, dans ce cas.

— Qu'est-ce qu'on va faire, aujourd'hui ?

— Les clôtures, répondit Zeke en se dirigeant vers l'atelier.

— Tu as le bois ?

— Oui, je l'ai fait livrer il y a un mois. J'aurais déjà fini le corral s'il n'avait pas plu des tomates et des pierres sur ma maison.

— Je regrette vraiment ce que j'ai fait, tu sais, s'excusa Chad en rougissant.

176

— Je sais, dit Zeke en lui ébouriffant les cheveux. C'est pour ça que je te taquine.

Une heure plus tard, Chad et Zeke enfonçaient des piquets lorsque Nathalie et Rosie apparurent. Zeke s'apprêtait à demander à la jeune femme pourquoi elle s'était levée aussi tôt, mais il n'eut même pas l'occasion de lui dire bonjour: Chester avait suivi ses maîtresses et, en voyant Zeke, il s'était mis en position d'attaque, soulevant les ailes, étirant le cou et sifflant.

— Chester! cria Nathalie.

— Méchant! gronda Rosie.

Refusant de se faire expulser de sa propriété par un jar stupide et agressif, Zeke leva les bras et poussa un cri de guerre sans reculer d'un pas. Habitué à voir ses victimes se sauver en courant, Chester ne sut comment réagir. Dans un concert de piaillements paniqués, le gros volatile inclina les ailes, prit un virage serré et s'enfuit. Résolu à lui donner une leçon, Zeke le poursuivit jusqu'à ce qu'il ait regagné l'allée des Westfied.

— Tiens-le-toi pour dit! hurla-t-il avant de faire demi-tour.

Il était au milieu du champ lorsqu'il vit Nathalie mettre les mains en porte-voix autour de sa bouche, mais la distance l'empêchait de comprendre ce qu'elle criait. Rosie agitait les bras en sautant sur place.

— Qu'est-ce qui leur arrive? s'étonna Zeke.

Une seconde plus tard, Chester lui pinçait la fesse, offrant une réponse douloureuse à sa question.

— Aïe! fit-il en prenant ses jambes à son cou. Espèce de salaud, misérable ersatz de... Aïe!

Il accéléra. Lorsqu'il eut mis une trentaine de mètres entre son arrière-train et le jar vengeur, il se retourna d'un coup, agita les bras et se mit à jurer. Nathalie riait aux éclats en observant la scène. Dix minutes plus tard, des larmes ruisselaient sur ses joues et elle se tenait les côtes. Chaque fois que Zeke cessait de le poursuivre, Chester revenait à l'assaut.

— Combien de temps M. Coulter va-t-il courir derrière Chester, maman? demanda Rosie.

— Jusqu'à ce que Chester cesse d'essayer de le pincer.

Trente minutes plus tard, Zeke revenait essoufflé. Assagi, Chester se dandinait derrière lui en cancanant tristement.

— Je crois que nous nous sommes enfin compris, soupira Zeke. Quel animal stupide et entêté! En tout cas, tu as un sens de l'humour assez bizarre, ajouta-t-il à l'adresse de Nathalie.

— Pardon, fit-elle en s'essuyant les joues. C'était un spectacle tellement comique que cette danse avec le jar...

— Tu me le paieras, riposta-t-il avec un regard amusé.

— Promesses, promesses...

— Je suis un homme de parole. Et toi?

Un frisson de désir parcourut la jeune femme.

— Tu le verras bientôt.

Elle désigna ses enfants du regard.

— Il est temps de se mettre au travail, reprit Zeke en tapant dans ses mains.

Chester se posta sous le chêne en cancanant doucement; on aurait dit un vieil homme déçu par la vie. Nathalie lui gratouilla la tête.

— Pauvre bébé. Te voilà épuisé.

— Ce pauvre bébé a failli m'arracher un bout de fesse.

Deux heures plus tard, lorsqu'ils s'accordèrent une pause, Nathalie et Zeke s'adossèrent au mur métallique de l'atelier.

— Tu t'es levée tôt, remarqua Zeke.

— J'ai à peine fermé l'œil de la nuit. J'ai fini par m'endormir vers 5 heures et, peu après, Lothario s'est mis à chanter.

— Lothario ? C'est le coq que j'entends piailler tous les matins ? s'écria Zeke. Mais tu n'as donc pas pu te reposer…

— Non.

Zeke examina son visage. Ses yeux étaient cernés, et elle était un peu pâle. Il ne pouvait lui imposer une autre nuit blanche.

— Dimanche, murmura-t-il. Je peux attendre.

— Pas question ! riposta-t-elle. Je ne veux pas passer une autre nuit à regarder le plafond. Je connais des façons plus intéressantes de tuer le temps…

10

Nathalie avait prévu de partir en ville un peu plus tôt que d'habitude. Elle se prépara à toute allure, expédiant douche, coiffure et maquillage en moins d'une demi-heure, puis se rua hors de chez elle en jetant au passage des baisers à ses enfants.

Elle s'arrêta dans une pharmacie avant de prendre la direction de Eagle Butte, le quartier snob de Crystall Falls où Robert avait élu domicile après leur divorce. L'allée privée qui menait à la demeure de son ex-mari contournait un bassin au centre duquel se dressait une fontaine en pierre. Soudain, la maison avec son portique à colonnes apparut. Une double porte en chêne et des fenêtres de style gothique ornaient la façade majestueuse. Cette baraque avait dû lui coûter une fortune! songea Nathalie, furieuse. Comment pouvait-t-il dormir dans une telle opulence alors que ses enfants survivaient à peine?

La jeune femme coupa le moteur de sa vieille Chevrolet et resta immobile quelques minutes, le temps de se calmer. Elle n'était pas venue demander de l'argent. Ce qui l'inquiétait à présent, c'était Chad, et le mal que lui causait la mésentente de ses parents. Que Robert garde son fric! Elle s'en fichait.

Zeke avait joué un rôle non négligeable dans ce changement d'état d'esprit. De l'aimer et de se savoir aimée l'avaient libérée du passé: elle voulait recommencer de zéro, sans que de vieux griefs pèsent sur son cœur. Avec l'aide de Zeke, elle pourrait se passer de Robert pour subvenir aux besoins de ses enfants. Si le club faisait faillite, eh bien, elle trouverait un boulot. Chad et Rosie ne porteraient peut-être pas de vêtements de marque, ne joueraient pas avec les jouets les plus perfectionnés, mais ils auraient l'essentiel : ils se sauraient aimés, non seulement par leur mère, mais aussi par leur père – tel était du moins ce qu'elle espérait.

Nathalie voulait établir une sorte de trêve, et convaincre Robert d'exercer son droit de visite, quitte à renoncer à toute aide financière. Elle ne pouvait forcer son ex-mari à se comporter en père responsable et aimant, mais peut-être saurait-elle le persuader de faire semblant. S'il appelait son fils de temps à autre, Chad se sentirait mieux. Ce n'était quand même pas trop demander à Robert que de le prier de jouer au père dévoué dix minutes par semaine…

S'armant de courage, la jeune femme sortit de la voiture. Ses talons claquèrent sur les marches du perron. Tout à coup, elle s'arrêta et frémit en entendant s'élever un prélude de Chopin. Les rares fois où Robert daignait lui faire l'amour, il mettait un disque des préludes de Chopin.

Cinq ans plus tôt, Nathalie aurait souffert de le savoir dans les bras d'une autre femme. Aujourd'hui, elle était contente de l'avoir refilé à une Cheryl ou à une Bonnie. Elle appuya sur la sonnette et laissa retomber le marteau. Trois minutes s'écoulèrent. Robert était là, elle en était sûre. Il aurait éteint sa chaîne, s'il avait dû partir. D'ailleurs, sa secrétaire avait affirmé qu'il avait l'intention de travailler chez lui toute la soirée.

Travailler, tu parles ! Depuis quand une partie de jambes en l'air passait-elle pour du travail ? Cédant à l'impatience, Nathalie saisit la poignée sculptée. Elle parlerait à Robert, qu'il le veuille ou non. La porte n'étant pas verrouillée, elle pénétra dans un splendide vestibule. Elle avait les nerfs à vif.

— Robert ? C'est Nathalie ! On peut discuter deux minutes ?

Silence. La musique enhardit la jeune femme : son ex-mari était forcément quelque part dans la maison, elle aurait parié là-dessus le peu de liquidités dont disposait encore le *Perroquet bleu*.

— Robert ! cria-t-elle à nouveau en s'efforçant de mettre un peu de douceur dans sa voix. Ça ne prendra pas longtemps, je veux juste te parler de Chad une minute.

La maison semblait extrêmement vaste : peut-être ne l'entendait-il pas. Inspirant un grand coup, Nathalie décida de faire le tour du rez-de-chaussée. Que risquait-elle, après tout ? Robert n'était pas assez mesquin pour porter plainte contre elle pour intrusion, et il y avait longtemps qu'ils auraient dû avoir cette conversation.

Tout en craignant, chaque fois qu'elle poussait une porte, d'interrompre une scène sordide, Nathalie parcourut rapidement le rez-de-chaussée. Plus elle découvrait la maison, plus elle s'indignait. Non content d'être d'un égoïsme à toute épreuve, Robert n'avait ni bon sens ni bon goût. Il avait dépensé une fortune rien que pour les meubles, tous plus riches et clinquants les uns que les autres. « Nouveau riche », devait penser Grace Patterson avec mépris.

Des papiers traînaient sur le bureau en merisier de la bibliothèque. Les affaires de Robert ne la concernant pas, elle n'y jeta pas un seul coup d'œil. En revanche, son attention fut attirée par deux verres à moitié vides posés sur une table basse – signe évident que son ex-mari n'était pas loin. Alors qu'elle les regardait distraitement, elle se pétrifia soudain : elle reconnaissait ces verres en cristal, ils lui appartenaient ! La colère la reprit. Elle les avait vainement cherchés partout et Robert avait affirmé qu'il ignorait où ils se trouvaient. Le salaud ! La fleur de lys gravée sur le cristal ne pouvait passer inaperçue…

Comment osait-il servir du vin à une traînée dans ces verres irremplaçables du XVIIIe siècle que lui avait légués sa grand-mère ? Elle regrettait que Robert ne soit pas devant elle : elle lui aurait volontiers jeté une rasade de vin à la figure. Où gardait-il le reste du service ? Si elle ne récupérait pas son bien tout de suite, elle ne le reverrait jamais.

Elle se précipita à la cuisine, lava les verres, chercha des torchons propres pour les emballer. Trop furieuse pour craindre d'être vue, Nathalie explora à nouveau le rez-de-chaussée à la recherche du reste du service, qu'elle trouva enfin derrière le bar. Elle emporta précautionneusement les verres à la cuisine, enveloppa chacun d'eux dans un torchon et les déposa doucement dans un grand sac en papier. Satisfaite, elle quitta la pièce avec son butin. Si Robert se cachait à l'étage avec sa conquête, cela lui donnerait une bonne leçon. La prochaine fois, elle récupérerait l'argenterie.

Elle traversait le vestibule lorsqu'elle crut entendre le déclic d'une serrure. Elle se retourna et, serrant le sac contre elle, s'apprêta à affronter son ex-mari. Mais personne ne se manifesta. Elle leva les yeux. Était-il sur le palier, feignant de ne pas l'entendre ? Peu lui importait, Nathalie se rua hors de la maison.

Il était 21 h 30 et Nathalie chantait, debout au centre d'une flaque de lumière. Malgré l'obscurité qui enveloppait le fond de la salle, elle sentit instinctivement que Zeke avait fait son entrée, comme si une charge électrique avait franchi la porte en même temps que lui. Puis sa haute silhouette sortit de l'ombre et se dirigea d'une démarche nonchalante vers une table où il s'assit. Il posa un pied sur sa cuisse et ôta son chapeau qu'il plaça sur son genou. Tous ses gestes étaient délicieusement virils. Voyant qu'elle l'avait aperçu, il sourit et porta deux doigts à sa tempe pour la saluer.

Nathalie devait encore chanter quatre morceaux avant de pouvoir enfin s'installer en face de lui pour entendre le timbre grave de sa voix et voir ses yeux s'éclairer de tendresse ou de malice. Pour s'encourager, elle lui dédia ses chansons, des chansons d'amour, en y mettant tout son cœur. La veille encore, elle se croyait capable de faire taire ses sentiments. Pure folie. Cet homme, elle l'avait attendu toute sa vie. Et il avait raison : il y avait entre eux quelque chose qui ressemblait à de la magie, un lien invisible que ni l'un ni l'autre ne pouvaient rompre.

Sa dernière chanson achevée, Nathalie s'inclina, posa sa guitare et descendit de l'estrade. Zeke se leva pour l'accueillir à sa table.

— Bonsoir, cow-boy, lui lança-t-elle avec un sourire ravi.

— Bonsoir, toi, dit-il en lui avançant un siège. T'ai-je déjà dit que tu étais la femme la plus somptueuse que j'avais jamais vue ?

— Oui. Mais continue.

La serveuse arriva avec la commande de Zeke.

— La prochaine fois que tu passes par ici, tu peux m'apporter de l'eau, Becky ?

— Bien sûr.

La jeune fille blonde jeta un regard curieux à Zeke avant de s'éloigner.

— Mes employés commencent à jaser, monsieur Coulter. Dès que j'arrive au bar ou à la cuisine, tout le monde se tait.

— Il y a un bar ?

Elle désigna du doigt une porte à gauche de l'entrée.

— De l'autre côté. Je voulais que la salle à manger soit séparée, aussi ai-je fait construire un mur entre les deux.

Il regarda la porte en fronçant les sourcils. Puis, retrouvant un air détendu, il se tourna vers elle en souriant.

— Excuse-moi. Tu disais ?

— Que mes employés chuchotent à ton sujet.

— Ça t'ennuie ?

— Je suis là, non ?

— Tu es là, approuva-t-il en riant. Je te comprends : moi aussi, j'ai des employés. Et je sais qu'il est important de séparer la vie privée de la vie professionnelle.

Nathalie balaya la salle du regard en soupirant : les tables libres étaient plus nombreuses que les tables occupées. Quelques heures plus tôt, elle avait passé un moment pénible à essayer de jongler avec sa maigre trésorerie pour payer les livraisons du lendemain.

— Vu la situation, il est possible que le club ferme bientôt. Alors, que les employés papotent autant qu'ils veulent ! lâcha-t-elle en tripotant nerveusement la nappe.

— Les choses vont si mal que ça, chérie ?

— Jette un coup d'œil sur cette foule grouillante et dis-moi ce que tu en penses ! Bon, assez parlé de ça. Je ne veux pas gâcher cette soirée avec mes soucis financiers.

Le regard de Zeke s'attendrit.

— Moi non plus, je ne veux pas la gâcher…

— Aurais-je entendu un « mais » à la fin de ta phrase ?

Il sourit, puis examina à nouveau la salle.

— Le boulot avant le plaisir, chérie. Si ton entreprise est en péril, tu dois réagir immédiatement.

— En faisant quoi ? J'ai déjà réduit la carte et le personnel. J'achète du whisky bon marché que je verse dans des bouteilles de grandes marques.

— Ce n'est pas du Jack Daniel's ? s'écria Zeke en désignant son verre.

Nathalie porta un doigt à ses lèvres.

— Ne le dis à personne. Je viens une fois par semaine pour trafiquer les boissons, quand l'établissement est vide. Même les serveurs l'ignorent…

Zeke goûta sa boisson. Son regard bleu s'éclaira.

— Petite voleuse.

— Nécessité fait loi. J'arrive à peine à payer mes fournisseurs. On ne fait pas crédit, dans ce métier. Ou bien tes comptes sont équilibrés, ou bien tu coules.

— C'est dur.

— C'est la profession qui veut ça. As-tu idée du nombre de restaurants et de clubs qui font faillite, chaque année ? Les grossistes couleraient avec eux, s'ils acceptaient de leur faire crédit.

— As-tu envisagé des changements, pour augmenter ta clientèle ?

— Quel genre de changements ?

— Si je me mêle de ce qui ne me concerne pas, préviens-moi, je m'arrête aussitôt. D'accord ?

— Ça s'annonce mal.

— Corrige-moi si je me trompe, mais cet établissement me fait penser aux Patterson. Tout est très chic : nourriture sophistiquée, décor élégant et chanteuse de premier ordre vêtue d'une robe du soir. D'habitude, les clubs où l'on chante de la country sont plus populaires, et les chanteurs portent plutôt des tenues décontractées, genre jeans, chemises et bottes.

— Où veux-tu en venir ?

— Je crois que tu as fait des compromis afin de ne pas choquer ton mari et ta belle-famille.

Nathalie examina à nouveau la salle. Il avait raison, réalisa-t-elle. Inconsciemment, elle avait cherché à plaire aux Patterson.

— Prends le pianiste, par exemple, poursuivit Zeke. Le piano, c'est très bien, mais les morceaux qu'il joue lorsque tu fais une pause détonnent, par rapport à tes chansons. Qu'est-ce qu'il est en train de marteler, en ce moment ?

Nathalie prêta l'oreille.

— La *Sonate au clair de lune*, de Beethoven.

— C'est magnifique, mais ça n'a rien à voir avec la musique country, décréta Zeke avec une moue qui fit rire la jeune femme.

— Tu n'as pas tort. Sans m'en rendre compte, j'ai voulu créer une ambiance sophistiquée afin de ne pas choquer Robert et sa mère. Ça me paraissait un bon plan – un club de chansons country différent des autres, où les amateurs pourraient à la fois écouter de la bonne musique et déguster une nourriture raffinée.

— Tu cherches toujours à apaiser Robert ?

— Non, pourquoi ?

Zeke posa son chapeau sur la table et se redressa sur sa chaise.

— Je trouve que tu as eu une fabuleuse idée – un bon spectacle, de la bonne cuisine et un lieu élégant. Mais que dirais-tu d'offrir à tes clients quelque chose d'un peu moins haut de gamme ?

— Mais alors le *Perroquet bleu* deviendrait un club comme tous les autres... Je n'aurais rien de spécial à proposer.

— Je ne parle pas de le banaliser. Garde-le assez chic pour séduire les jeunes cadres dynamiques qui aiment la musique country, mais essaie d'offrir aussi des plats à des prix plus raisonnables, afin d'attirer une clientèle moins fortunée, des ouvriers ou de petits employés qui veulent épater leurs femmes mais ne peuvent s'offrir du filet mignon.

— Continue.

Il croisa les bras avant de les poser sur la table.

— Pense à M. Tout-le-Monde : après s'être régalé d'un bon dîner, le client moyen risque d'aller s'amuser ailleurs, pour traîner ses bottes sur une piste de danse tout en flirtant avec sa nana.

— C'est trop guindé, ici ?

— Pas guindé, mais un poil trop chic. À mon avis, tu devrais abattre ce mur, afin que les clients du bar puissent eux aussi profiter du spectacle. Qui sont-ils ? Des citoyens de second ordre parce qu'ils préfèrent la bière et une atmosphère un peu enfumée ? Tu pourrais installer un système d'aération avec filtre, proposer quelques plats bon marché, organiser des concours de karaoké une fois par semaine, repousser un peu les tables afin de libérer de la place pour une piste de danse... Ne cherche pas à en faire une boîte de nuit, ce n'est pas ça qui manque à Crystal Falls, mais rends cet endroit plus chaleureux, fais-en un club où des gens de tout milieu pourront s'amuser. Tu finiras par refuser du monde, tu verras.

Un frisson d'excitation saisit Nathalie. Elle se retourna pour mieux examiner la salle.

— Tu as raison, ça pourrait marcher... Le karaoké, c'est très amusant, je n'y avais pas pensé. Des quantités de gens vont de bar en bar, juste pour le plaisir de chanter en public.

— Exact. Et tu leur fourniras un endroit de premier ordre pour se ridiculiser !

Elle éclata de rire tandis que Zeke poursuivait :

— Quelques soirées de karaoké par semaine te permettraient de t'occuper de la paperasserie, des commandes, et de tout le reste. Si ça se trouve, tu pourrais même dégager du temps pour composer de nouvelles chansons.

Elle lui jeta un regard las.

— Comme si quelqu'un allait en acheter une...

— Tu as déjà essayé d'en vendre ?

— À vrai dire, non, avoua-t-elle en rougissant. Je ne saurais même pas comment m'y prendre.

— En les proposant à des producteurs, tout simplement.

Elle éclata de rire à nouveau. Avec Zeke, tout semblait possible.

— Ça n'est pas aussi évident, tu sais : tu parles de plats moins chers, mais je suis nulle pour établir une carte.

— Je t'aiderai. Mais ne change pas de sujet. Je voudrais que tu choisisses ta chanson préférée et que tu me la confies, sans poser de question. D'accord ?

— Pourquoi ?

— C'est une question. Donne-m'en une et concentre tes efforts sur le club avant qu'il ne coule.

Nathalie se mordilla la lèvre inférieure.

— Je n'ai pas les moyens de faire abattre ce mur, Zeke.

— Il n'est pas question de payer. Je te le démolis en un rien de temps. C'est toi qui l'as fait construire, n'est-ce pas ? Ce n'est donc pas un mur porteur.

— C'est ça que tu fais, quand tu viens ici ? Tu scrutes le moindre recoin de cet établissement en imaginant les modifications à y apporter ?

Confus, il se frotta le menton.

— Ce club ne marche pas, ça saute aux yeux. Or, une chose est sûre, ce n'est pas à cause de l'animation. L'homme d'affaires que je suis ne peut s'empêcher d'examiner le problème pour essayer de le résoudre.

— Je me débrouillais très bien, jusqu'à ce que Robert pompe la moitié du capital.

— Je t'ai offensée.

— Non ! protesta Nathalie. Pas du tout. Mais ça manque de place : comment puis-je garder toutes les tables et libérer de la place pour une piste de danse ? Et puis je dois respecter les règles de sécurité : la limite est de deux cents personnes ici et de cinquante au bar.

190

Zeke jeta un rapide coup d'œil autour de lui.

— Chérie, actuellement, tu n'as pas plus de vingt clients.

— C'était plus animé tout à l'heure. Beaucoup s'en vont après avoir dîné.

— C'est bien ce que je disais. Dans un restaurant, une fois le repas achevé, on s'en va, même si on a passé un bon moment.

Il avait raison, il n'y avait pas de doute. Mais les changements qu'il proposait étaient coûteux, et elle n'avait pas le moindre argent de côté.

— Tu n'as pas besoin d'une grande piste de danse, poursuivit-il. Il suffit de supprimer quelques tables et de resserrer un peu les autres. Si tu crains d'être submergée par l'affluence, fais payer le couvert, disons cinq dollars par personne. Presque tout le monde peut se l'offrir. Tu gagneras de l'argent dès que les clients franchiront la porte et, une fois entrés, ils s'incrusteront. Ce sont les boissons qui rapportent le plus de bénéfices, non ?

— Oui, fit-elle en regardant le mur d'un air sceptique.

— Ce n'est pas un gros boulot, assura-t-il. Pour cacher les traces laissées par la destruction de ce mur, je collerai une moulure ou une baguette au plafond et je réparerai le plancher. As-tu de quoi faire un peu de publicité dans les journaux et louer du matériel pour karaoké ?

Se rappelant dans quel triste état étaient ses comptes, le cœur de Nathalie se serra.

— Non, pas vraiment.

— De combien penses-tu avoir besoin ? J'ai quelques économies.

— Pas question, Zeke. N'y pense même pas.

— Pourquoi ? Cet argent est à la banque, il ne sert à rien. Tu pourras me rembourser avec intérêt.

— À quel taux ?

— Un porte-jarretelles et des bas résilles une fois par mois.

Nathalie éclata de rire.

— Tu es terrible !

— Je ne te demande pas grand-chose : juste un porte-jarretelles et des bas. Et des talons hauts, bien sûr, ajouta-t-il avec un regard pétillant.

— Tu aimes les porte-jarretelles ?

— Pas vraiment, mais nous sommes en train de marchander. Et tu es une femme coriace, Nathalie.

— Ta proposition est très gentille, Zeke, mais je me sentirais mal à l'aise de l'accepter.

— Tu préfères faire faillite ?

Nathalie hocha la tête.

— Je ne veux pas gâcher ce qu'il y a entre nous. J'aurais l'impression d'être une femme entretenue.

— Ça me convient, répliqua-t-il, le regard amusé. Du moins en attendant de pouvoir te coincer avec une bague et des serments.

Nathalie, bouche bée, le regardait sourire en levant son verre.

— Ferme la bouche. Tu vas gober des mouches.

C'est les nerfs à vif et en proie à un léger vertige que Nathalie traversa le champ cette nuit-là. Elle portait toujours sa tenue de travail, la robe noire dans laquelle il l'avait vue la première fois et ses sandales à talons hauts. La promenade fut périlleuse : quand les talons ne glissaient pas sur un caillou, ils s'enfonçaient dans la terre. Cependant elle n'envisagea pas une seconde de se déchausser – des pieds sales n'avaient rien de sexy.

Arrivée dans l'allée de Zeke, elle s'arrêta pour faire bouffer ses cheveux et pour lisser sa robe. Elle avait le ventre noué, et son pouls battait follement. Soudain, elle se prit à douter de cette idée qu'ils avaient eue. Peut-être ferait-elle mieux de rentrer et de l'appeler pour s'excuser ?

— Qu'est-ce que tu portes ?

La voix grave de Zeke qui s'élevait dans l'obscurité la fit sursauter.

— Pardon, je ne voulais pas te faire peur.

Elle entendit ses bottes écraser le gravier et se rapprocher d'elle. Son cœur sautillait dans sa poitrine comme une grenouille sur du ciment chaud.

— Que faisais-tu là ?

— Je t'attendais.

Il émergea de l'ombre, plus grand et plus large d'épaules que dans son souvenir. Le clair de lune semblait avoir recouvert de givre ses cheveux noirs, et ses yeux brillaient tel de l'étain poli.

— Sais-tu comme chaque minute paraît longue, quand on attend quelqu'un ?

— Excuse-moi. Je suis venue aussi vite que j'ai pu.

— Tu es restée chez toi au moins un quart d'heure. Je commençais à craindre que tu n'aies changé d'avis.

— Des retouches de dernière minute…

— Tu t'inquiètes trop.

Sa sœur lui avait reproché exactement la même chose, la veille. Peut-être avaient-ils raison, tous les deux, après tout… Pourtant, vu le métier qu'elle exerçait, il lui semblait normal de s'inquiéter ainsi de son apparence.

Lorsque Zeke s'approcha, la chaleur qu'irradiait son corps enveloppa Nathalie.

— Qu'as-tu à la main ? demanda-t-il.

— Un cadeau pour toi, annonça-t-elle en lui tendant un petit sac.

Il l'ouvrit en l'inclinant vers la lumière pour en voir le contenu et, rejetant la tête en arrière, éclata de rire.

— Eh bien, on ne va plus en manquer ! Je suis allé en ville, moi aussi, dit-il en entraînant Nathalie vers la cuisine. Nous voilà bien équipés, à présent.

Il inclina la tête pour mordiller son cou.

— Tiens, je reconnais cette robe. C'est celle que tu avais la première fois que je t'ai vue. Tu étais si belle que j'en suis resté quasiment muet, je ne me souvenais même plus de la raison pour laquelle j'étais venu...

— Tiens donc !

— C'est la vérité. Ce qui m'a sauvé, c'est la pulpe de tomate sur ma botte. Je crevais d'envie de te toucher là, acheva-t-il en embrassant sa gorge.

Une onde de chaleur enveloppa Nathalie. Les jambes molles, elle pénétra dans la cuisine, où il la rejoignit aussitôt pour la prendre par les coudes et plaquer sa bouche affamée sur la sienne.

Elle avait cru qu'ils bavarderaient un peu, histoire de se détendre, mais le bras de Zeke l'enserrait comme un anneau d'acier, sa grande main dans son dos la pressait fermement contre lui. C'en était fini de l'angoisse et des discours hésitants : il prenait le contrôle des opérations. Ses mains s'affairaient, incendiant les sens de Nathalie, tandis que sa langue s'activait, déclenchant des frissons. Comme il resserrait son étreinte et la serrait contre son corps, elle eut l'impression de fondre sur place.

Soudain, il s'écarta si brusquement qu'elle sursauta. Prenant son visage entre ses mains, il promena ses lèvres sur les joues de la jeune femme et embrassa ses paupières.

— Que tu es belle ! souffla-t-il d'une voix enrouée par le désir.

Il couvrait de baisers légers son cou et la naissance des seins.

— Tellement belle...

Elle sentait le souffle chaud et haletant de Zeke sur sa peau. Il la souleva, la plaqua contre lui et s'empara de sa bouche si férocement qu'elle crut qu'il allait la prendre là, sur-le-champ.

Elle était prête. Plus que prête. Cette douleur du désir qui la brûlait, jamais elle ne l'avait éprouvée. C'était un besoin animal qui la prenait aux tripes. Empoignant ses cheveux, elle l'obligea à incliner la tête afin d'approfondir leur baiser. Puis elle se retrouva assise sur le plan de travail. Le souffle court et murmurant des mots incompréhensibles, il couvrait de baisers son visage et ses cheveux tout en se maintenant légèrement à l'écart. Nathalie comprit qu'il tentait de se contrôler, et elle ne l'en aima que plus. Elle le désirait ardemment, certes, mais appréciait qu'il souhaite agir en douceur pour faire de cette première fois un moment unique. Suivant son exemple, elle déposa de doux baisers sur ses joues pour l'apaiser, retarder l'étreinte.

— Je n'ai jamais désiré quelqu'un comme je te désire, murmura-t-il d'une voix émue. Mais je veux que ce soit parfait, que tu t'en souviennes toute ta vie.

Il n'aurait rien pu dire qui la touche autant, elle qui s'était habituée à voir son mari ne penser qu'à son plaisir. Elle sentait le désir qui ravageait Zeke et devinait quels efforts il faisait pour le contenir. Cela en disait plus que n'importe quelle déclaration d'amour.

— Et si on prenait un verre ? suggéra-t-il abruptement.

— D'accord, balbutia-t-elle.

Il la souleva et la transporta, non pas dans la chambre, comme elle l'espérait, mais dans le salon.

— Qu'est-ce qui te ferait plaisir ? demanda-t-il en la juchant sur un tabouret du bar.

L'imagination de Nathalie s'emballa. Faire l'amour sur le comptoir lui parut une idée fantastique.

— Surprends-moi, répondit-elle de la voix suave qu'elle réservait à son public.

Il lui lança un long regard entendu en lui préparant un gin tonic.

— Tiens, c'est pour te mettre dans l'ambiance.

— Ah bon ? Et, dans la cuisine, c'était quoi ?

— C'était le brise-glace. Le plat principal est pour plus tard.

Elle prit son verre, se laissa glisser à terre et décocha à Zeke son sourire le plus séducteur avant de se diriger vers la chambre d'une démarche provocante. Arrivée sur le seuil, elle se retourna pour lui sourire à nouveau.

— Je suis prête pour le plat principal, Zeke.

Il la rattrapa en deux enjambées.

— Mais je… je voulais t'offrir quelque chose de très romantique.

Une once de romantisme de plus, et elle se jetterait sur lui. Elle agrippa sa chemise pour l'attirer dans la chambre, le poussa sur le lit et posa son verre sur le sol avant de débarrasser Zeke du sien. Puis, les doigts fébriles, elle déboutonna sa chemise et défit la boucle de sa ceinture. Quand enfin il s'écroula sur le lit avec un gémissement, elle retroussa sa robe et se jucha sur lui.

— Et les préliminaires ? demanda-t-il.

— C'était hier. Je te veux maintenant. Ça fait trois ans que je n'ai pas fait l'amour – et, avant, c'était nul.

Les cheveux de Nathalie chatouillaient la poitrine de Zeke tandis qu'elle le couvrait de baisers avides. Ses doigts délicats écartaient la chemise, éveillant en lui des désirs incroyables. N'en pouvant plus, il la fit basculer pour se hisser sur elle. Et là, comme il plongeait les yeux dans son regard brun, il sut sans l'ombre d'un doute qu'elle était l'amour de sa vie.

Il fit glisser les bretelles de la robe sur ses épaules délicates. Sans le quitter des yeux, Nathalie se cambra pour descendre la fermeture éclair dans son dos. Il l'aida à se libérer de son vêtement puis se pencha pour embrasser ses seins.

— Je t'aime, chuchota-t-il.

La sincérité de sa voix donna à Nathalie l'impression d'être le centre de son univers. Jamais elle n'aurait cru possible qu'un homme puisse la traiter ainsi.

— Oh, Zeke…

— Je t'aime, répéta-t-il, le souffle court. Je ne sais pas comment c'est arrivé, je sais seulement que c'est ainsi.

Elle aussi, l'amour l'avait prise par surprise. Elle ignorait quand. Dès le premier jour, lorsqu'il avait déboulé chez elle ? Ou, plus tard, chez lui, lorsqu'ils s'étaient disputés ? À moins que ce ne soit quand Chad lui avait rapporté ses boucles d'oreilles, très fier d'avoir pu les lui racheter grâce à son nouvel ami.

— Oh ! Zeke, moi aussi, je t'aime ! Je t'aime tant.

À travers son soutien-gorge, il se mit à caresser ses seins, la sensation fut fulgurante. Elle poussa un cri et se cambra. Il était comme un mur au-dessus d'elle.

— Viens, je t'en prie, gémit-elle.

Refusant de s'abandonner tout de suite au plaisir, il déposa une pluie de baisers autour de ses seins dont les extrémités se durcirent, puis il s'allongea à côté d'elle. Il caressa son ventre et glissa ensuite sa main dans sa culotte. Elle souleva les hanches, et bientôt elle ne fut plus vêtue que de son soutien-gorge qui, dégrafé, restait coincé sous son corps.

Zeke ne put résister en voyant les seins bruns érigés devant lui : il en lécha un tout en titillant l'autre du bout des doigts. Le gémissement que poussa Nathalie l'emplit de joie. Alors que la jeune femme se laissait aller au plaisir, il introduisit délicatement un doigt dans son intimité chaude et humide. Alors elle se pétrifia, la bouche entrouverte, tandis qu'il la caressait doucement en observant la montée de l'orgasme sur son visage.

— Je te veux en moi, supplia-t-elle en l'agrippant par le cou.

Résister plus longtemps était au-delà de ses forces. Il se leva, se débarrassa de ses vêtements et disparut une seconde dans la salle de bains. Puis il se rallongea sur le lit et se glissa entre les cuisses de Nathalie.

Il s'introduisit lentement en elle, submergé d'émotions. Elle était si chaude, si accueillante... Il aurait voulu faire durer cet instant, mais c'était impossible. Gainé de sa douceur moite, sentant ses muscles se contracter autour de son sexe, il ne put contrôler les exigences de son corps et la pénétra complètement. Suivant son rythme, elle répondit à ses assauts, les jambes serrées autour de ses cuisses. Il accéléra l'allure et tous deux atteignirent bientôt l'assouvissement.

— Oh, Zeke...

Il bascula sur le côté et la prit dans ses bras, embrassant ses cheveux, caressant sa peau moite.

— C'était bien, murmura-t-elle.

— Bien ? C'était fabuleux, chérie, protesta-t-il en la regardant dans les yeux.

Elle rit doucement et posa la main sur la poitrine de Zeke.

— Laisse-moi cinq minutes et on recommence.

— Cinq minutes ?

— Ça ne te convient pas ?

Elle lui mordilla doucement le cou avant de se tourner vers lui, les seins tendus.

— Je suis si heureuse, souffla-t-elle avec un sourire ravi. Je voudrais que ce moment dure toujours.

Il embrassa le bout de son adorable nez.

— Le moment passera, mais pas le sentiment.

Ils restèrent ainsi quelques minutes, les membres emmêlés, laissant à leurs cœurs le temps de retrouver un rythme plus apaisé. Quand soudain l'estomac de Nathalie protesta, Zeke rouvrit les yeux.

— Tu as faim ?

— D'habitude, je prends un yaourt quand je rentre. Ce soir, j'ai oublié.

— Tu as dîné au club ?

— Mon Dieu, non! Je deviendrais obèse en un mois, si j'y dînais tous les soirs.

— Debout! ordonna-t-il en lui assenant une petite claque sur la fesse.

— Je croyais qu'on allait remettre ça...

— La nourriture d'abord, l'amusement ensuite. Tu as travaillé toute la journée et toute la soirée. Je ne veux pas que tu tombes malade.

Zeke lui prêta une chemise et l'entraîna jusqu'à la cuisine, où il sortit du réfrigérateur de quoi faire une omelette. Lorsqu'elle lui proposa son aide, il se contenta de lui tendre une cuillère en bois en l'embrassant.

— Chante.

— Ça n'est pas une aide.

— Tu aimes tant que ça les œufs calcinés?

Elle soupira d'exaspération.

— Je ne suis pas une aussi mauvaise cuisinière que le prétend ma famille...

— Chante *Toujours et à jamais*, insista-t-il.

Elle se tapota le menton en souriant.

— J'aurais l'air d'une idiote.

Zeke se mit à fredonner les paroles et elle ne put faire autrement que de l'accompagner, et la nature prit rapidement le dessus. Elle était si adorable, vêtue de cette chemise d'homme, les cheveux en désordre et les lèvres rouges et tuméfiées, qu'il faillit éteindre le brûleur pour la porter jusqu'au lit. Mais il se contint: il fallait qu'elle mange d'abord.

Une fois Nathalie rassasiée, ils regagnèrent la chambre. La seconde fois fut encore plus merveilleuse que la première. Zeke savoura chaque centimètre du corps de Nathalie et la mena plusieurs fois à l'orgasme avant d'atteindre lui-même l'assouvissement.

Ensuite, ils dormirent un peu, étroitement enlacés. Puis il réveilla tendrement la jeune femme, l'aida à se vêtir et la raccompagna chez elle. Arrivé au pied du perron, il l'embrassa longuement.

— Oh! Zeke, je n'ai pas envie de rentrer.

— Je sais, murmura-t-il. Et moi je n'ai pas envie de te quitter. Mais il fera bientôt jour: il ne faut pas que les enfants te voient rentrer en cachette.

Elle s'accrocha à son cou.

— C'est idiot, je sais, mais j'ai l'impression que nous n'aurons eu que cette nuit, que quelque chose va tout gâcher.

Zeke resserra son étreinte.

— Mais non, voyons. Nous aurons un million de nuits comme celle-ci, je te le promets. Allez, rentre, maintenant! acheva-t-il en desserrant son étreinte.

Elle grimpa quelques marches avant de se retourner:

— Regarde dans le sac de la pharmacie avant de le jeter.

— Il y a autre chose que des préservatifs?

— En effet, fit-elle en riant doucement.

— Tu m'as apporté une chanson? Je croyais que tu avais oublié.

— Quand il s'agit de musique, j'ai une mémoire d'éléphant.

— J'ai hâte de l'entendre, dit-il en souriant.

— Si elle ne te plaît pas, ce n'est pas grave. Je ne suis pas susceptible.

— Oh! je suis sûr de l'aimer!

Elle lui jeta un long regard attendri.

— À plus, cow-boy! Je n'en ai pas fini avec toi.

11

Des coups frénétiques assenés à la porte de sa chambre réveillèrent Nathalie en sursaut.

— Oui ? cria-t-elle, craignant qu'il ne soit arrivé quelque chose à ses enfants.

La porte s'ouvrit. C'était Valérie.

— Les flics, souffla-t-elle, les yeux écarquillés. Ils te demandent.

— Qui ?

— Les flics ! Mon Dieu, Nattie, qu'est-ce que tu as fait ?

— Mais rien...

Nathalie enfila sa robe, passa les doigts dans ses cheveux et suivit sa sœur au rez-de-chaussée.

— Ils ont l'air de mauvais poil, il a dû se passer quelque chose de grave.

Valérie avait raison : les deux policiers qui attendaient sous le porche ne prirent pas la peine de répondre au sourire que leur adressa Nathalie lorsqu'elle les rejoignit. Elle se redressa en prenant un air innocent, ce qu'elle jugea aussitôt absurde – elle n'avait pas à prendre un air innocent, puisqu'elle n'avait rien à se reprocher. Soudain, une idée désagréable la frappa. Robert avait-il remarqué la disparition des verres en cristal et porté plainte ?

— Bonjour, messieurs. Vous vouliez me voir ?

— Vous êtes bien Nathalie Patterson ? demanda l'un d'eux en lui montrant sa carte.

— Oui.

— Anciennement Mme Robert Patterson ?

— Oui, acquiesça Nathalie. J'ai oublié de payer une contravention ?

— Malheureusement, c'est beaucoup plus sérieux, madame. Préparez-vous à de tristes nouvelles : on a découvert M. Patterson mort dans son garage hier, aux environs de minuit. Pouvez-vous vous habiller et nous suivre au poste ? Nous aimerions vous poser quelques questions.

Nathalie eut l'impression de se vider de son sang et des étoiles se mirent à danser devant ses yeux. Elle entendit Valérie pousser un cri d'horreur derrière elle.

— Qu'est-ce que vous dites ? balbutia-t-elle.

— M. Patterson a été trouvé mort dans son garage la nuit dernière, répéta le plus jeune des policiers.

— Ô mon Dieu…

Comme elle se retournait, elle aperçut Chad, qui se tenait à côté de Valérie.

— Maman ? fit-il d'une voix tremblante.

— Attendez-moi quelques minutes, dit-elle aux policiers. Mon fils a besoin de moi.

— Maman ? Papa est mort ? Comment est-ce qu'il peut être mort ?

Nathalie se précipita vers lui et le serra dans ses bras.

— Appelle maman, dit-elle à sa sœur. Dis-lui de venir le plus vite possible. J'ai besoin d'elle.

Tandis que Valérie partait en courant, elle berça Chad qui sanglotait.

— Ne t'inquiète pas, chéri, je suis là. Tu ne risques rien.

Nathalie avait l'impression d'être prisonnière d'un épais brouillard. Rien de ce qui arrivait ne lui semblait réel, et toute réflexion lui était impossible. Seule l'incrédulité demeurait.

Zeke se versait une tasse de café lorsque le téléphone sonna. En décrochant, il entendit une voix hystérique. Il crut d'abord que c'était Nathalie, puis il réalisa qu'il s'agissait de la sœur de la jeune femme.

— Doucement, Valérie, je ne comprends pas ce que tu dis.

— Robert est mort ! cria-t-elle d'une voix qui lui perça le tympan. Je me suis bien fait comprendre. Les flics sont là et ils veulent emmener Nathalie.

— Quoi ?

— Ce salaud s'est fait assassiner, reprit la jeune femme d'un ton plus modéré. Quelqu'un lui a réglé son compte et la police croit que c'est Nathalie.

Zeke raccrocha aussitôt et partit en courant. Une voiture de patrouille était garée dans l'allée des Westfield. Il fit le tour de la maison et entra dans la cuisine.

— Elle ne répondra pas à vos questions tant que son avocat ne sera pas là, criait papi. T'entends, Nattie ? Leur dis pas un mot avant d'avoir un avocat à ton côté.

— Monsieur Westfield, intervint une voix inconnue, Mme Patterson n'a pas besoin d'un avocat. Nous voulons seulement lui poser quelques questions.

— C'est ce qu'ils disent toujours ! protesta le vieillard. Et puis ils t'inculpent. Nattie, pas un mot !

Lorsque Zeke entra dans le salon, il aperçut Nathalie, livide et hagarde, qui serrait Chad dans ses bras. Si elle remarqua son arrivée, elle ne le montra pas. Valérie s'approcha de lui en tremblant.

— Robert est vraiment mort, murmura-t-elle. Ils ne veulent rien dire d'autre, mais ça a l'air grave.

Et papi ne faisait qu'empirer les choses, remarqua Zeke. Jetant un regard entendu à Pop, il s'approcha du vieil homme.

— Ne vous mettez pas dans cet état, Charlie. Venez à la cuisine, nous allons prendre une tasse de café.

Au même instant, Rosie descendait l'escalier en sautillant. En voyant les policiers, elle s'arrêta net. Afin de couvrir la voix de papi, qui prédisait à Nathalie les pires conséquences si elle ne prenait pas d'avocat, Zeke s'écria d'une voix claironnante :

— Comment va ma petite fille préférée, ce matin ?

— Ça va bien. Mais que font ces policiers ici ?

— Ils veulent discuter avec ta maman.

— De quoi ? Elle a fait quelque chose d'interdit ?

— Non, bien sûr que non. Je ne sais pas de quoi ils veulent lui parler, mentit Zeke.

Bien qu'il eût très envie de rester aux côtés de Nathalie, Zeke songea qu'il était plus urgent de s'occuper d'abord de sa fille. Il l'entraîna à la cuisine et sortit une bouteille de lait du réfrigérateur, puis il assit l'enfant sur le plan de travail avant de lui servir un verre.

— Qu'est-ce que tu prends, d'habitude, pour le petit-déjeuner ?

— Des céréales.

Zeke la laissa boire son lait tandis qu'il explorait les placards.

— De quoi ils veulent parler, avec ma maman ? demanda Rosie au bout de quelques minutes.

— Je ne sais pas trop, répondit Zeke en versant des céréales dans un bol. Elle nous le dira quand elle rentrera.

— Où elle va ?

Zeke fit de son mieux pour lui décocher un grand sourire.

— Elle va faire un tour avec eux.

— Dans leur voiture de police ?

— Oui.

— Ça me plairait bien d'y aller, moi aussi, déclara la fillette.

— Je ne crois pas que tu sois invitée, chérie... Tu as déjà fait un petit-déjeuner-pique-nique ?

204

— Non.

Zeke posa l'enfant à terre, lui tendit son verre de lait et la poussa vers le perron.

— Tu ne sais pas ce que tu manques. Un petit-déjeuner-pique-nique, c'est très amusant.

— On ne fait pas que manger?

— Non. On fait des tas de choses très excitantes.

Zeke ne croyait pas si bien dire! À peine s'était-il assis sur une marche qu'il entendit Chester lâcher son cri de guerre. Les yeux de Rosie s'écarquillèrent d'horreur. Zeke bondit sur ses pieds. Des piaillements de détresse leur parvinrent du devant de la maison, confirmant leurs pires craintes.

— Chester, non! cria Rosie.

Zeke savait d'expérience que les remontrances les plus véhémentes restaient sans effet sur le jar. Il atteignait le coin de la maison lorsqu'il vit un policier sauter par-dessus la clôture, un tourbillon de plumes blanches à ses trousses. Le flic atteignit rapidement sa voiture mais, le temps qu'il ouvre la portière, Chester l'avait rejoint et lui pinçait la fesse. Le policier sauta en l'air, ses chaussures noires bien cirées décollant du sol d'au moins trente centimètres.

— Aïe! Foutu oiseau!

Il prit sa casquette et l'agita devant le jar. Chester n'était pas trouillard au point de prendre la fuite devant un objet aussi insignifiant: il siffla, étira le cou et visa la cible la plus proche, c'est-à-dire l'entrejambe du policier. Alors le pauvre homme se plia en deux, les mains sur le bas-ventre, la tête dans l'herbe. Heureusement, la casquette qui roulait sur le sol attira momentanément l'attention de Chester. Zeke s'élança pour protéger le blessé avant que le jar ne décide de repartir à l'assaut. Le second policier fit de même, mais une arme à la main et une lueur meurtrière dans les yeux.

— Ne tirez pas! cria Zeke. C'est le chouchou de la famille.

— Je m'en fous ! Ce satané chouchou a attaqué mon collègue !

— Je m'en occupe, promit Zeke en écartant les bras.

Il lui fallut faire courir l'animal durant cinq minutes autour de la cour avant de parvenir à ce qu'il regagne l'étable.

Zeke s'occupait de Rosie depuis environ trente minutes lorsqu'une Honda bleue surgit dans l'allée, contourna la voiture de police et se gara derrière la maison. Une femme aux cheveux de jais en sortit, vêtue d'une jupe en cuir noir assez courte, d'un haut en jersey rouge soulignant des formes généreuses et des chaussures à talons extrêmement pointues.

Poussant un cri de joie, Rosie courut à sa rencontre.

— Grammy ! Tu ne travailles pas, aujourd'hui ?

— Non, j'ai pris ma journée pour rester avec vous, répondit Naomi Westfield en s'accroupissant pour serrer l'enfant dans ses bras. Comment va ma petite chérie ?

— Ça pourrait aller mieux, répondit Rosie de ce ton adulte qui ne cessait de stupéfier Zeke. Les policiers sont venus voir maman, et Chad pleure. J'ai l'impression que quelque chose de très désagréable est arrivé.

Dire qu'il avait voulu protéger ses oreilles délicates… songea Zeke. Elle en savait presque autant que lui.

— Et puis, comme si ça ne suffisait pas, Chester a pincé un policier à la fesse, et ensuite à l'endroit le pire.

Les yeux bruns très maquillés de sa grand-mère s'écarquillèrent de désarroi.

— Oh, non ! Comment va-t-il ?

— Il marche bizarrement, mais il a l'air d'aller bien... En tout cas, Chester a failli le payer cher : l'autre policier voulait lui tirer dessus.

— Mon Dieu ! Ce n'est qu'un stupide animal.

— M. Coulter l'a sauvé, poursuivit Rosie. Et maintenant, nous sommes en train de petit-déjeuner-pique-niquer dehors. Je crois qu'il ne voulait pas que j'entende ce que ces policiers disaient à maman.

Naomi lança à Zeke un regard inquiet. Vu l'âge de ses filles, elle avait sûrement dépassé la cinquantaine, mais elle était superbe – des traits parfaits, de magnifiques yeux bruns et le corps d'une femme jeune. Hissant Rosie sur sa hanche, elle traversa la pelouse avec grâce. Juché sur de telles chaussures, Zeke se serait cassé le cou, quel que soit le terrain.

— Monsieur Coulter, dit-elle en tendant la main. Vous l'avez sans doute deviné, je suis Naomi Westfield, la mère de Nathalie et de Valérie.

Il lui serra la main.

— Je suis enchanté de faire votre connaissance, madame Westfield, même si je regrette que ce soit dans de telles circonstances.

— Je vous en prie, appelez-moi Naomi.

Elle embrassa sa petite-fille avant de la confier à Zeke.

— Il faut que j'entre dans la maison, chérie. Reste ici et finis ton déjeuner, d'accord ?

— J'ai fini mes céréales, protesta Rosie. Pourquoi est-ce que je ne peux pas rentrer ?

— Tu avais promis de me présenter Daisy et Marigold, lui rappela Zeke.

— Oh ! j'avais oublié !

Elle se laissa glisser à terre et saisit la main de Zeke pour le guider jusqu'à l'étable.

— On revient tout de suite, Grammy ! cria-t-elle.

— Prends ton temps, répondit Naomi. Et fais attention que Chester ne se sauve pas.

La matinée n'en finissait pas. Dès l'arrivée de sa mère, Nathalie était partie avec les policiers. Valérie et Naomi avaient persuadé Chad d'avaler un calmant et l'avaient mis au lit.

Lorsque Naomi redescendit, Zeke était à la cuisine, Rosie sur les genoux, et faisait face à Pete et à papi qui, l'air hagard, contemplaient leur café.

— Valérie est restée avec Chad. En voilà une paire de joyeux lurons ! lança-t-elle en voyant son ex-mari et le père de celui-ci.

— Ne commence pas à me harceler ! grommela Pete.

— Tu préfères que je te laisse comme ça, avec cette tête de déterré ? Va te laver et te raser, pour l'amour de Dieu. Je te sens d'ici, Pete, et pourtant le vent souffle dans l'autre sens.

— Ne viens pas chez moi me donner des leçons !

— Officiellement, c'est la maison de Nathalie, riposta-t-elle. C'est à elle que ta mère l'a léguée. Si tu ne veux pas qu'on te donne des ordres, cesse de gémir et rends-toi utile.

— Nom de Dieu ! rugit Pete en bondissant de sa chaise avec une agilité surprenante pour un homme souffrant d'un lumbago. Notre fille est…

— … en train de passer un moment très agréable, l'interrompit Naomi en désignant Rosie du regard. Ce n'est pas tous les jours qu'elle a l'occasion de faire une balade dans une voiture de police. Allez, va te laver, Pete, pendant que je prépare le petit-déjeuner.

Son regard s'adoucit en se posant sur Charlie. Elle contourna la table pour l'embrasser.

— Bonjour, papa. Je suis contente de te voir.

208

Papi se retourna à moitié pour lui rendre son étreinte.

— Comment va ma fille préférée ? demanda-t-il.

— Toujours grassouillette et la langue bien pendue.

— Pour ce qui est de la langue bien pendue, je suis témoin. Il a toujours fallu que tu l'asticotes, ce pauvre Pete, hein ?

— Bien sûr ! s'écria Naomi en lui tapotant l'épaule. Il me croirait malade, si je lui parlais gentiment. Va donc débarrasser ta figure de cette fourrure grise, espèce de vieux bonhomme têtu, pour que je puisse te donner un vrai baiser, reprit-elle en caressant la joue du vieil homme. Quand tu redescendras, le petit-déjeuner sera prêt.

Papi repoussa sa chaise avec un soupir résigné.

— Qu'est-ce que tu vas nous préparer ?

— Une surprise.

Elle ébouriffa les cheveux de Rosie.

— Il est temps d'aller t'habiller, toi aussi, petite fille. Et que ça saute ! Le petit-déjeuner sera bientôt prêt.

— J'ai déjà déjeuné ! protesta Rosie.

— Oh ! quel dommage ! fit Naomi en nouant un tablier autour de sa taille. Je vais faire des crêpes. Tu n'en veux pas ?

Rosie bondit des genoux de Zeke et quitta la pièce en courant. Dès qu'elle eut passé la porte, le sourire de Naomi s'effaça.

— Soit Robert s'est suicidé, soit il a été assassiné, annonça-t-elle sans préambule. Ils l'ont trouvé asphyxié dans sa voiture.

— Comment l'avez-vous appris ? demanda Zeke.

— J'ai appelé Grace Patterson en venant ici. Ils ont sonné à sa porte à 3 heures du matin, cette nuit, et lui ont posé toutes sortes de questions. Ils voulaient savoir avec qui Robert sortait, comment s'appelait sa dernière petite amie, s'il avait des ennemis, si Nathalie et lui avaient toujours des différends…

— C'est donc l'hypothèse du crime qui prévaut ?

— On dirait.

Naomi prit un grand saladier et y versa les ingrédients nécessaires.

— Vous vous intéressez à ma fille ? demanda-t-elle brusquement.

Zeke ne vit pas de raison de mentir.

— Oui.

— Vous l'aimez ?

Il acquiesça d'un hochement de tête.

— Je crois qu'elle va avoir besoin d'un avocat. De combien d'argent disposez-vous ? Moi, je n'ai que deux mille dollars. Pour un bon avocat, ça ne suffira pas.

Cinq minutes plus tard, Zeke appelait son beau-frère, Ryan Kendrick, et lui demandait s'il connaissait un avocat. Ryan lui en recommanda deux chaudement.

Nathalie s'attendait à être reléguée dans une pièce aux murs gris, meublée seulement d'une table et de chaises, comme dans les films. À sa grande surprise, un inspecteur grassouillet nommé Monroe l'invita dans son bureau, où elle put s'asseoir confortablement.

— Je peux vous offrir un café, quelque chose à manger ?

Nathalie était trop émue pour pouvoir avaler quoi que ce soit de solide.

— Un café, s'il vous plaît. Noir.

L'inspecteur lui apporta un gobelet de café fumant. Puis il s'assit dans son fauteuil et, la tête inclinée sur le côté, examina la jeune femme. Nathalie avait l'impression d'être sur des chardons ardents.

— Qu'est-il arrivé à Robert ? demanda-t-elle. Les policiers qui m'ont amenée ici ne m'ont quasiment rien dit, excepté qu'on l'avait retrouvé mort dans son garage.

Comme l'inspecteur Monroe hochait la tête sans répondre, elle s'impatienta.

— Comment est-il mort ? Est-il tombé ? A-t-il eu une crise cardiaque ?

— Il est mort asphyxié.

— Asphyxié ? répéta-t-elle sans comprendre. Comment diable cela a-t-il pu arriver ?

— Il était dans sa voiture, et le moteur tournait. Ce sont les gaz d'échappement qui l'ont tué.

L'image de Robert affalé sur le volant, le visage livide, s'imposa à Nathalie. Sentant son estomac se soulever, elle reposa son gobelet sur le bureau.

— Je crois que je vais vomir, balbutia-t-elle.

Le policier bondit et poussa la corbeille devant elle, juste à temps.

— Ô Dieu… gémit-elle en tendant la main. Pourrais-je m'essuyer la bouche, s'il vous plaît ?

Il sortit d'un tiroir une boîte de mouchoirs en papier. Tremblant violemment, Nathalie tenta de s'excuser. L'inspecteur lui tapota l'épaule.

— Ne vous inquiétez pas. Il y a un sac en plastique, dans la poubelle.

— Pardonnez-moi. Je suis désolée, vraiment désolée, balbutia-t-elle, extrêmement gênée.

L'inspecteur reprit son siège.

— Gardez la corbeille à côté de vous. Vous n'êtes pas la seule à réagir ainsi, vous savez.

Nathalie s'essuya les lèvres d'une main tremblante. Le goût dans sa bouche était tellement amer que son estomac se souleva à nouveau. Elle se pencha sur la corbeille, trop faible pour se lever et aller aux toilettes.

— Pardon, répéta-t-elle. Donnez-moi… juste… une seconde.

Quelques minutes s'écoulèrent avant qu'elle ne soit à nouveau en mesure de parler.

— J'étais profondément endormie quand les policiers sont arrivés, expliqua-t-elle en omettant de raconter le rêve merveilleux qu'ils avaient interrompu. Et voilà qu'on m'annonce que Robert est mort. C'est un cauchemar. Mon fils Chad est effondré.

— Je regrette de vous avoir bouleversée. Comme vous étiez divorcés, nous avons cru… enfin, personne n'a pensé que cela vous ferait un tel choc.

Nathalie s'appuya sur son dossier. Zeke lui manquait terriblement.

— Robert est… était le père de mes enfants. Ce n'est pas lui qui a demandé le divorce, c'est moi.

— Je comprends.

— Chad était présent, quand on m'a annoncé la mort de Robert, et vos collègues n'ont pas mâché leurs mots. Vous ne seriez pas bouleversé, vous, à ma place ?

L'inspecteur Monroe passa la main sur son crâne chauve.

— Aimiez-vous toujours votre mari, madame Patterson ?

— Mon ex-mari, corrigea-t-elle. Non, je ne l'aimais plus. Je le détestais.

Nathalie regretta aussitôt ses paroles. Si la police croyait à un crime, une telle déclaration risquait de la compromettre sérieusement.

— Mais jamais je n'ai souhaité sa mort, reprit-elle. Il n'avait que trente-trois ans…. Ô mon Dieu, sa mère ! Elle est au courant ?

— Grace Patterson a été informée, oui.

Le ton froid et impersonnel la choqua.

— *Informée ?*

— Peu après la découverte du corps, deux policiers sont allés lui poser quelques questions.

— Des questions au milieu de la nuit ? Mais c'est sa mère, bon sang ! Robert était son seul enfant, elle n'avait plus que lui. N'avez-vous donc aucun savoir-vivre, vous, les policiers ?

Ignorant la question, Monroe se caressa le menton.

— À votre connaissance, votre ex-mari avait-il des ennemis ?

Le pouls de Nathalie s'emballa. Moi, faillit-elle lâcher, mais par prudence elle préféra se taire.

— Dois-je en déduire que vous pensez à un crime ? L'inspecteur ne répondant pas, elle reprit :

— Comment savez-vous qu'il ne s'est pas suicidé ?

— Votre suggestion est intéressante, car la personne qui a tué votre ex-mari s'est efforcée de simuler un suicide.

Nathalie songea qu'elle ferait peut-être mieux de suivre le conseil de papi et de ne plus prononcer un mot.

Comme s'il devinait ses pensées, l'inspecteur eut un sourire hypocrite.

— C'est moi qui vais poser les questions, si ça ne vous ennuie pas. Vous, vous ferez de votre mieux pour y répondre.

L'air parut soudain manquer dans la pièce. Nathalie eut l'impression de suffoquer.

— Je fais partie des suspects ?

L'inspecteur la regarda avec gravité.

— Si mes soupçons sont confirmés et qu'il y a eu effectivement crime, tous les gens qui connaissaient votre ex-mari sont des suspects. Avez-vous des raisons de penser à un suicide ? demanda-t-il en lui décochant un regard inquisiteur. Était-il déprimé ? Avait-il des problèmes financiers ? Sa petite amie l'avait-il plaqué ?

— Non, pas à ma connaissance. Robert n'était pas du genre dépressif, répondit Nathalie en s'abstenant d'ajouter qu'il était trop superficiel pour ça. Et s'il avait eu des problèmes financiers, sa mère l'aurait aidé. Elle est très fortunée.

— Je vous repose donc la question : avait-il des ennemis ?

— Bien sûr. Qui n'en a pas ?

— Des ennemis qui auraient pu désirer sa mort ?

— Non... Enfin, après tout, je n'en sais rien, c'est possible. Cela fait plus d'un an que je ne vis plus avec lui, inspecteur.

— Contentez-vous de répondre à mes questions, s'il vous plaît.

— Robert était très... ambitieux.

Cupide eût été un terme plus exact, mais Nathalie avait compris qu'elle devait s'exprimer avec réserve.

— Il lui arrivait de rouler des gens en affaires, ce qui ne lui gagnait pas des amis. Il était aussi... comment dire ? Inconstant dans ses relations personnelles.

— Inconstant... Avec les femmes, par exemple ?

Nathalie hocha la tête.

— Il a eu quantité de petites amies. Il savait séduire en se montrant courtois et attentionné. Chacune a cru être l'unique jusqu'à ce qu'une autre la remplace. Inutile de vous préciser que, lorsqu'il les laissait tomber, elles lui en voulaient.

— C'est pour cette raison que vous avez divorcé ?

— En partie. L'autre raison était qu'il n'était pas un bon père. J'ai fini par en avoir assez et j'ai demandé le divorce.

— Le haïssiez-vous assez pour le tuer ?

Nathalie tenta de refermer les doigts sur les accoudoirs de son fauteuil, mais elle tremblait tellement qu'elle n'y parvint pas.

— Je n'ai jamais haï personne au point de vouloir sa mort, inspecteur Monroe. Le divorce me suffisait. Il avait quitté ma vie : pourquoi aurais-je voulu le tuer ?

— Vous n'aviez pas de litiges ?

— Si, bien sûr.

— À quel sujet ?

— Il négligeait nos enfants : ni coup de téléphone ni visite. Il refusait même de m'aider financièrement. Je lui en voulais pour cela, mais je ne désirais pas sa mort pour autant.

L'inspecteur griffonna quelques mots sur un carnet.

— Connaissez-vous les noms de quelques-unes des femmes que fréquentait votre ex-mari ?

Nathalie pressa ses tempes douloureuses.

— Sa dernière petite amie s'appelait Bonnie Decker, mais la mère de Robert m'a récemment appris qu'il l'avait quittée pour sortir avec une autre fille – une certaine Cheryl, je crois.

— Une *fille* ? Quel âge ont ces femmes ?

— À peine vingt ans. Je n'ai vu Bonnie qu'une seule fois, et de loin, mais elle m'a paru très jeune. Les amies de Robert sont… étaient toujours très jeunes.

L'inspecteur prit d'autres notes avant de transpercer Nathalie de son regard acéré.

— Quand avez-vous vu Robert Patterson pour la dernière fois ?

— Il y a plusieurs mois. Nous ne nous entendions pas – ce qui est logique, sinon nous n'aurions pas divorcé, n'est-ce pas ?

— Où étiez-vous hier, entre 17 heures et 20 heures ?

Je cambriolais la maison de Robert pour récupérer mes verres à pied. La jeune femme faillit éclater d'un rire hystérique. Elle avait exploré le rez-de-chaussée de fond en comble, ouvrant tous les placards à la recherche de ses verres. Robert agonisait-il au même instant, asphyxié dans son garage ?

Les tremblements qui l'avaient saisie se muèrent en spasmes incontrôlables. Elle se rappela avoir entendu le déclic d'une porte alors qu'elle s'apprêtait à quitter la maison. L'assassin était-il présent dans la maison alors qu'elle s'y trouvait ?

— Madame Patterson, ce n'est pas une question difficile, reprit l'inspecteur avec un soupir excédé. Où étiez-vous hier, entre 17 heures et 20 heures ?

Elle soutint quelques instants son regard perçant avant de répondre d'une voix blanche :

— Je suis désolée. Je ne vous dirai rien de plus sans la présence de mon avocat.

Monroe jeta son crayon sur son bureau d'un geste agacé, puis il croisa les bras sur le buvard couvert de taches d'encre.

— Écoutez-moi bien, madame Patterson. Nous pensons que votre ex-mari a été drogué avant d'être transporté dans le garage par son assassin. Je ne crois pas que vous en ayez la force.

— Drogué ? Qu'est-ce qui vous fait penser ça ?

— Les premières conclusions du médecin légiste : un taux élevé d'alcool a été décelé dans le sang de M. Patterson, ainsi que les restes d'un puissant sédatif. Le contenu de son estomac le confirme. Or nous n'avons trouvé ni ordonnance ni tranquillisants dans la maison. Le suicide paraît donc exclu.

— Robert n'était pas du genre à se bourrer de médicaments.

— Autre bizarrerie, poursuivit l'inspecteur sans la quitter des yeux, l'alcool consommé par M. Patterson peu avant sa mort était du vin. Un cru très onéreux dont nous avons retrouvé une bouteille dans la poubelle et une autre, entamée, dans la bibliothèque. Mais nous n'avons pu mettre la main sur les verres : nous pensons que le meurtrier les a jetés... C'est étrange, non ? insista Monroe en se grattant la tête. Patterson n'était pas un poids plume. Une femme aurait eu du mal à transporter un homme aussi costaud jusqu'au garage et à le fourrer dans sa voiture. D'un autre côté...

Il s'interrompit, reprit son crayon et tapota le buvard.

— Un homme se serait contenté d'essuyer les verres pour effacer ses empreintes. J'imagine plus facilement une femme les emportant pour les jeter.

Les verres n'avaient pas été jetés. Ils étaient toujours dans un sac en papier, sur la commode de Nathalie.

L'inspecteur se leva, contourna le bureau et la prit par le coude pour l'aider à se relever.

— À propos, nous aurons besoin de vos empreintes avant que vous ne partiez. Cela ne prendra que quelques minutes.

Elle crut qu'elle allait s'écrouler tant ses jambes flageolaient.

— Mes empreintes ? Bien sûr, pas de problème, acquiesça-t-elle.

En sortant du poste de police, Nathalie s'immobilisa sur le trottoir, hésitante, le visage si blanc que ses yeux semblaient deux grandes taches sombres. Zeke sortit de sa voiture et l'appela. Lorsqu'elle l'aperçut, elle se dirigea vers lui d'une démarche de robot.

— Comment ça s'est passé ?

Elle l'enlaça et appuya son visage sur sa poitrine.

— Tiens-moi, murmura-t-elle d'une voix à peine audible. Tiens-moi, c'est tout.

Zeke obéit et posa la joue sur sa tête.

— Ça va ?

— Non. Je suis dans de très sales draps.

Zeke la fit asseoir dans la voiture et se hâta d'y monter.

— Chérie, dit-il d'une voix calme, aucune personne sensée ne croira que tu as tué Robert.

— Tu ne sais pas tout.

— Alors dis-moi tout.

Il n'avait pas atteint l'autoroute qu'elle achevait de raconter l'histoire des verres hérités de sa grand-mère.

— Merde ! Tes empreintes seront partout...

— Pis : j'ai volé une pièce à conviction.

Sans se soucier du code de la route, il effectua soudain un demi-tour.

— Où vas-tu ?

— Chez un avocat.

— Mais il faut que j'aille rejoindre mes enfants...

— Si tu veux passer avec eux les vingt prochaines années de ta vie, il te faut un avocat tout de suite.

Quelques minutes plus tard, Nathalie exposait la situation à Sterling Johnson, l'avocat pénaliste recommandé par le beau-frère de Zeke. Rien de ce qu'elle disait ne semblait le choquer.

Lorsqu'elle se tut, il croisa les doigts et la regarda attentivement. Zeke serra la main de la jeune femme pour la rassurer.

— Ils vont trouver vos empreintes partout, décréta l'avocat.

C'était pour l'entendre dire ça que Zeke lui avait versé une provision de cinq cents dollars ?

— Voilà ce que je vous conseille, reprit Johnson. Vous devriez appeler l'inspecteur Monroe, retourner au poste de police et dire la vérité. Vous n'avez commis aucun crime – à part voler les verres, bien sûr, et encore ce n'était pas du vol puisqu'ils vous appartenaient. Le cas est classique : on se trouve au mauvais endroit au mauvais moment... Je pense que Monroe appréciera votre franchise. Il se mettra sans doute à la recherche d'un autre suspect, après avoir entendu votre déposition.

Nathalie n'en était pas trop sûre. Aucun inspecteur n'avait jamais dû demander à Sterling Johnson s'il haïssait sa femme au point de la tuer.

— Il a raison, approuva Zeke. Allons voir Monroe. Tu avais une très bonne raison de passer chez Robert,

218

hier soir, et tout ce que tu y as fait me paraît compréhensible… Enfin à peu près.

Nathalie lui jeta un regard effrayé.

— Tu n'aurais pas dû entrer dans la maison sans qu'on t'y invite. Mais je ne vois aucune autre faille dans ton récit : il me paraît normal que tu aies repris les verres qui t'appartenaient et je ne vois pas pourquoi Monroe verrait les choses autrement.

Les coudes plantés sur sa table, le menton posé sur ses mains croisées, l'inspecteur Monroe écoutait Sterling Johnson. De temps à autre, ses sourcils froncés et son regard perplexe donnaient à Nathalie l'impression d'être une folle qu'il fallait enfermer sur-le-champ dans un hôpital psychiatrique.

Lorsque l'avocat se tut, le policier soupira et se frotta les yeux.

— Je suis content que vous soyez venue, madame Patterson. En effet, nous avons relevé vos empreintes un peu partout au rez-de-chaussée.

Nathalie eut du mal à avaler sa salive.

— Oui, j'ai cherché longtemps avant de retrouver les verres de ma grand-mère.

— Et vous n'avez rien entendu ? La cuisine est tout près du garage. Vous avez lavé deux verres, emballé le service entier dans des torchons et, à aucun moment, vous n'avez entendu le bruit d'un moteur de voiture ?

— Non, je regrette.

— Connaissez-vous le bruit que fait un moteur de Corvette qui tourne au ralenti ?

— Non.

— Pensez-vous vraiment que je vais vous croire, quand vous prétendez avoir circulé dans une maison pendant qu'un meurtre s'y perpétrait et exploré chaque pièce du rez-de-chaussée sans rien voir ni entendre de suspect ?

— Je... euh... Vous savez, inspecteur, on dit souvent que la vérité dépasse parfois la fiction...

Monroe grommela un juron et se renversa dans son fauteuil à roulettes.

— Il n'y avait pas de papiers, sur le bureau de M. Patterson, remarqua-t-il après avoir jeté un coup d'œil à ses notes.

— Je suis certaine qu'il y en avait, protesta Nathalie.

— Vous les avez regardés ?

— Non. Pourquoi l'aurais-je fait ? Je n'étais pas venue avec l'intention de fouiner.

— Vous avez pourtant fouillé tous les placards...

— Après avoir vu les verres de ma grand-mère et compris que Robert avait menti en prétendant ne pas les avoir... Il s'est quand même produit quelque chose de bizarre, poursuivit-elle après une courte pause.

— Quoi donc ? s'écria l'inspecteur, l'œil brillant de curiosité.

Nathalie expliqua qu'elle avait entendu le déclic d'une porte au moment où elle quittait les lieux.

— J'ai pensé que Robert se terrait à l'étage, qu'il essayait de m'éviter... Maintenant, je me demande si quelqu'un ne se cachait pas dans un placard – ou ailleurs, acheva-t-elle d'une voix tremblante.

Monroe les pria de l'excuser un instant.

— Tout va bien, assura Sterling Johnson en tapotant l'épaule de Nathalie. Il vous croit, j'en suis sûr.

— Vraiment ?

— Qui inventerait une histoire pareille ?

Quelques instants plus tard, l'inspecteur revint pour leur annoncer :

— J'envoie une voiture chez vous pour prendre les verres.

— Pourquoi en avez-vous besoin ? s'enquit la jeune femme.

— Pour voir si on y trouve des empreintes ou d'autres traces susceptibles de faire avancer l'enquête.

— J'espère que les employés de votre laboratoire seront très prudents : ces verres datent du XVIIIe siècle ; ils viennent d'un village de Champagne au bord de l'Aube, expliqua Nathalie.

— Pour moi, riposta l'inspecteur en repoussant ses lunettes sur son nez, ce ne sont que des pièces à conviction dans une affaire de meurtre.

12

Avant de raccompagner Nathalie chez elle, Zeke s'arrêta dans un café pour lui faire grignoter quelque chose – il était 17 heures et elle n'avait rien avalé depuis le matin. Il savait que, une fois rentrée, elle ne penserait qu'à rassurer ses enfants et à calmer sa famille d'excités au lieu de se nourrir.

— Je n'ai pas vraiment faim, protesta-t-elle comme il lui mettait la carte dans les mains. Je prendrai un verre de lait, peut-être.

— Mange, ordonna Zeke. Ils servent le petit-déjeuner toute la journée. Que dirais-tu d'œufs pochés sur des toasts ?

— Des œufs pochés alors que je suis soupçonnée de meurtre ?

— Monroe n'a fait que t'interroger, chérie, la rassura-t-il en lui prenant la main. Ça ne signifie pas que tu es suspecte. De toute façon, tomber malade n'arrangerait rien.

— À l'heure qu'il est, je ne vois pas bien ce qui pourrait arranger la situation… J'ai laissé mes empreintes partout et je n'ai pas entendu le moteur tourner dans le garage. Si j'étais Monroe, j'estimerais que je suis coupable.

— Je sais que tu as peur, mais essaie de réfléchir calmement : tu n'as pas la force de transporter un homme comme Robert jusqu'à son garage pour l'enfermer dans sa voiture.

— Je pourrais y arriver, si l'adrénaline me dopait.

— Un homme le ferait plus facilement. Et puis que tu n'aies pas pensé à effacer tes empreintes prouve ton innocence, non ?

Nathalie se détendit légèrement.

— Tu me fais du bien.

— Je ne fais que souligner des évidences. Monroe doit tenir compte des faits, certes, mais il doit aussi raisonner. Tu n'es visiblement pas une idiote : si tu avais tué Robert, aurais-tu emporté les verres ? Tuer un homme de sang-froid puis faire ses courses avant de quitter la maison, ça n'a pas de sens.

— Tu as raison, admit-elle en soupirant. Les preuves qu'ils ont contre moi ne tiennent pas, si on réfléchit.

— Et s'ils sont assez bêtes pour ne pas le voir, Johnson anéantira leurs arguments devant la cour.

— *La cour* ?

— Rassure-toi, chérie, ça n'ira jamais jusque-là, promit Zeke en serrant la main de Nathalie. Quel aurait été ton mobile ? Les femmes ne tuent pas pour obtenir une pension alimentaire : ce serait tuer la poule aux œufs d'or… Tu n'as aucun mobile plausible.

— Qui en avait ? demanda-t-elle d'une voix faible.

— Bonne question. Tu devrais établir une liste des gens qui pourraient avoir désiré la mort de Robert.

— L'idée seule m'épuise. Il y en a tellement… Ma mère, par exemple.

Naomi Westfield avait décoché un regard assassin à son ex-mari le matin même, mais Zeke ne l'aurait pas traitée de meurtrière pour autant.

— Pourquoi ?

— Maman le détestait. Je ne compte pas le nombre de fois où elle a menacé de le tuer.

— Ce n'est qu'une façon de parler.

— Tu ne connais pas ma mère ; elle ne supporte pas qu'on fasse du mal à ses filles. Et puis il y a Valérie.

Je te l'ai peut-être déjà raconté : un jour, elle l'a coincé contre un mur en menaçant de lui enfoncer une lime à ongles dans l'entrejambe.

Zeke se promit de ne jamais se mettre en travers du chemin de la mère et de la sœur de Nathalie.

— Pour ce que j'en sais, la virilité de Robert était toujours intacte.

— Tu vois ce que je veux dire, non ?

— Oui, mais je pense que ni l'une ni l'autre n'ont un caractère violent.

— Moi aussi, mais elles avaient des raisons de le haïr. Papa aussi, d'ailleurs ; quand je suis tombée enceinte de Chad, il a menacé Robert avec son fusil. Il ne lui a jamais pardonné de « s'être jeté en prédateur sur sa fille », selon son expression. Même papi s'en est pris à lui ! Et je ne compte pas tous les gens qu'il a bernés dans ses affaires, ni les femmes qu'il a humiliées. Sa mère elle-même a souhaité sa mort, la dernière fois que je l'ai vue. Je pourrais établir une liste d'au moins vingt personnes susceptibles de se réjouir de sa mort… Et l'une d'elles est passée à l'action, ajouta Nathalie avec un frisson.

— Tu as une idée de qui cela pourrait être ?

— S'il n'y avait pas la question de la force physique, mon premier suspect serait Bonnie Decker, l'avant-dernière petite amie de Robert. Tel que je le connais, il a dû lui faire croire qu'elle était l'amour de sa vie avant de la laisser tomber comme une vieille savate. Elle a sûrement été désespérée par leur rupture – comme les autres. Je ne compte pas les appels hystériques que j'ai reçus de filles cherchant à parler à Robert ou, pis, me suppliant.

— Te suppliant ? Mais de quoi faire ?

— De le laisser partir, d'être raisonnable et de lui accorder le divorce, expliqua-t-elle en frottant ses tempes douloureuses. Robert ne faisait guère preuve d'originalité, tu sais : il s'en tenait à l'histoire classique

que les hommes adultères débitent depuis des siècles, à savoir qu'il était très malheureux, qu'il était marié à une sorcière dépourvue de cœur qui ne voulait pas divorcer. Quand il les laissait tomber, certaines de ces pauvres filles étaient si désespérées qu'elles le suivaient partout, téléphonaient à la maison à n'importe quelle heure ou même se prétendaient enceintes… Pourquoi l'une d'entre elles n'aurait-elle pas perdu la tête au point de le tuer ?

Jusqu'à cet instant, Zeke n'avait pas complètement réalisé ce qu'avait enduré Nathalie pendant ses années de mariage. Il aurait tout donné pour pouvoir remonter le temps et récrire l'histoire.

— Quel âge a Bonnie Decker ? demanda-t-il.

— Tout juste vingt ans, à mon avis.

— Robert n'avait-il pas la quarantaine bien tassée ?

— Si, mais ça ne l'a jamais gêné. Comme je te l'ai dit, je pense qu'il souffrait d'un complexe d'infériorité : il préférait les très jeunes femmes parce qu'elles étaient plus facilement impressionnables. Il aimait jouer au grand ponte et avait besoin de l'admiration éperdue que seule une jeune fille inexpérimentée peut éprouver et manifester.

Zeke caressa les doigts de Nathalie, s'émerveillant de leur délicatesse.

— Tu t'es sans doute rendu compte assez rapidement que ton prince n'était qu'un vulgaire crapaud… T'est-il venu à l'esprit que, si Robert multipliait les aventures, ce n'était pas à cause de tes supposées tares physiques, mais plutôt parce que tu ne l'adorais plus sans réserve ?

Elle fronça les sourcils.

— Non. Durant les premières années de notre union, je l'aimais, et ça ne l'empêchait pas de courir à droite et à gauche.

— L'amour n'est pas l'adoration : on peut aimer quelqu'un en étant conscient de ses défauts. Ce n'est

226

pas de se sentir aimé dont avait besoin Robert, mais d'être adoré comme un dieu, sentiment que tu ne pouvais plus lui donner. S'il passait ainsi d'une conquête à une autre, c'est sans doute qu'il les quittait avant qu'elles ne prennent conscience de ses défauts, avant que le vernis ne se craquelle.

Une expression de perplexité voila le regard de Nathalie. Puis, comme si une main invisible était passée sur son visage, ses lèvres se retroussèrent en un sourire hésitant.

— C'est possible, admit-elle. Il y avait beaucoup de craquelures, dans son vernis, et il ne m'a pas fallu longtemps pour les voir.

— Et c'est ainsi que l'intérêt qu'il te manifestait s'est évanoui. Un jour, il t'aimait – ou du moins il te le faisait croire –, et le lendemain, il était avec une autre. J'ai du mal à imaginer combien tu as souffert… Si, demain, tu cessais de m'aimer, je deviendrais fou et me creuserais la tête pour savoir pourquoi, pour comprendre ce que j'aurais dû faire – ou ne pas faire. Je comprends qu'on puisse en perdre la tête.

— Je m'en suis sortie, pourtant. Ma famille me soutenait, j'aimais mes enfants. Si j'avais été seule, Dieu sait ce que j'aurais pu faire ! Parfois, il me mettait dans une telle colère que je faisais les choses les plus absurdes. Une fois, j'ai même découpé tous ses caleçons de soie avec mes ciseaux à ongles.

— Bien joué !

Elle sourit.

— J'imagine aisément qu'une de ses petites amies ait pu passer à l'acte et l'assassiner.

— C'est possible, mais je pense plutôt à un homme.

— C'était un prélude de Chopin qui passait sur sa chaîne.

Zeke n'avait pas l'air de comprendre, elle expliqua :

— Robert écoutait du Chopin, quand il faisait l'amour. Quand j'ai entendu cette musique, j'ai immédiatement pensé qu'il était dans sa chambre avec une fille. Ne voyant personne, j'ai cru qu'il se cachait et feignait de ne pas m'avoir entendue. Je sais maintenant que ce n'était pas le cas… Mais alors pourquoi Chopin ?

— Il n'écoutait Chopin que pendant l'amour ?

— À ma connaissance, oui. C'est pourquoi je suspecte une femme. Bonnie – ou une autre – a pu venir le harceler et le surprendre avec Cheryl, sa nouvelle copine. Robert aurait prié Cheryl d'aller faire un tour, le temps qu'il calme l'autre, laquelle aurait pété les plombs.

— Je ne pense pas : quelqu'un a versé un sédatif dans son vin. Il s'agit d'un meurtre prémédité.

— Peut-être la meurtrière est-elle venue avec l'intention de le tuer, insista la jeune femme, et a-t-elle délibérément fait une scène afin de chasser Cheryl.

— As-tu parlé de ça à Monroe ?

— Non, j'avais peur de paraître coupable en accusant quelqu'un d'autre.

— Cesse de t'inquiéter de ce genre de choses et dis à l'inspecteur tout ce que tu sais, conseilla Zeke en serrant la main de la jeune femme dans la sienne. Si vraiment Robert n'écoutait Chopin que lorsqu'il faisait l'amour, ce détail pourrait s'avérer capital.

Lorsque la serveuse s'approcha de leur table, Zeke commanda des œufs pochés sur toasts et Nathalie une omelette.

— Je me sens un peu mieux, admit-elle en rougissant comme il lui jetait un regard approbateur.

— Bien. Il faut que tu manges.

— Demain, je sauterai le déjeuner pour compenser.

— Tu devras me tuer d'abord.

— Ne dis pas ça ! Ça me fout la trouille.

Le soleil se couchait lorsque Zeke se gara devant chez lui.

— Ça va aller ? demanda-t-il en posant une main sur l'épaule de Nathalie.

— Oui, mais… Ah ! J'aimerais tant que tu puisses venir chez moi…

— Moi aussi, tu sais.

Il était inutile d'en dire plus : ses enfants venaient de perdre leur père. Chad, surtout, allait avoir besoin que sa mère s'occupe de lui.

— Si je peux faire quelque chose, n'hésite pas à m'appeler.

Sans répondre, elle se jeta dans ses bras dans un geste de désespoir qui lui brisa le cœur.

— Tout va s'arranger, assura-t-il d'une voix douce, tu verras.

Elle hocha la tête sans cesser de l'étreindre.

— J'aimerais tellement faire le mur lorsque les enfants dormiront… mais ils pourraient se réveiller et m'appeler.

Zeke lui caressa le dos.

— Et si je te rendais visite ?

— Ce serait fabuleux, murmura-t-elle.

— C'est laquelle, ta fenêtre ? Je ne voudrais pas faire peur à papi !

Elle lui expliqua où se trouvait sa chambre avant de s'inquiéter :

— Tu veux grimper par la gouttière et enjamber ma fenêtre ? Mais tu vas te briser le cou…

— Rassure-toi. Quand j'étais ado, j'étais champion d'escalade.

— Tu te faufilais dans la chambre de ta petite amie ?

— Non, je faisais le mur pour sortir de la mienne, répondit-il en lui embrassant le bout du nez.

— C'est ce que fera Chad, tu crois ?

— Probablement. Mais ne t'inquiète pas : je devinerai ses intentions et l'intercepterai au passage.

— Répète-moi ça, demanda-t-elle avec un sourire ému.

— Quoi ?

— Que tu seras toujours avec moi à ce moment-là.

Il inclina la tête pour l'embrasser, d'un baiser tendre et rempli de promesses.

— Tu peux compter dessus, Nattie.

Lorsque Nathalie rentra chez elle, sa mère préparait le dîner – un bœuf aux oignons dont les effluves embaumaient la cuisine. De voir Naomi pieds nus, un grand tablier autour de la taille et les cheveux maintenus en queue de cheval lui rappelait tellement le passé que Nathalie s'adossa à la porte, laissant les souvenirs de son enfance affluer. Le linoléum usé et taché, la table grise rayée, les placards blancs éraflés, l'affreux plan de travail vert... rien n'avait changé, malgré les années écoulées.

— Enfin, te voilà ! s'écria Naomi.

Elle s'essuya les mains et se rua sur sa fille pour l'embrasser.

— J'étais morte d'inquiétude. Comment ça s'est passé ?

— Ça s'est passé, c'est tout ce que je peux dire, lâcha Nathalie en lui rendant son étreinte.

— Les policiers nous ont rendu une nouvelle visite : ils ont demandé à monter dans ta chambre pour prendre quelque chose, mais papi a piqué une colère et refusé de les laisser entrer sans mandat de perquisition.

— Oh non ! Ils sont allés en chercher un ?

— Oui, et ils sont revenus aussitôt avec et sont repartis avec un grand sac en papier plein de trucs.

— Pas de problème, maman, dit Nathalie en se dégageant de son étreinte pour la regarder dans les yeux. Je savais qu'ils viendraient chercher ce sac.

— Qu'y avait-il dedans ?

— Les verres en cristal de grand-mère.

— Je croyais qu'ils avaient été perdus.

Aussi brièvement que possible, Nathalie raconta à sa mère son excursion de la veille. Le visage de Naomi perdit toute couleur.

— Mon Dieu ! Tu étais dans la maison au moment du meurtre ?

— Ils situent l'heure de sa mort entre 17 heures et 20 heures. J'y suis passée aux alentours de 18 h 30.

— Oh non !

Nathalie posa son sac sur le réfrigérateur, un très vieil appareil que son père ne cessait de réparer.

— Zeke m'a emmenée voir un avocat, un dénommé Sterling Johnson, qui a insisté pour que je retourne au poste et raconte tout à l'inspecteur Monroe...

— Il ne t'a pas inculpée, c'est bon signe.

— Oui. Il ne reste plus qu'à attendre et à espérer.

— J'ai appelé le club : Frank peut se débrouiller sans toi, ce soir, il m'a dit que tu n'avais pas à t'inquiéter.

Le club ! La jeune femme n'y avait pas pensé un seul instant, durant cette journée éprouvante. En un clin d'œil, ses soucis financiers revinrent l'assaillir. Elle soupira en se frottant le cou.

— Où sont les enfants ?

— Rosie regarde un film que Valérie lui a loué. Chad est en haut.

— Comment vont-ils ?

— Rosie va très bien. Quand je lui ai annoncé la mort de son père, c'était comme si j'avais évoqué un étranger.

— Et Chad ?

— Je lui ai donné un petit calmant, ce matin, et il a dormi plusieurs heures. En ce moment, il est sur son lit, les yeux vissés au plafond.

— Merci d'être venue, maman. Ça me rassure, de te savoir auprès d'eux, murmura Nathalie en pressant l'épaule de sa mère. Je monte voir Chad.

— Quand le dîner sera prêt, je lui porterai un plateau dans sa chambre.

— Ça serait très gentil... Comment ça se passe, entre papa et toi ? s'enquit la jeune femme avant de partir.

Naomi leva les yeux au ciel.

— Ne me pose pas la question.

Nathalie alla embrasser Rosie et lui raconter sa promenade dans une voiture de police, puis rejoignit son fils, qui occupait une chambre mansardée, de l'autre côté de la maison. Les deux pièces servaient de débarras jusqu'à leur arrivée ; tous les cartons avaient été rangés ailleurs, et elle avait fait de son mieux pour en faire de vraies chambres, mais, comparées à celles qu'ils avaient avant le divorce, elles étaient spartiates.

Les yeux de Chad restèrent rivés au plafond quand elle entra. Nathalie referma doucement la porte derrière elle.

— Bonsoir, grand garçon. Me voilà de retour.

Chad restait immobile, les poings serrés. Nathalie s'assit sur le lit et posa une main sur la sienne. Il était complètement rigide.

— Oh, chéri !

Chad avala difficilement sa salive.

— Je pensais que tu ne reviendrais jamais, qu'ils te garderaient en prison.

Nathalie se pencha pour embrasser son fils.

— Pourquoi me mettraient-ils en prison ? Je n'ai rien fait de mal.

Le garçon ouvrit des yeux où se lisait une profonde souffrance.

— J'avais peur quand même. Ils ne vont pas te mettre en prison, maman ? Rosie et moi, on se retrouverait tout seuls…

Nathalie se redressa. Elle aurait aimé dissiper les craintes de Chad, mais elle ne pouvait se résoudre à lui mentir.

— Quoi qu'il arrive, Rosie et toi ne serez jamais seuls. Tu entends ? demanda-t-elle en désignant la porte.

L'enfant tendit l'oreille, écoutant les bruits qui montaient du rez-de-chaussée. Naomi reprochait quelque chose à Pop, qui grommelait. Plus faibles, les voix de Valérie et de papi s'entremêlaient.

— C'est ta famille, reprit Nathalie. Ils sont tous un peu fous, peut-être, mais tu sais quoi ? Ils sont comme le vieux papier peint de cette chambre que j'ai essayé de décoller au début de l'été, tu te souviens ?

Chad hocha la tête.

— Finalement, j'ai renoncé. Quoi que je fasse, ce maudit papier restait indécollable. J'ai dû passer un enduit et peindre par-dessus. Eh bien, avec papi, Pop, Naomi, Valérie, c'est pareil : ils sont collés à toi si fort que tu n'arriveras jamais à t'en débarrasser. C'est ça, une famille : des gens qui seront toujours là pour toi, quelles que soient les circonstances.

— Papa est vraiment mort ?

Le cœur de Nathalie se serra.

— Hélas ! oui, souffla-t-elle.

— Et quelqu'un l'a tué ?

— C'est ce que pense la police.

— Pourquoi quelqu'un aurait-il fait ça, maman ?

Nathalie se rappela la conversation qu'elle avait eue avec Zeke et baissa les yeux sur les lattes usées du plancher.

— Je ne peux que faire des suppositions, Chad. Je ne sais rien.

— Il fallait que cette personne le haïsse vraiment...

— Oui.

On ne pouvait vivre comme avait vécu Robert sans se faire quelques dangereux ennemis.

— Mais ne pensons pas à ça, reprit-elle d'une voix plus ferme.

Les yeux de Chad s'emplirent de larmes. Il se tourna pour cacher son visage dans l'oreiller.

— Je voulais qu'il soit fier de moi, balbutia-t-il d'une voix étouffée. Si un jour je deviens vraiment bon, il ne le saura pas.

Nathalie s'allongea à côté de son fils pour l'étreindre. Il résista une seconde, puis jeta les bras autour de son cou et s'y cramponna désespérément.

— Je suis déjà très fière de toi, murmura-t-elle. Je ne suis pas ton papa, et je comprends que ça n'est pas tout à fait pareil. Je te le répète, je suis très fière de toi, Chad. Je l'ai toujours été et je le serai toujours. Ne l'oublie pas.

Lorsque son fils s'endormit enfin, Nathalie était épuisée. Elle descendit à la cuisine, où toute la famille était rassemblée : Naomi avait fait des cookies au sucre et Valérie aidait Rosie à les décorer, tandis que Pop et papi les engloutissaient consciencieusement. Nathalie s'arrêta sur le seuil, le cœur empli d'amour et de gratitude. Ce qu'elle avait dit à Chad était vrai : ces gens étaient loin d'être parfaits, mais ils étaient là, auprès d'elle. Même ses parents faisaient l'effort de se supporter.

— Celui-ci, c'est Grammy, annonça Rosie en trempant sa spatule dans le bol de crème. Je vais la faire très belle.

Pete jeta un coup d'œil à Naomi.

— N'oublie pas sa petite jupe noire et son pull moulant...

— C'est ça, Rosie, pas d'habits de grand-mère pour moi, riposta Naomi. Mais quand tu feras Poppy, mets-lui une salopette trouée et une moustache grise.

Le regard de Nathalie s'attarda sur son père, qui s'était rasé et portait des vêtements propres, une chemise à fines rayures et un jean noir. Il était encore bel homme, lorsqu'il prenait soin de lui, remarqua-t-elle en jetant un clin d'œil complice à sa sœur.

— Pourquoi vous n'allez pas faire un tour dehors, tous les deux, pour régler vos problèmes ? s'écria papi. Je suis fatigué de vos chamailleries.

— Pas question, Charlie. Je risquerais de lui faire du mal, répliqua Naomi en ouvrant un placard pour attraper un verre.

Elle s'étira plus qu'il n'était nécessaire, sans doute pour montrer ses longues jambes galbées.

— Je vais prendre un peu de vin. Quelqu'un en veut ?

— Ne bois pas, intervint Pete. Tu vas prendre le volant pour rentrer chez toi.

— Je reste ici cette nuit, je ne te l'avais pas dit ?

— Tu *quoi* ?

Naomi grimaça.

— Tu as bien entendu : j'ai pris une semaine de congé pour aider Nathalie.

Pete eut l'air d'avoir avalé un glaçon.

— Est-ce que tu as demandé au maître de maison si tu étais la bienvenue ?

— Suis-je la bienvenue ici, Charlie ? demanda Naomi à son ex-beau-père.

— En ce qui me concerne, tu l'es, répondit papi. Mais vas-y doucement avec mon vin. Les filles ont fait une razzia sur mes réserves, cette semaine : il ne me reste que ce tonnelet.

Le visage de Pete était devenu presque aussi rouge que le vin. Il se leva et sortit sous le porche en laissant retomber bruyamment la moustiquaire derrière lui. Nathalie avait l'habitude de voir ses parents se disputer, aussi prit-elle cet incident à la légère. Ce qui la surprit, cependant, ce fut de voir son père marcher le dos droit, et sans porter la main à ses reins.

Naomi passa un doigt sur son verre.

— C'est dégoûtant! s'exclama-t-elle. Il y a dix ans de crasse, sur ce truc.

Valérie leva les yeux du cookie que Rosie était en train de glacer.

— Nattie et moi avons utilisé des verres à jus de fruits, l'autre soir. Pourquoi laver ceux-ci, si on ne s'en sert pas?

— Cette maison a besoin d'un sérieux nettoyage, décréta Naomi d'un ton sévère. J'ai du mal à croire qu'un homme puisse vivre comme ça.

La voix de Pete lui parvint du perron.

— Si l'hôtel ne te plaît pas, te sens pas obligée de rester.

Naomi gloussa.

— Je vais nettoyer un coin rien que pour moi et je partirai dès que possible, merci.

Pour toute réponse, Pete lâcha un chapelet de jurons. Nathalie sortit un autre verre.

— Lave aussi celui-ci, maman, je vais t'accompagner. Mais pourriez-vous essayer, papa et toi, de passer une soirée sans vous disputer? Je n'ai pas besoin de tension inutile, en ce moment, et les enfants non plus.

Le sourire de Naomi s'effaça.

— Je suis désolée. Tu as raison, ce n'est pas le moment. Je vais aller m'excuser.

— Ne te donne pas ce mal! cria Pop en marmonnant une autre injure.

Naomi n'y tint plus.

— Si tu veux m'insulter, espèce de vieux schnock, viens ici et fais-le en face.

— J'ai une meilleure idée, suggéra Nathalie. Va le rejoindre dehors: vous pourrez vous engueuler tout votre soûl sans nous pourrir la vie.

236

Naomi remplit son verre jusqu'à ras bord.

— Puisque tu me parles comme ça, ma fille, lave donc ton verre toute seule.

Laissant derrière elle un sillage d'*Obsession*, Naomi sortit. Quelques secondes plus tard, Pete et elle entamaient une dispute animée. Nathalie et Valérie échangèrent un regard désespéré, tandis que papi secouait la tête.

— Quelle ânerie ! Pourquoi ne veut-il donc pas s'excuser, embrasser sa femme et en finir une bonne fois pour toutes ?

Nathalie et Valérie regardèrent leur grand-père et demandèrent d'une seule voix :

— S'excuser de quoi ?

— De s'être comporté en imbécile jaloux. Cette femme n'a jamais regardé un autre homme de sa vie, et lui s'est fichu dans la tête qu'elle le trompait ! Une sacrée bourrique, ce garçon. La fierté des Westfield aura sa peau...

— Papa croyait que maman sortait avec un autre homme ?

— Pis : il s'était mis dans la tête que, tous les soirs après le boulot, elle jouait au tango de la banquette arrière.

Rosie leva les yeux du cookie qu'elle décorait.

— Qu'est-ce que c'est, le tango de la banquette arrière ?

Le cou de papi vira au rouge brique.

— Rien qui te regarde, Bouton de Rose.

Nathalie se laissa tomber sur une chaise et avala une gorgée de vin.

— Alors, c'était ça...

— Je comprends, maintenant, pourquoi l'orage a éclaté tout d'un coup ! soupira Valérie. Mais comment papa a-t-il pu penser ça de maman ?

— La jalousie s'est jetée sur lui comme la vérole sur le bas clergé... Elle venait de finir l'école de coiffure et commençait à travailler : c'était la première fois qu'elle gagnait de l'argent depuis leur mariage. Au début, ça lui a un peu tourné la tête, et elle s'est acheté des tas de fringues très chics et des produits de maquillage. Comme elle rentrait tard, à cause des clientes qui venaient se faire coiffer après le boulot, votre père s'est persuadé qu'elle le trompait... Maintenant, il est trop fier et trop entêté pour reconnaître son erreur et s'excuser de toutes les horreurs qu'il lui a sorties. De son côté, votre mère lui met le nez dans sa sottise chaque fois qu'elle le voit...

Nathalie prit une autre gorgée de vin. Les voix furieuses de ses parents ne se calmaient pas. Ils étaient si absorbés dans leur dispute qu'un coup de feu tiré au-dessus de leurs têtes ne les aurait pas interrompus. Son estomac était noué, et chaque parole haineuse échangée lui déchirait les tympans.

Finalement, incapable d'en supporter davantage, elle se rua sur la moustiquaire, l'ouvrit et cria :

— Assez !

Assis côte à côte sur une marche, Pete et Naomi tournèrent la tête vers elle, réduits au silence par sa voix furieuse.

— Plus un mot ! reprit Nathalie du même ton. Si vous avez si peu de considération pour moi après la journée que j'ai passée, ayez-en au moins pour votre petit-fils. Il a besoin que vous soyez forts et unis, en ce moment. Croyez-vous qu'il n'a pas compris que je pouvais être arrêtée ?

— Mais, chérie, s'excusa Pete, c'est juste une petite dispute comme on en a souvent, on ne pensait pas à mal...

— Eh bien, j'en ai par-dessus la tête, de vos petites disputes ! rétorqua la jeune femme, excédée. Mes enfants ont perdu leur père, aujourd'hui, au cas où vous l'auriez oublié.

La lumière de la cuisine éclairait les visages hon-
teux de Pete et de Naomi quand la petite voix de
Rosie s'éleva derrière Nathalie :

— Grammy n'a jamais joué au tango de la banquette arrière, Poppy. Tu devrais t'excuser et l'embrasser, comme ça vous seriez réconciliés. Papi dit
que la fierté des Westfield aura ta peau et je veux pas
que tu meures.

Les parents de Nathalie signèrent une trêve provisoire, mais aucune excuse ne fut échangée. Quand
Pop alla se coucher, papi s'installa dans son fauteuil
pour ronfler devant CNN tandis que Naomi et Valérie restaient à la cuisine. Nathalie monta coucher sa
fille, puis rejoignit sa mère et sa sœur.

— Où vas-tu dormir cette nuit, maman ?

— Avec ma petite-fille préférée. Elle est si menue
que son lit sera assez grand pour nous deux... Ah,
chérie, reprit-elle en repoussant une mèche du front
de Nathalie, je suis désolée pour ce qui s'est passé
aujourd'hui, tu as l'air exténuée ! Et voilà que ton père
et moi empirons les choses en nous disputant ! Je ne
comprends pas quelle mouche me pique chaque fois
que nous nous retrouvons. C'est plus fort que moi.

Valérie se balançait sur sa chaise.

— Tu es toujours folle de lui, c'est ça, le problème.
Quand tu es avec lui, ton cerveau se déconnecte.

Naomi lui lança un regard furibond.

— Je ne suis pas du tout folle de lui.

— Arrête ! soupira Valérie. Nattie et moi, on sait
que tu n'as jamais cessé de l'aimer. Et on vient d'apprendre pourquoi tu l'as quitté.

— Charlie est trop bavard.

Nathalie bâilla derrière sa main.

— Nous ne sommes plus des enfants, maman. Tu
ne veux pas nous parler franchement ?

Naomi jeta un regard gêné derrière son épaule.

— Il pourrait m'entendre.

— Il est allé se coucher, répliqua Valérie. Et je pense que nous méritons une explication. Papa et toi, vous étiez si... si parfaits, ensemble, et tout d'un coup tu claques la porte. Je n'ai pas pigé, à l'époque, et je ne pige toujours pas, d'ailleurs. Comment as-tu pu balayer toutes ces années de mariage sur un stupide malentendu ?

Les joues de Naomi rosirent d'indignation.

— Il m'a dit des horreurs, il m'a insultée. Pourtant je ne l'ai jamais trompé, je n'y ai même jamais pensé. Il n'y a eu qu'un seul homme dans ma vie.

— C'est nul...

— Valérie Lynn ! cria Naomi. D'où sort-elle, cette gamine ? ajouta-t-elle en se tournant vers sa fille aînée.

Valérie repoussa ses cheveux en arrière.

— Tu ne reconnais pas cette figure, maman ? C'est toi, tout craché.

— Je parlais de ta grande gueule.

— C'est l'hôpital qui se moque de la charité ! ricana Valérie en se tournant à son tour vers Nathalie. Tu l'as entendue comme moi, ce soir : elle a une grande gueule, oui ou non ?

Nathalie étouffa un autre bâillement.

— Hélas ! maman, sans vouloir t'offenser, tu n'es pas ce qu'on appelle une personne aux propos mesurés.

Naomi jouait avec le sucrier. Elle se lécha les doigts puis sourit en battant des cils.

— Je ne vois pas de quoi vous parlez.

— C'est une cause perdue, lâcha Valérie dans un soupir. Tant pis pour eux, ils seront malheureux toute leur vie... Après tout, c'est ton problème, maman, reprit-elle après avoir bu une gorgée de vin. Papa a été un bon mari, fidèle et aimant, pendant... quoi ? Vingt-deux ans ? Et tu l'as abandonné parce qu'il a perdu la tête une fois ? Tu ne peux pas lui pardonner ?

Les yeux de Naomi brillèrent de larmes.

— Qu'il s'excuse d'abord ! Après avoir été durant vingt-deux ans une épouse loyale et fidèle, je ne méritais pas ça de sa part !

De la chambre, la voix de Pop rugit :

— Silence en bas ! Quelles foutues bonnes femmes ! Elles s'enivrent et piaillent comme des folles ! Allez vous coucher, nom de Dieu, et laissez dormir les honnêtes gens !

— Maman, je suis désolée, fit Valérie.

Naomi agita la main.

— Mets-toi de son côté, je m'en fiche. Je ne lui pardonnerai jamais tant qu'il ne m'aura pas suppliée à genoux. Et, encore...

13

Contrairement à ce qu'elle avait espéré, Nathalie ne s'endormit pas sitôt couchée. À l'instar de Chad, elle resta longtemps les yeux rivés au plafond, le cerveau en ébullition à cause des problèmes financiers du club, du chagrin de son fils. Vu le comportement stupide de ses grands-parents, il était normal qu'il soit terrifié à l'idée de perdre aussi sa mère, non? Au fond de son cœur, Nathalie savait que ses enfants ne seraient pas abandonnés, mais la vie auprès de deux adultes aussi puérils que Pete et Naomi ne serait pas une partie de plaisir.

Elle n'avait pas vraiment peur de la prison; elle y survivrait. Mais ses enfants? Comment dormir en paix alors que leur avenir reposait dans les mains de l'inspecteur Monroe, à la merci de ses intuitions?

Un bruit sourd la fit soudain se redresser. Elle crut d'abord que l'un des enfants était tombé du lit et guettait des pleurs quand un autre petit bruit la fit se tourner vers la fenêtre: une silhouette sombre en enjambait l'appui. Durant une fraction de seconde, elle pensa à un cambrioleur. Puis elle se souvint de son cher voisin passé maître en escalade et la joie envahit son cœur.

— Zeke?

Un rire étouffé lui parvint.

— Qui d'autre attendais-tu? Le facteur?

Nathalie était si heureuse qu'elle se contenta d'ouvrir les bras sans répondre. Elle entendit des pieds nus traverser la pièce et sentit le matelas s'affaisser. Des bras musclés l'étreignirent, lui procurant une délicieuse sensation de sécurité. Alors elle enfouit son visage dans le cou de son amant, s'enivrant de son odeur virile, un mélange de cuir et d'eau de Cologne.

— Zeke, je ne pensais pas tu viendrais !

Il embrassa le lobe de son oreille.

— Rien n'aurait pu m'en empêcher.

Il était sincère, Nathalie le savait : elle avait besoin de lui, il arrivait, c'était tout simple – et en même temps si beau qu'elle en eut les larmes aux yeux. Robert n'avait jamais été là pour elle et, au fil des ans, elle en était venue à croire qu'aucun homme ne le serait jamais. Et voilà que, tout d'un coup, elle en avait un. Le plus beau, le plus fort, le plus attentionné. Zeke.

— Je n'en reviens pas que tu sois monté par la gouttière.

La bouche chaude de Zeke caressait sa gorge.

— La gouttière n'aurait jamais supporté mon poids.

— Comment as-tu fait, dans ce cas ?

— C'est mon secret.

Sans la lâcher, il se laissa tomber sur les oreillers en la serrant dans ses bras et tira le drap pour la recouvrir.

— Je t'aime.

— Répète-le, murmura-t-elle.

— Je t'aime, petite Nattie, souffla-t-il dans ses cheveux. Je t'aime tant que j'en ai mal jusque dans la moelle.

Nathalie plongea la main dans ses cheveux, goûtant la texture rêche des mèches et le soyeux des petits poils sur sa nuque. Puis elle ferma les yeux en soupirant de bonheur.

— Comment te sens-tu ? demanda-t-il.

— Pas si mal, vu les événements. Seulement stressée et inquiète.

244

— Inquiète de quoi ?

— Combien de temps peux-tu rester ?

— Toujours.

Toujours. Le mot la comblait. Plus jamais elle n'aurait à affronter seule les orages de la vie.

— Je m'inquiète pour le club : ça te semble peut-être secondaire, mais c'est grâce au *Perroquet bleu* que je peux régler mes factures. La faillite est assurée, si je ne chante pas, mais je ne me vois pas abandonner mes enfants en ce moment…

— On devrait peut-être profiter de ce temps mort, susurra-t-il en jouant avec une boucle.

— Comment cela ?

— Fermer le temps que j'abatte ce foutu mur. Mes frères m'aideront. On peut aussi faire un peu de pub et commander le matériel de karaoké. À ton retour, le club aura eu son lifting et le temps que tu auras passé chez toi n'aura pas été gaspillé. De toute façon, il te faudra fermer durant les rénovations.

— Tu ferais ça ?

— Donne-moi le feu vert, et c'est comme si c'était fait.

— Mais l'argent…

— N'y pense pas. Nous discuterons des finances plus tard. Je viendrai chercher les clefs demain matin.

Après cela, il lui fut merveilleusement facile de se blottir dans les bras de Zeke et de ne plus penser au club.

— Comment ça s'est passé avec les enfants, ce soir ?

— Mal. Chad est très malheureux. Et mes parents se comportent en parfaits idiots.

— Ah bon ?

Nathalie raconta les événements de la soirée.

— C'est tellement stupide ! soupira-t-elle. Comment deux personnes qui s'aiment autant peuvent-elles envoyer tout promener sur un simple malentendu ? Rien d'étonnant à ce que Chad ait peur...

— Il a peur ?

Nathalie résuma la conversation qu'elle avait eue avec son fils.

— Je lui ai assuré que Rosie et lui ne seraient jamais abandonnés, quoi qu'il puisse m'arriver, mais je comprends qu'il s'inquiète : mes parents ne fournissent pas l'exemple d'un amour indéfectible.

— Je lui parlerai, décida Zeke.

— De quoi ?

— Du fait qu'il ne sera jamais abandonné : je vais épouser sa mère ; il n'a pas à s'inquiéter.

Nathalie se raidit. Elle avait beau vouloir passer le reste de sa vie avec cet homme, elle doutait que ce soit le bon moment d'aborder ce sujet avec Chad.

— Oh ! Zeke, il vient de perdre son père... On devrait peut-être garder notre relation secrète un petit moment.

— Fais-moi confiance, je ne le bouleverserai pas.

Nathalie ne discuta pas : Zeke savait s'y prendre, avec les enfants. Si quelqu'un était capable de parler de l'avenir avec son fils sans le blesser, c'était bien lui.

Elle releva la tête.

— Excusez-moi, monsieur, mais je ne me rappelle pas que vous m'ayez demandée en mariage.

— Je ne peux pas.

Ce n'était pas du tout la réponse qu'elle attendait.

— Comment ?

— Je ne peux pas encore, je dois d'abord demander ta main à ton fils.

— Quoi ?

— Je dois lui demander ta main, répéta tranquillement Zeke.

— Quel réactionnaire tu fais ! Et si Chad refuse ?

— Alors, nous sommes fichus.

— Quoi ?

246

Il éclata de rire et l'embrassa sur la tempe.

— Il ne refusera pas. Et c'est important qu'il sente qu'on a besoin de son accord. Fais-moi confiance.

La confiance... Il lui en inspirait une immense, alors qu'elle avait cru ne plus jamais pouvoir se fier à quiconque. Elle chercha sa bouche. Le baiser merveilleusement tendre qu'il lui donna agit sur ses nerfs comme un baume. Cependant, elle avait beau être épuisée, elle savait qu'il n'avait pas escaladé la maison pour le seul plaisir de dormir avec elle. Mais comme elle l'embrassait avec plus de fièvre, il la repoussa doucement.

— Pas ce soir, chérie, j'ai la migraine.

Nathalie faillit s'étrangler de rire et lui envoya un coup de poing dans l'épaule.

— Dors, murmura-t-il à son oreille. Il faut que tu te reposes. Je veux juste rester à côté de toi.

S'endormir à côté de lui était au-delà des forces de Nathalie. Après trois ans de chasteté, c'eût été du gaspillage.

— Je te veux, insista-t-elle.

— Non. Ce n'est pas pour ça que je suis venu.

Elle serra les bras autour de son cou et l'embrassa à nouveau.

— Menteur, fit-elle lorsqu'elle s'écarta pour reprendre souffle.

— Tu as eu une journée éprouvante. Je veux juste être avec toi. Et t'annoncer une bonne nouvelle, pour te changer les idées : j'ai bien examiné ta chanson et elle me plaît beaucoup.

Il en fredonna quelques notes. Nathalie le regarda avec surprise.

— Tu sais lire les notes de musique ?

— Ben, oui. Tu te crois seule au monde à en être capable ? Je ne sais pas composer ni écrire, mais je joue du violon, plutôt bien, d'ailleurs.

— Comme c'est amusant ! Il faut absolument que nous jouions ensemble.

— Marché conclu. Ta chanson est très belle, Nattie. Entraînante et émouvante. Je sais qu'un agent la vendra sans problème.

— Comment trouveras-tu un agent ?

— Dans des revues spécialisées. Si la bibliothèque locale n'en a pas, je chercherai sur Internet.

— Mais comment en trouver un qui accepte de se donner du mal pour cette chanson ?

Il sourit et l'embrassa sur le nez.

— C'est du gâteau : un bon agent sautera sur l'occasion.

— Oh, Zeke !

Savoir qu'il croyait en elle accrut son désir. Elle se jeta sur lui.

— Tiens-toi bien, voyons, protesta-t-il. Je ne suis venu que pour te tenir dans mes bras.

Nathalie appréciait l'intention, certes, mais il lui était impossible de trouver le sommeil à présent. Lui seul pouvait l'y aider. Elle promena sa langue sur la lèvre inférieure de Zeke et se colla contre son ventre. Le résultat ne se fit pas attendre.

— S'il te plaît. Je suis trop tendue pour dormir, aide-moi à me détendre.

— Tu es sûre ? Honnêtement, je ne suis pas venu pour...

— Chut, le coupa Nathalie en l'embrassant à nouveau. S'il te plaît.

Incapable de résister, Zeke fit taire ses scrupules en se convainquant qu'elle dormirait mieux ensuite.

— Tu as apporté de quoi nous protéger ? demanda-t-elle.

— Tu me prends pour un idiot ?

— Je croyais que tu n'étais venu que pour me tenir dans tes bras...

Nathalie enfin assoupie, Zeke se recoucha auprès d'elle. Le jour ne se lèverait pas avant quelques heures: il en profiterait pour la tenir dans ses bras et se sauverait discrètement avant le réveil des enfants.

Ce fut sa dernière pensée cohérente. Jusqu'à ce qu'un petit coup sur la porte le réveille en sursaut. La chambre était inondée de soleil.

— Maman?

Zeke bondit hors du lit en ramassant sa chemise et se rua vers la fenêtre. Entendant la porte s'ouvrir, il se ravisa et se jeta par terre, contre le lit.

— Maman? gémit Rosie. J'ai fait un mauvais rêve.

Zeke devina aisément la confusion de Nathalie. Il l'entendit s'asseoir et tirer sur le drap. Heureusement, se rappela-t-il, elle avait remis sa chemise de nuit avant de s'endormir.

— Oh, chérie!

Un petit tapotement sur le matelas fit comprendre à Zeke que Nathalie faisait signe à sa fille de la rejoindre.

— Viens là, je vais te consoler.

Zeke grimaça: Nathalie le croyait parti. Merde! Il aurait mieux fait de ne pas se cacher et d'inventer une raison plausible à sa présence... Si l'enfant le découvrait maintenant, que dirait-il?

Tandis que la jeune femme serrait sa fille contre elle, Zeke enfila sa chemise et son short avec moult difficultés – il ne voulait à aucun prix que la fillette le trouve à demi nu dans la chambre de sa mère.

— Qu'est-ce que c'est? murmura Rosie.

Zeke s'immobilisa, un bras à moitié engagé dans une manche.

— Quoi donc? demanda Nathalie.

— J'ai entendu du bruit.

Le sommier craqua et un charmant petit visage surgit juste au-dessus du nez de Zeke. Ses yeux s'écarquillèrent.

— Bonjour. Comment ça se fait, que tu sois sur le plancher de ma maman ?

Zeke lâcha le premier mensonge qui lui vint à l'esprit.

— J'essayais d'attraper une souris.

Rosie s'agenouilla sur le matelas et se pencha un peu plus.

— Une souris ?

— Une souris, confirma Zeke. Ta maman m'a appelé à l'aide : la souris avait couru sous le lit et elle ne savait pas quoi faire.

Le regard de Rosie prit une expression dubitative.

— Il n'y a pas de téléphone, ici, observa-t-elle.

Le visage de Nathalie apparut à côté de celui de sa fille ; les yeux de la jeune femme étaient emplis de confusion.

— Je l'ai appelé sur mon portable, intervint-elle.

Rosie regarda sa mère.

— Où il est ?

— Quoi ?

— Ton portable ?

— Quelque part par là, hasarda Nathalie en soulevant le drap. Oh ! je l'ai encore perdu !

Zeke se redressa.

— Et pourquoi tu n'as pas ta chemise ? demanda Rosie.

— Je voulais m'en servir pour attraper la souris.

— Comment ?

— En la jetant comme un filet.

— Tu l'as fait ?

— Non, elle s'est sauvée.

— Où elle est partie ?

Zeke fit à nouveau un énorme effort d'imagination.

— Dans le placard.

Tandis que la fillette sautait du lit, Zeke se leva, acheva de boutonner sa chemise et chercha ses bottes des yeux avant de se rappeler qu'il les avait ôtées pour éviter de glisser sur le toit.

— Si tu revois cette souris, dit-il à Nathalie, n'hésite pas à m'appeler.

Les yeux de la jeune femme brillaient d'un rire contenu.

— Entendu. Et merci d'être venu, Zeke. Je sais que c'est stupide, mais les souris me terrifient.

Zeke se tourna vers la fenêtre avant de s'immobiliser : il ne pouvait repartir par là sans alimenter un peu plus les soupçons de Rosie. Aussi quitta-t-il la pièce par la porte. Marchant sur la pointe des pieds, il descendit l'escalier, traversa le salon et entra dans la cuisine, où Naomi et Valérie étaient assises, buvant du café. Leurs regards tombèrent immédiatement sur les pieds nus de l'intrus.

— Bonjour, lança-t-il comme si sa présence était parfaitement normale.

Valérie tira sur sa chemise de nuit.

— Bonjour. Qu'est-ce qui vous amène, de si bon matin ? demanda Naomi en jetant un coup d'œil à sa montre.

— Une souris.

— Une souris ? répéta Valérie.

— Sous le lit de Nathalie, tenta-t-il d'expliquer, la nuque en feu. Rosie est en train de la chercher dans le placard.

Naomi sourit.

— Un café ? proposa-t-elle.

En se passant une main dans les cheveux, Zeke retint un gémissement : sa crinière ébouriffée le trahissait.

— Non, merci. Je ferais mieux de rentrer.

Aussi dignement que possible, il se dirigea vers la porte.

— C'est dangereux, tu sais, dit Valérie.

— Quoi donc ?

— De chasser les souris pieds nus. Elles mordent.

Dehors, Zeke ne retrouva qu'une seule botte. Examinant les alentours, il aperçut Chester de l'autre côté de la clôture. Lorsqu'il s'approcha, ses soupçons reçurent confirmation : le maudit jar avait confisqué la botte.

— À bientôt ! cria une voix féminine.

Nathalie était à sa fenêtre, si belle, avec sa chevelure emmêlée et sa fine chemise de nuit, que son incursion embarrassante dans la cuisine lui parut sans importance, au regard de la nuit qu'il venait de passer.

— Le café est prêt, lui annonça-t-il en souriant. Ta mère et ta sœur sont déjà levées.

Elle plaqua la main sur sa bouche pour retenir un fou rire.

— Je suis désolée.

Zeke tapota sa montre.

— La prochaine fois, je mettrai l'alarme.

— Bonne idée.

Elle inspira à fond l'air tiède du matin et sourit.

— Encore faudrait-il qu'il y ait une prochaine fois…

— Je sais de source sûre que les souris sont des créatures fidèles à leurs habitudes. Elle reviendra sûrement, et je serai là.

Le petit visage de Rosie apparut au-dessus du rebord de la fenêtre.

— Au revoir, monsieur Coulter !

Nathalie venait de servir aux enfants leur petit-déjeuner quand le téléphone sonna en même temps qu'un coup ébranlait la porte. Naomi était partie chercher quelques affaires chez elle, Pete trayait les vaches, papi somnolait devant la télévision et Valérie prenait une douche. Nathalie courut ouvrir puis, reconnaissant Zeke, repartit à toute allure vers la cuisine pour décrocher le téléphone.

— Madame Patterson ? fit la voix de l'inspecteur Monroe.

— Elle-même, répondit-elle en adressant un regard paniqué à Zeke.

— Bonjour, madame Patterson. Inspecteur Monroe, à l'appareil. De nouvelles informations concernant l'une des affaires de votre mari nous sont parvenues. J'aimerais que vous veniez afin de répondre à quelques questions.

Nathalie s'efforça de respirer calmement.

— Je... euh, certainement, inspecteur. Je viendrai volontiers. Mais, à vrai dire, je n'étais pas au courant des affaires de mon ex-mari : je ne vois pas ce que je pourrais vous en dire.

— Je suis certain que vous pourrez nous éclairer sur celle-ci, insista le policier.

Elle jeta un coup d'œil à l'horloge.

— À quelle heure voudriez-vous que je vienne ?

— 11 heures ?

— 11 heures, très bien.

— Madame Patterson ? reprit-il d'un ton qui lui donna la chair de poule.

— Oui ?

— Vous feriez bien d'amener votre avocat avec vous.

Nathalie tremblait lorsqu'elle raccrocha.

— C'était Monroe, expliqua-t-elle à Zeke. Il a d'autres questions à me poser.

— À quel sujet ?

Nathalie l'entraîna dans le salon afin que Chad n'entende pas.

— Au sujet des affaires de Robert. Il avait un ton bizarre... Il m'a conseillé de venir avec mon avocat.

— Que peux-tu bien lui dire des affaires de Robert ?

— Aucune idée, mais il y a quelque chose qui cloche, c'est sûr.

253

— Je peux t'accompagner, proposa Zeke.

— Si Sterling Johnson est là, ce n'est pas nécessaire.

— Tu es sûre ? Je suis venu chercher les clefs du club. Deux de mes frères vont m'y retrouver afin de voir ton mur, mais je peux retarder notre rendez-vous, si tu veux.

— Pas question, répliqua-t-elle avec un sourire forcé. Du travail à l'œil ? Je serais folle de refuser ! Je vais te chercher les clefs.

Lorsque Nathalie entra dans le bureau de Monroe, elle se sentait un peu plus à l'aise que la veille ; elle avait eu le temps de s'habiller élégamment, de se coiffer et de se maquiller. Elle s'assit à côté de Sterling Johnson en affectant un air détendu.

Monroe ne perdit pas de temps en civilités. Il ne lui proposa pas de café, cette fois, ni ne se répandit en sourires amicaux.

— Vous avez oublié de parler de ça, hier, attaqua-t-il en poussant devant elle quelques papiers.

Sans attendre que Nathalie les regarde, Sterling Johnson s'en empara, mit ses lunettes et les parcourut.

— Vous étiez au courant ? demanda-t-il en les tendant à sa cliente.

Déchiffrant tant bien que mal le jargon juridique qu'ils contenaient, elle comprit qu'il s'agissait d'une promesse de vente. Robert ne cessant d'acheter et de vendre des terrains, ce contrat ne lui parut pas étrange. Jusqu'à ce que son regard tombe sur l'adresse de la propriété en question.

— La Route du Vieux Moulin, murmura-t-elle, abasourdie. Il doit y avoir une erreur : c'est la ferme de mon père.

— L'acte de propriété est à votre nom, madame Patterson.

Les doigts de Nathalie se crispèrent sur le document.

— Oui, techniquement parlant, elle m'appartient. Ma grand-mère me l'a léguée. Elle-même l'avait reçue de son père en cadeau de mariage, à la condition qu'elle la transmette à sa fille aînée. Mon père étant fils unique, c'est moi qui en ai hérité. Mon grand-père y a travaillé toute sa vie, et mon père aussi. Je n'en prendrai pas possession de leur vivant.

L'inspecteur croisa les doigts.

— Vos arrangements familiaux ne m'intéressent pas, madame Patterson. Cette propriété vous appartenait et le juge en a accordé la moitié à votre ex-mari, lorsque vous avez divorcé. J'imagine sans peine votre colère quand vous avez découvert qu'il s'apprêtait à la vendre.

Le sang de Nathalie se glaça. Robert cherchait à vendre la maison de Pop? Elle n'arrivait pas à y croire.

Monroe se balançait sur son fauteuil.

— Vous prétendez l'avoir ignoré?

Rester calmement assise fut tout ce que Nathalie parvint à faire. Elle relut le document. La somme mentionnée, 3 250 000 dollars, lui donna le vertige. Le terrain ne valait sûrement pas autant, à moins qu'on ne puisse le découper en lotissements. Elle poursuivit sa lecture jusqu'à ce qu'elle tombe sur une clause prévoyant que la zone soit reclassée en terrains à bâtir.

— C'est définitif? demanda-t-elle à l'avocat. Mais je ne peux pas accepter que la maison de mon père soit mise en vente…

— La vente ne peut plus être effectuée, intervint l'inspecteur. Tous les biens de votre ex-mari, y compris la part de cette propriété qui lui appartenait, vont être bloqués en attendant l'homologation du testament.

Nathalie jeta un regard inquiet à son avocat. Sterling Johnson posa la main sur sa manche dans un geste qui se voulait rassurant. Elle reposa les papiers sur le bureau et s'essuya les mains sur sa jupe comme pour les décontaminer.

— Ma cliente ignorait manifestement cette transaction, observa Johnson.

— Voyons, Maître, protesta Monroe d'un ton agacé, elle était forcément au courant ! Ce document est une promesse de vente en bonne et due forme ; or votre cliente possédait la moitié du terrain concerné.

— Vous faites une hypothèse erronée, inspecteur. Dans l'Oregon, un accord de ce genre ne requiert la signature que d'un seul vendeur, même s'il y a deux propriétaires. Patterson pouvait mettre cette ferme en vente à l'insu de ma cliente.

— Dans quel but ? Elle aurait dû signer plus tard, de toute façon. Et, si elle refusait, le contrat était annulé.

Johnson ôta ses lunettes et les rangea dans sa poche de chemise.

— Autre hypothèse erronée. Je n'ai pas examiné le jugement de divorce des Patterson, mais il existe une clause fréquemment utilisée qui empêche l'une ou l'autre des parties de s'opposer sans raison à la liquidation des biens communs. Sinon, l'homme ou la femme pourrait constamment faire obstruction pour empêcher la vente du domicile conjugal, de la maison de vacances ou de divers autres biens, petits ou grands.

— Patterson aurait pu s'engager à ce point dans cette vente sans en parler à son ex-femme ? s'étonna l'inspecteur.

Johnson hocha la tête.

— Comme je vous l'ai dit, je n'ai pas lu les termes du jugement, mais je serais surpris que cette clause n'y figure pas.

Nathalie se sentait nauséeuse – Robert avait donc magouillé dans son dos pour la dépouiller de son héritage…

— Robert se mettait dans son tort, nota-t-elle. Nous nous étions mis d'accord, devant notaire, pour que chacun garde ce qui lui venait de sa famille.

— Comment s'appelle ce notaire ?

— Baskin, il me semble. Harry Baskin.

Sterling Johnson fronça les sourcils.

— Il est d'ici, de Crystal Falls ?

— Oui.

— Je n'ai jamais entendu parler de lui, affirma Johnson, or je connais tous les notaires de la ville. Vous avez vérifié ses références ? Vous êtes sûre qu'il était bien celui qu'il prétendait être ?

L'affolement gagna Nathalie.

— J'ai vu son nom sur la porte… C'est Robert qui l'avait embauché.

— Vous avez soumis cet accord à votre propre avocat, avant de le signer ? s'enquit Monroe.

Nathalie serra les poings. Complètement fauchée, elle avait été soulagée lorsque Robert avait offert de payer les honoraires du notaire – elle n'avait pas les moyens de soumettre le document à un autre juriste.

— Non, murmura-t-elle.

Johnson se gratta la gorge, ôta sa main de la manche de Nathalie et se renversa dans son fauteuil, l'air abattu. Puis, se rappelant à ses devoirs, il se redressa comme le policier s'adressait à lui avec un petit sourire satisfait.

— Maître, si vous n'avez jamais entendu parler de ce Harry Baskin, il me semble évident que Mme Patterson s'est fait rouler dans la farine : le contrat que son ex-mari et elle ont signé ne vaut sans doute pas le papier sur lequel il a été rédigé. Robert Patterson pouvait donc vendre cette propriété. Et quand son ex-femme s'en est aperçue, elle s'est mise dans une rage folle…

Les lèvres de l'avocat se pincèrent.

— Si ma cliente avait refusé de coopérer, M. Patterson aurait pu faire valoir la clause s'opposant à une entrave déraisonnable. Et le tribunal aurait autorisé la vente.

— Que Mme Patterson soit d'accord ou non?

Johnson se gratta à nouveau la gorge.

— Exactement.

— Corrigez-moi, si je me trompe, Maître, mais cela ne donne-t-il pas à votre cliente un mobile sérieux pour commettre un meurtre?

14

Avant de rentrer, Nathalie prit le chemin du club dans l'espoir d'y retrouver Zeke. Elle avait besoin de le voir, de sentir ses bras l'étreindre. Quand elle entra dans le bâtiment, elle l'aperçut, qui observait une prise électrique, accroupi devant le mur qu'il voulait abattre. Vêtu de son jean habituel et d'une chemise de travail, coiffé de son Stetson marron, il tenait à la main un instrument bizarre d'où sortaient deux fils.

Nathalie s'arrêta sur le seuil, le temps de se calmer – il ne s'agissait pas de se ruer sur lui comme une pauvre fille déboussolée. Après tout cette entreprise était la sienne ; elle avait lutté, économisé et travaillé comme une bête pour la faire tourner sans l'aide d'un homme. Elle avait besoin de Zeke, certes, mais elle avait aussi besoin de garder sa dignité : il était préférable de placer leurs retrouvailles sous un signe plaisant. Elle lui raconterait plus tard son entrevue avec Monroe, en n'énonçant que les faits, sans cacher son inquiétude mais en évitant de paniquer.

Lorsqu'elle se glissa derrière lui, se penchant et soulevant le bord de son chapeau pour lui embrasser la nuque, il sauta en l'air, pivota et faillit tomber sur les fesses.

— Doux Jésus !

— Pardon. Je ne voulais pas te faire peur…

Nathalie s'interrompit, bouche bée. Ce type ressemblait à Zeke comme un jumeau, mais ce n'était pas lui : elle avait embrassé un inconnu. Son cœur fit une embardée.

— Ô mon Dieu ! s'écria-t-elle, honteuse

L'homme souleva légèrement son Stetson afin de mieux la scruter de ses yeux bleus incroyablement semblables à ceux de Zeke. Puis il lui décocha un sourire charmeur.

— Vous devez être Nathalie. Moi, c'est Hank. Je suis le plus jeune frère de Zeke.

— Excusez-moi. Vous lui ressemblez tellement...

— Tu fais la sieste ou quoi ? cria soudain une voix.

Levant les yeux, Nathalie découvrit sur le seuil de la cuisine un autre cow-boy à la peau tannée, au regard bleu et au Stetson marron. Il se tenait exactement comme Zeke, légèrement déhanché, un genou plié – mais ce n'était toujours pas lui.

— Et voici Jake, l'aîné, annonça Hank avant d'émettre un sifflement strident : Oh ! Zeke ! Ton amie est là !

Zeke apparut alors sur le seuil du bar, lui adressant le sourire de travers qui était manifestement la marque de fabrique des Coulter.

— Bonjour, chérie. Qu'est-ce que tu fais là ?

— Elle embrasse de parfaits inconnus, répondit Hank. Tu ferais bien de l'épouser au plus vite avant qu'un cow-boy solitaire ne te la pique.

Le visage de Nathalie s'embrasa.

— J'ai cru... Tu parlais de ressemblance familiale, mais je n'avais pas idée... J'ai cru que c'était toi, acheva-t-elle, trop troublée pour trouver ses mots.

— Tu n'es pas la première personne à te tromper, assura Zeke en riant. Et ne te laisse pas déconcerter par Hank, c'est un incurable taquin... Montre-nous comme tu es bien élevé et lève-toi, petit frère. Je veux te présenter la dame de mon cœur.

— Ta dame et moi avons déjà fait connaissance, glissa malicieusement Hank en se mettant debout.

Il adressa un clin d'œil à Nathalie et ôta son chapeau.

— Hank Coulter, annonça-t-il en lui tendant la main. Ne croyez pas ce qu'il dit de moi, il ment comme un arracheur de dents… C'est le fléau de ma vie, d'être le plus beau garçon de la fratrie : tous mes frères sont jaloux, et n'arrêtent pas de m'embêter.

Zeke envoya un coup de coude dans le bras de son frère, qui fit semblant de perdre l'équilibre.

— Et, en plus, il est méchant.

Nathalie se sentait plus détendue. Ces taquineries entre frères lui rappelaient celles que Valérie et elle s'échangeaient. Elle serra la main de Hank.

— Je suis contente de faire votre connaissance. Vous élevez des chevaux, à ce que Zeke m'a dit ?

— Seulement quand je ne me porte pas volontaire pour des travaux de menuiserie, répliqua Hank.

Jake les rejoignit avec la même démarche nonchalante que Zeke.

— Enchanté, dit-il en lui tendant la main. Maintenant, je comprends pourquoi on ne voyait plus Zeke, ces derniers temps…

Comme Hank, Jake avait un sourire amical et un regard d'un bleu chaleureux. Il plut tout de suite à Nathalie.

— Nous sommes venus abattre votre mur, expliqua-t-il. Mais avant cela, il nous faut repérer votre circuit électrique.

— Merci infiniment pour votre aide.

— Je vous en prie, lâcha Hank en balayant ses remerciements d'un geste de la main. C'est à ça que sert la famille.

Sur ces mots, il s'accroupit à nouveau devant la prise, tandis que Jake portait un doigt à son chapeau pour la saluer avant de regagner la cuisine. Zeke posa un bras sur les épaules de Nathalie et l'entraîna vers le bar, puis referma la porte derrière eux, la serra contre lui et l'embrassa avec ardeur. Le temps qu'il s'écarte, Nathalie était déjà hors d'haleine et regrettait de gâcher cet instant en lui racontant ce qui s'était passé au poste de police.

— Qu'y a-t-il? demanda Zeke en la dévisageant.

Au lieu de faire preuve de courage et de maîtrise d'elle-même, comme elle l'aurait souhaité, la jeune femme s'effondra contre lui.

— Zeke, murmura-t-elle, j'ai si peur... Il s'est passé un truc épouvantable.

Il lui caressa le dos pour la rassurer.

— Quoi donc, chérie?

— Tu te rappelles avoir dit, hier, que je n'avais aucun mobile pour tuer Robert?

— Oui.

— Eh bien, aujourd'hui, j'en ai un.

Zeke la hissa sur un tabouret. Sa force et son regard rassurèrent Nathalie. Elle ne devait pas oublier que cet homme ne lui ferait jamais défaut; si elle avait des moments de faiblesse et éprouvait le besoin de s'appuyer sur lui, il ne la mépriserait pas.

— En vingt-quatre heures, tu as acquis un mobile?

— Oui. Un mobile très, très sérieux.

Zeke s'assit près d'elle pour écouter son récit.

— Monroe est persuadé que j'étais au courant d'un compromis de vente de la maison, et il y voit un mobile sérieux.

Zeke fit pivoter son tabouret; ses genoux enserrèrent ceux de Nathalie et ses grandes mains enveloppèrent chaudement les siennes.

— Robert essayait de vendre la ferme de ton père?

— Normalement, elle m'appartient, répondit Nathalie avant de lui exposer les termes du testament de sa grand-mère. Un jour, elle reviendra à Rosie. Elle était à mon nom, quand j'ai divorcé, et Robert a accepté de signer un contrat selon lequel chacun gardait ce qui lui venait de sa propre famille. Sauf qu'il m'a roulée dans la farine, pour changer...

262

Elle poursuivit en lui parlant de Harry Baskin, le faux notaire.

— Sterling Johnson a admis que j'aurais pu être obligée de vendre la ferme, si Robert en avait décidé ainsi.

— Ça ne signifie pas que tu l'as tué!

— Non, mais ça me donne une bonne raison d'avoir souhaité sa mort... Oh! Zeke, c'est terrible! s'écria-t-elle en levant les yeux au plafond. Tu sais, si j'avais trouvé cette promesse de vente il y a seulement deux jours, j'aurais pu effectivement songer à le tuer. Savoir qu'il était capable d'une pareille saloperie, de jeter à la rue Pop et papi sans se soucier une seconde de l'endroit où ils allaient vivre... Ça me rend folle.

Zeke lui prit le menton pour la forcer à le regarder.

— Souhaiter la mort d'un individu ne suffit pas à le tuer, et je te connais : tu n'aurais pas été plus loin. Aucun flic sensé n'essaiera de te mettre ça sur le dos.

— J'ai peur, Zeke. Je crois que je n'ai jamais eu aussi peur de ma vie.

Il mit pied à terre et la prit dans ses bras, offrant à Nathalie le réconfort qu'elle était venue chercher.

— Ne t'inquiète pas. Si cet inspecteur est assez cinglé pour t'accuser, je le combattrai de toutes mes forces.

La jeune femme enfouit son nez dans la chemise de son amant, s'enivrant de son odeur.

— Il te faudrait une fortune, pour le combattre et le vaincre... Je ne peux pas te laisser faire ça. Tu y perdrais tout.

— Essaie de m'en empêcher! Il y a cinq ans, ma fortune se réduisait à une poignée de rêves. Les biens matériels me laissent indifférent. Les fortunes se font et se défont en une seule journée, chérie. On ne doit pas laisser le fric gouverner nos vies.

— Et si, malgré tout, on me déclarait coupable?

— Eh bien, dans ce cas, nous fuirons, murmura-t-il. Que dirais-tu du Brésil?

— Le Brésil ?

— Ou la Colombie. Ou bien une île sous les tropiques… Nous vivrons comme des princes, en buvant des cocktails ornés de petites ombrelles. Rosie sera enchantée d'offrir des centaines d'ombrelles à sa Barbie.

Nathalie ne put s'empêcher de rire.

— Tu ferais ça pour moi ?

— Sans même prendre le temps de réfléchir une seconde. Tu aurais à peine le temps de me donner le feu vert qu'on serait déjà partis.

— Quelle chance j'ai de t'avoir rencontré, murmura-t-elle.

— C'est moi qui ai de la chance, répliqua-t-il. Mais ne te jette plus sur mon petit frère, d'accord ?

La jeune femme se surprit à rire à nouveau. Malgré les ennuis qui pleuvaient, elle aurait voulu crier de joie pour ce miracle : elle était aimée d'un homme qui parvenait à la faire rire alors que son univers s'écroulait.

— Si ce salaud n'était pas déjà mort, je le castrerais à coups de fourche ! décréta furieusement Naomi lorsque sa fille lui raconta les derniers événements.

— Et moi, je le décapiterais ! s'écria Pete en tapant sur la table avec son bol de café.

Pour la première fois depuis dix ans, les parents de Nathalie étaient d'accord. Trop épuisée pour renchérir, elle s'assit. Chad était parti dans la cour pour nourrir Chester, et Rosie jouait dans sa chambre avec sa Barbie et un buggy qui avait mystérieusement atterri sous le porche de la cuisine. Aucun des membres de la famille n'ayant admis avoir acheté ce jouet, Nathalie soupçonnait fortement son cher voisin d'être à l'origine de ce nouveau miracle.

— En tout cas, ne t'inquiète pas, reprit Pete en tapotant l'épaule de sa fille. Nous, les Westfield, on

264

se serre les coudes. Si ces foutus flics croient qu'ils vont pouvoir te mettre ça sur le dos, je te promets qu'ils vont rapidement devoir déchanter.

— Exactement, approuva Naomi en souriant à son ex-mari. Ils seront surpris de ce qui leur tombera sur le nez.

À cet instant, Valérie entra dans la cuisine en agitant ses ongles, qu'elle venait de vernir.

— Oh! quel charmant spectacle de famille unie!

— Tais-toi, répliquèrent ses parents d'une seule voix.

— Ce n'est pas le moment d'ironiser, ajouta sa mère. Ta sœur a des problèmes.

Valérie se laissa tomber sur une chaise.

— Pour une fois que c'est elle et pas moi, faut fêter ça… En tout cas, ça change agréablement, de vous voir d'accord, tous les deux.

— Tais-toi, répétèrent Pete et Naomi avant de s'écarter l'un de l'autre, Naomi rejoignant l'évier pour éplucher des pommes de terre, et Pete la cuisinière pour se servir une autre tasse de café.

— C'est le sang des Westfield qui coule dans les veines de cette fille, remarqua sournoisement Naomi en jetant un coup d'œil à Pete. Personne, dans ma famille, ne s'est jamais montré aussi insolent.

— Le sang des Westfield, mon œil! riposta son ex-mari. Cette fille est ton portrait craché, physiquement et moralement.

— Je suis peut-être une enfant trouvée, suggéra Valérie en battant des cils. Sous le porche de derrière, comme le buggy de Rosie. C'est comme ça que ça s'est passé, papa?

— Tais-toi donc, grommela-t-il.

— Ça doit être ça… Tu ne crois pas, petite sœur? Des cigognes nous ont déposées sous le porche.

Plantant les coudes sur la table, elle souffla sur ses ongles violets marbrés d'argent avant de reprendre:

— Je n'imagine pas ces deux-là en train de... Enfin, tu vois ce que je veux dire. Ils se tueraient d'abord.

— Valérie Lynn! cria Naomi en balançant une pomme de terre à moitié pelée à travers la cuisine.

Valérie baissa la tête en riant pour l'éviter.

— C'est une patate, qui a raté ma tête? Rien d'étonnant à ce que je loupe tout ce que je fais!

Naomi s'empressa de tourner le dos pour cacher son sourire.

— Je t'aurais touchée, si je l'avais voulu, petite sotte. Demande à ton père si je sais viser. Il te le dira.

— Elle est parfaitement capable d'atteindre sa cible, assura Pete. J'en sais quelque chose.

— Entre les deux yeux, précisa Naomi en riant.

— Tu as bien failli me castrer...

— Tu l'avais bien mérité. Un soir, votre père est rentré à la maison complètement bourré. Je l'ai prié d'aller dormir dans la grange et il a refusé.

Pete cligna de l'œil à l'adresse de ses filles.

— Elle était folle de jalousie! expliqua-t-il avec un large sourire. Elle croyait que j'étais allé m'amuser avec les filles de chez *Chester* et, quand j'ai franchi la porte, elle m'a accueilli avec une volée de patates sans même me laisser le temps de lui dire bonsoir et de lui demander ce qu'elle avait préparé pour le dîner.

— Et tu étais coupable? demanda Nathalie.

— Non, bien sûr. Mais impossible de la convaincre... Vous la connaissez!

Naomi se tourna vers lui, une autre pomme de terre à la main.

— Tu veux voir si je vise moins bien qu'avant, Pete Westfield?

— Non, m'dame.

Pete se hâta de faire retraite au salon, révélant une fois de plus la guérison miraculeuse de son dos. Nathalie adressa à sa sœur un regard entendu. Valérie sourit en soufflant sur ses ongles.

— Arrêtez de ricaner! grommela Naomi à l'attention de ses filles.

Valérie prit une expression sérieuse que contredisait la fossette creusant sa joue.

— Dis donc, maman, si on a un jar du nom de Chester, c'est parce que Pop aimait traîner chez *Chester*?

— Ce maudit volatile! ronchonna Naomi. Votre père l'a appelé comme ça juste pour m'agacer. Il savait très bien que ça me ferait grincer des dents chaque fois que je viendrais ici.

Valérie leva un sourcil en regardant sa sœur.

— Ah, les hommes! On ne peut ni vivre avec eux ni s'en passer...

— On ne peut pas vivre avec eux, ça, c'est sûr, s'écria Naomi en rinçant une pomme de terre. Je suis beaucoup plus heureuse dans mon petit appartement bien propre et bien rangé. Regardez cette cuisine! En dix ans, rien n'a changé, et déjà, à l'époque, elle était laide comme le péché... Valérie Lynn, lève-toi et donne-moi un coup de main.

— Mes ongles ne sont pas secs.

— Passe-les sous l'eau froide. Il faut fariner le poulet.

Valérie tâta délicatement l'un de ses ongles pour vérifier qu'il était sec puis se leva. Le poulet découpé attendait sur une planche.

— Ça suffirait à me rendre végétarienne, soufflat-elle en passant un doigt sur la chair luisante d'une cuisse. Je préfère les morceaux congelés, ça me dégoûte moins.

— Tu y survivras. Farine ce fichu poulet.

Nathalie palpa ses tempes douloureuses. Naomi s'essuya les mains et posa sur la table le tonnelet de vin de papi.

— Tu as l'air d'avoir besoin d'un remontant, chérie.

— Je ne crois pas que ça m'aidera, maman, répondit la jeune femme en soupirant. Tout tourne en rond dans ma tête… Et rien ne me paraît réel : j'ai du mal à croire que tout ça m'arrive véritablement.

— Moi, je le crois sans peine, intervint Valérie en jetant un coup d'œil par-dessus son épaule. Robert t'a gâché la vie depuis le jour où tu l'as rencontré. Maintenant, il t'assène le coup de grâce depuis la tombe – il ne peut pas reposer en paix en sachant que tu vas être heureuse.

Naomi sortit du placard trois verres étincelants et les posa sur la table.

— Mets en route les pommes de terre et le poulet, Valérie. Nous allons boire un ou deux petits coups, toutes les trois, pendant que le repas cuira.

Valérie prit son verre et le posa près de la cuisinière.

— Tu as raison : puisque tout fout le camp, enivrons-nous.

— Je veux seulement que cette histoire se termine, souffla Nathalie.

— Je ne peux pas te le reprocher, répliqua sa mère. Mais bois un bon coup. Je t'assure, il n'y a rien de mieux pour tout oublier.

— Ce n'est pas une solution, répliqua la jeune femme d'un ton las. D'ailleurs, je ne crois pas qu'il y ait de solution : Monroe se focalise sur moi, il est persuadé de ma culpabilité. Si rien ne survient pour lui désigner un autre suspect, il ne me lâchera pas.

Naomi attrapa le bloc-notes et le crayon qui se trouvaient à côté du téléphone.

— Eh bien, présentons-lui un autre suspect ! Qui, en dehors de toi, avait une raison de souhaiter la mort de ce salopard ?

Cette nuit-là, pour Nathalie, tout se passa comme dans un rêve : Zeke se glissa silencieusement dans son lit, caressa doucement son corps, puis embrassa sa gorge et sa poitrine jusqu'à ce qu'elle gémisse. Elle voulut prononcer son nom mais il couvrit sa bouche de la sienne et s'empara d'elle avec des mains puissantes et habiles qui semblaient connaître la moindre parcelle de sa peau. Un tourbillon de sensations la fit émerger du sommeil.

— Je t'aime, murmura-t-il tout en s'enfonçant profondément en elle. Je t'aime, Nattie chérie.

Elle s'accrocha à ses épaules, le corps ondulant pour mieux accueillir son amant, la tête emplie d'un kaléidoscope coloré tandis qu'elle atteignait l'orgasme. Ensuite, il la maintint contre lui en la caressant jusqu'à ce qu'elle s'apaise dans sa chaleur et s'enfonce à nouveau dans les voiles noirs du sommeil. Elle l'emmena dans ses rêves et ne s'inquiéta pas lorsque y apparurent l'inspecteur Monroe et son regard malveillant – l'homme de sa vie était à ses côtés.

Peu avant l'aube, elle fut réveillée par une sonnerie stridente. Ouvrant les yeux, elle vit Zeke pousser un bouton sur sa montre pour l'éteindre. Il lui sourit et caressa son ventre nu puis, sans mot dire, l'embrassa tendrement avant de disparaître dans la lumière grise de la fenêtre.

En fin d'après-midi, Nathalie reçut un coup de téléphone de Grace Patterson. Après avoir raccroché, elle partit à la recherche de son fils. Ne le trouvant pas dans la maison, elle élargit ses recherches, explorant le jardin puis les bâtiments extérieurs. La chaleur d'août qui écrasait la ferme pompait toute l'humidité de l'atmosphère. D'ordinaire, Nathalie appréciait l'air sec de cette partie de l'Oregon, mais aujourd'hui sa gorge était irritée, et ses vêtements lui grattaient la peau. Son père refusant d'installer l'air conditionné, la seule solution lorsque la maison devenait étouffante était d'ouvrir les fenêtres et de brancher les ventilateurs.

— Chad ? cria Nathalie, les yeux à demi fermés pour les protéger des rayons obliques du soleil.

— Je suis là, maman.

Elle contourna la grange et aperçut son fils juché sur ce qui restait de la clôture du paddock. Nathalie s'assit à côté de lui et, respectant son humeur morose, garda le silence. Des insectes vrombissaient dans les touffes d'herbe à leurs pieds ; les poules caquetaient dans le poulailler. De temps à autre, Daisy et Marigold ajoutaient leurs mugissements au concert ambiant.

— C'est là que je m'asseyais quand je voulais être seule, dit enfin Nathalie. J'espère que je ne te dérange pas…

— Non. J'aime bien rester là, moi aussi.

La tête penchée, Chad balançait ses pieds. Combien de fois lui avait-elle demandé de nouer ses lacets ? se demanda Nathalie en les regardant pendre tels des filets de bave de part et d'autre de ses chaussures. Cette habitude, comme celle qu'il avait de porter son short très bas sur les hanches, la laissait perplexe, même si elle savait que souvent les parents désapprouvaient la manière qu'avaient leurs enfants adolescents de s'habiller.

— Je… il faut que je te parle, Chad, commença-t-elle. Ta grand-mère Grace vient d'appeler.

— Qu'est-ce qu'elle veut ?

Nathalie laissa ses yeux errer vers les pins qui bordaient l'extrémité de la propriété. Enfant, elle allait souvent se promener dans ces bois pour y trouver un peu de silence et de fraîcheur.

— Elle est bouleversée : ton père était son seul enfant. Son mari est mort, lui aussi… Elle est très seule.

— Je pourrais aller la voir…

— Ça serait gentil.

— … mais je ne l'aime pas beaucoup, ajouta-t-il d'une voix morne.

Nathalie non plus, mais elle s'abstint de lui en faire part.

— Elle a de bons moments.

— Quand ? demanda Chad en lui jetant un regard en coin.

Nathalie émit un petit rire.

— D'accord, c'est rare. Mais c'est ta grand-mère, et je ne veux pas dire du mal d'elle.

— Je ne devrais pas, moi non plus, mais…

— Mais quoi ?

— Je ne sais pas, soupira-t-il. Regarde papi : il a beau ronchonner tout le temps, je l'aime beaucoup. Quand il s'arrête de râler pour reprendre son souffle, il me tapote le bras ou bien il m'embrasse, comme pour me dire de ne pas prendre sa mauvaise humeur au sérieux.

— C'est vrai qu'il ronchonne beaucoup et qu'il embrasse beaucoup, admit Nathalie en souriant. C'est son caractère : c'est un râleur affectueux.

— Grand-mère Grace ne me serre jamais dans ses bras. Elle ne m'embrasse que pour me dire bonjour et au revoir, mais en restant toute raide, comme si elle avait peur que je salisse ses habits. D'ailleurs, elle n'embrasse pas pour de vrai, elle se contente de faire un petit bruit à côté de la joue.

— C'est une dame très cérémonieuse, concéda Nathalie.

— Je ne suis jamais à l'aise avec elle. Même quand elle m'offre un gâteau ou autre chose, j'ai toujours peur de faire des saletés. Une fois, je voulais lui faire plaisir : j'ai étalé plein de serviettes en papier autour de mon bol de crème glacée pour protéger la nappe, et elle en a fait toute une histoire, comme quoi je

271

devais m'entraîner aux bonnes manières afin qu'elles deviennent une seconde nature.

— Je suis désolée. Tu n'es pas obligé d'aller la voir, si ça t'ennuie à ce point.

— J'irai, dit Chad en soupirant. Je ne la déteste pas. Et peut-être que ça lui fera du bien.

Le cœur de Nathalie s'emplit de fierté.

— Ça serait très gentil de ta part. Elle a besoin de se sentir aimée, en ce moment.

Il étendit les jambes et baissa les yeux sur ses chaussures.

— Elle a appelé, quand tu étais au poste de police. Mais uniquement pour me dire que j'hériterai un jour de l'argent des Patterson.

— Maintenant que ton père n'est plus là, c'est normal.

— Mais elle ne pense qu'à ça ! protesta Chad. Elle a pleuré un peu sur papa, mais elle voulait surtout parler de la responsabilité qui m'incombait et me dire que, maintenant, c'était à moi d'honorer le nom des Patterson.

Il se mit à agiter les pieds fébrilement.

— C'est comme si... Ça va te paraître moche, mais elle se comporte comme si je lui appartenais.

Nathalie ne comptait plus les fois où elle avait vu Grace et son mari Patterson utiliser leur argent comme moyen de pression sur Robert. Que son fils doive subir cela lui était insupportable, mais qu'y faire ? Chad était un Patterson, et elle ne pouvait empêcher son ex-belle-mère de lui transmettre sa fortune.

— Une grosse somme d'argent est une bénédiction, articula-t-elle en pesant ses mots. Elle permet de s'offrir des choses dont sont privés les trois quarts des gens : une belle maison, des vêtements élégants, une voiture de sport... Elle permet aussi d'aider des personnes moins favorisées. Parfois, l'argent permet même d'acheter du prestige et du pouvoir. Mais il y a des inconvénients.

— Lesquels ? s'étonna Chad.

— L'argent peut devenir un dieu, aux yeux de certaines personnes, pour qui dès lors plus rien d'autre ne compte. Je ne peux pas te donner de conseils en ce qui concerne ton héritage, ni te dire comment te comporter vis-à-vis de ta grand-mère – je n'ai pas le droit de le faire. Mais je peux te dire que les gens sont rarement heureux, quand ils laissent l'argent devenir la chose la plus importante de leur vie.

— Je ne veux pas devenir comme ça, répliqua le garçon..

— Eh bien, tant mieux. Possède l'argent, mais ne le laisse pas te posséder. Tu comprends ?

Chad acquiesça d'un hochement de tête.

— Et je ne laisserai pas grand-mère Grace me posséder grâce à l'argent qu'elle a et dont j'hériterai un jour, c'est ça ?

Nathalie sentit la tension quitter ses épaules.

— Exactement. Ce que tu peux dire quand elle t'en parlera, c'est que tu ne veux pas penser au jour où tu la perdras. Cela lui donnera bonne conscience tout en lui montrant que son argent n'a pas tant d'importance que ça pour toi.

Chad sourit.

— Ça marchera. D'ailleurs, c'est ce que je lui aurais répondu. Je ne veux pas penser à sa mort. Pourquoi a-t-elle appelé ?

— L'enterrement de ton père devait avoir lieu demain, mais le coroner ne veut pas nous rendre le corps.

— Pourquoi ?

— Dans un cas semblable, c'est fréquent.

Le corps de Robert devait être autopsié, mais Nathalie ne pouvait se résoudre à le révéler à son fils.

— Bureaucratie, paperasserie… C'est normal. Ils nous le rendront la semaine prochaine, ou bien celle d'après, et alors nous pourrons lui dire adieu comme il faut.

Chad avala sa salive.

— Je ne suis pas pressé. Et toi ?

Nathalie aurait donné cher pour clore au plus vite ce chapitre de sa vie.

— Non. Ce sera une cérémonie très triste.

— Ah bon ? s'étonna l'enfant en la regardant attentivement. Pour toi aussi ? Je sais que tu ne l'aimais plus, maman… Je sais même que, d'une certaine façon, tu le haïssais…

— Je ne le haïssais pas, chéri. Je haïssais les choses qu'il faisait. Tu comprends la différence ?

Chad hocha la tête.

— Pourquoi était-il comme ça, maman ? Je suis son fils et je ne lui ressemble pas. Rosie non plus. Que s'est-il passé pour que papa soit si bizarre ?

Nathalie se sentit enfin capable de parler de Robert sans amertume.

— J'imagine que sa mère était toujours crispée quand elle l'embrassait, et qu'elle se contentait de claquer des lèvres près de son oreille. Je pense aussi que jamais il n'a eu le droit de faire des saletés sur la nappe quand il mangeait de la glace.

Inspirant à fond, elle poussa un long soupir avec la sensation de s'être enfin libérée.

— À mon avis, dans son enfance, ton père a eu de beaux vêtements et de bonnes manières, il brillait à l'école, mais jamais il n'a été aimé, tout simplement. Or nous avons tous besoin d'être aimés sans raison, Chad. Sinon, nous grandissons avec le sentiment de n'être que du second choix.

— Toi, tu l'as aimé comme ça, non ?

— Je l'ai beaucoup aimé, admit Nathalie, un peu troublée.

Sans réserve, aveuglément, avec toute la dévotion dont peut être capable un cœur de dix-huit ans.

— Mais je pense que c'était trop tard pour lui, reprit-elle d'une voix plus ferme. Il avait passé tant d'années sans être sincèrement aimé qu'il ne savait pas ce que c'était et ne pouvait donc pas s'en réjouir.

— C'est triste...

Nathalie ébouriffa les cheveux de son fils.

— Quand tu penses à ton père et que tu souffres parce qu'il ne t'a pas pris dans ses bras quand tu en avais besoin, rappelle-toi que lui-même n'a jamais été réconforté.

— Zeke m'a dit presque la même chose. Selon lui, si papa n'a pas appris à aimer, c'est parce que personne ne l'a jamais vraiment aimé.

En entendant le prénom de son amant, Nathalie crut le sentir à côté d'elle.

— Quand crois-tu qu'aura lieu l'enterrement ? demanda Chad après quelques minutes de silence.

— Je ne sais pas. Sans doute un jour de la semaine prochaine, et c'est pour cette raison que je suis venue te parler : le camp commence lundi.

— J'avais oublié le camp.

— Tu as payé pour y aller, et je pense que tu t'y amuseras beaucoup. Mais tu risques de devoir t'absenter toute la semaine.

— Et l'enterrement de papa ?

— C'est la petite difficulté que nous devons aplanir. Je peux aller te chercher la veille de l'enterrement et te ramener le soir même, si tu veux.

Le regard de Chad erra au loin.

— Je crois que, cette année, je ne vais pas y aller.

— J'aimerais vraiment que tu prennes une semaine de bon temps. Mais je comprends que tu ne sois pas d'humeur à t'amuser : cela pourrait t'être pénible, d'être au milieu d'amis qui ne pensent qu'à faire les fous...

Chad déplaça ses mains sur la barrière et se pencha en avant. Ses épaules saillaient sous son tee-shirt, plus larges que dans le souvenir de Nathalie. Bientôt, il serait un homme, réalisa-t-elle avec un coup au cœur.

— Je suis triste, mais je pense que je pourrais quand même m'amuser.

— Alors, vas-y.

— Je préfère rester à la maison, insista-t-il. Si jamais il arrive quelque chose, je veux être avec Rosie.

Nathalie resta sans voix. Son fils en savait plus qu'elle ne l'avait espéré ; et la force dont il faisait preuve la bouleversait. Non seulement il manquerait le camp, mais il perdrait l'argent qu'il avait versé d'avance pour payer son séjour.

— Pourquoi les flics pensent que c'est toi qui l'as tué ? demanda-t-il. Je ne pige pas. Quand papi met de la mort-aux-rats dans la grange, tu es dans tous tes états : tu es incapable de tuer, et surtout pas notre père. Pourquoi te soupçonnent-ils ?

Les doigts de Nathalie se crispèrent sur la barrière. Si Chad était assez grand pour poser la question, il l'était aussi pour obtenir une réponse franche.

— C'est une longue histoire, commença-t-elle.

Il était 17 h 45 ce soir-là lorsque le téléphone de Zeke sonna.

— Je sais que le préavis est un peu court, lança Naomi d'une voix guillerette, mais voulez-vous vous joindre à nous pour le dîner ? Je n'ai rien préparé d'extraordinaire, juste un rôti à la cocotte, mais j'ai pensé que vous aimeriez avoir un peu de compagnie.

Zeke baissa les yeux sur le steak qu'il venait de sortir du congélateur.

— Ça sera avec plaisir.

276

— Bien. Vous pouvez venir quand vous voulez. Si le dîner n'est pas prêt, nous bavarderons.

— Dans cinq minutes ?

— Parfait. Et… Zeke ?

— Oui ?

— Mettez vos bottes, cette fois-ci.

— Entendu. Je peux apporter quelque chose ?

— Non, sauf si vous avez du vin rouge… Celui de papi pourrait faire l'affaire mais il est plutôt râpeux.

Moins de dix minutes plus tard, Zeke était sous le porche des Westfield, deux bouteilles de merlot sous le bras. Naomi apparut derrière la moustiquaire, vêtue d'un jean, d'un corsage noir et de chaussures blanches ; même peu apprêtée, elle était d'une élégance indéniable, observa son hôte, perplexe – comment Pete avait-il osé la laisser filer ? La mère de Nathalie le fit entrer dans la cuisine et le débarrassa du vin.

— Ma fille joue avec Rosie dans le salon. Je ne lui ai pas encore annoncé votre visite, mais j'ai pensé que ça lui remonterait le moral, de vous voir.

— Elle déprime ?

— Pas vraiment, mais elle est inquiète. Chaque coup de téléphone la fait sauter en l'air.

— J'ai parlé avec Monroe, aujourd'hui, dit Zeke à mi-voix.

— Ah bon ? À quel sujet ?

Zeke évoqua le prélude de Chopin qu'avait entendu Nathalie le jour du meurtre.

— Elle avait l'intention d'en parler elle-même à l'inspecteur, mais j'ai eu peur que cette histoire de promesse de vente ne le lui fasse oublier. Sterling Johnson m'a confirmé que tout élément, même infime, devait impérativement être transmis à la police.

— Il va interroger toutes les petites amies de Robert ?

— Il a déjà rencontré Cheryl Steiner, la dernière en date. Nathalie ne s'est pas trompée : Cheryl a quitté la maison de son amant vers 17 h 30, environ une heure avant l'arrivée de votre fille, expliqua Zeke en accrochant son chapeau à une patère. Robert et elle avaient prévu de passer la soirée ensemble et s'apprêtaient à monter dans leur chambre lorsque le téléphone a sonné. Après y avoir répondu, Robert Patterson a changé leurs plans : il lui a donné sa carte de crédit en lui conseillant d'aller faire des courses et de ne pas revenir avant 22 heures. C'est elle qui l'a trouvé dans le garage.

— Elle a entendu le moteur tourner ?

— Non. D'abord, elle n'a rien entendu. Puis, vers minuit, le moteur s'est mis à tousser et elle est allée voir ce qui se passait.

Naomi frissonna et se frotta les bras.

— Si elle est restée dans la maison pendant deux heures sans entendre quoi que ce soit, pourquoi l'inspecteur Monroe trouve-t-il étrange que Nathalie n'ait rien remarqué en l'espace de quelques minutes ?

— C'est précisément ce que je lui ai demandé.

— Et ?

— Il affirme qu'il doit vérifier les versions de tout le monde. Et qu'il a interrogé Nathalie sur ce point justement parce que Mlle Steiner prétendait n'avoir rien entendu avant que le moteur ne se mette à tousser.

— Et, malgré tout, ma fille figure toujours en tête de sa liste de suspects ?

Zeke jeta un coup d'œil vers le salon avant de hocher la tête.

— Je crois que c'est à cause de cette satanée promesse de vente... Il semble que votre fille soit la seule à avoir un mobile aussi sérieux.

— Il y a forcément quelqu'un d'autre...

Zeke acquiesça d'un battement de cils.

— Pensez-vous que la mère de Robert accepterait de me parler ? s'enquit-il au bout de quelques secondes.

— Grace ? fit Naomi en levant les yeux au ciel. Vous fréquentez le milieu du country club ?

— Non.

— Alors, il est peu probable qu'elle daigne vous recevoir : cette femme a des préjugés sociaux plus que rigides...

— Mais je crois savoir quel nom prononcer pour qu'elle accepte de me rencontrer.

— Vraiment ? Et lequel ?

— Ryan Kendrick.

Les yeux de Naomi s'écarquillèrent.

— Celui de Rocking K ?

— Lui-même. Ryan est mon beau-frère.

Naomi croisa les bras en souriant.

— Eh ben, dites donc ! Avec ce sésame, vous n'aurez aucune difficulté à être reçu, je peux vous l'assurer. Puis-je vous demander de quoi vous voulez lui parler ?

— Je voudrais qu'elle me fournisse une liste des gens avec qui Robert faisait des affaires ces temps-ci.

— Monroe le lui a sûrement déjà demandé.

— Probablement. Mais il n'a peut-être pas posé la bonne question. Ceux qui m'intéressent, ce sont ceux dont les affaires ont échoué pour une raison ou une autre.

Les yeux de Naomi s'éclairèrent.

— Ceux qui se seraient fait rouler, autrement dit.

— Exactement. Le type qui s'en va avec son fric n'est en général pas trop fâché ; c'est celui qui a investi à perte qui risque de péter les plombs. Il est possible que je ne trouve rien, mais si quelqu'un est au courant des magouilles de Robert Patterson, ce doit être sa mère.

Une Barbie à la main, Nathalie flirtait avec Ken d'une voix haut perchée lorsqu'elle sentit Zeke s'approcher d'elle. Elle rougit en croisant son regard rieur.

— Qu'est-ce qui se passe, ici ? demanda-t-il de cette voix grave qui la faisait frémir.

— Nous jouons avec Barbie ! expliqua Rosie. J'ai reçu un buggy, aujourd'hui !

L'étonnement excessif de Zeke confirma les soupçons de la jeune femme : enfin elle savait d'où venait ce mystérieux cadeau ! La gentillesse dont il faisait preuve envers ses enfants l'émouvait aux larmes.

— Super ! lança-t-il en admirant le buggy que brandissait Rosie. Maintenant, Barbie a de jolies roulettes... Mais ce jeune homme conduit-il assez prudemment ? s'inquiéta-t-il en désignant Ken, que l'enfant avait jeté de côté.

— Oh ! oui, il a son permis et tout ce qu'il faut ! Et il est très prudent.

— Bien. Si j'étais le papa de Barbie, je lui ferais faire un tour, avant de l'autoriser à emmener ma fille avec lui.

— Tu veux être son papa ?

— Rosie, intervint Nathalie. M. Coulter ne...

— M. Coulter s'appelle Zeke, la coupa-t-il. Et j'aimerais beaucoup être le papa de Barbie.

Adressant à la jeune femme un sourire ravageur, il s'assit en tailleur sur le plancher et examina le bikini de la poupée.

— Mais une chose, avant tout : si je suis le papa de Barbie, je ne veux pas qu'elle se promène toute nue, sinon je vais l'empêcher de sortir jusqu'à la fin des temps.

— Ça a été le pire moment de ma vie ! s'écria Naomi en pleurant de rire. Pauvre bébé ! Elle s'est retrouvée en petite culotte sur la scène, au milieu de son beau costume rouge étalé comme une flaque autour des chevilles.

Zeke serra la main de Nathalie sous la table. Le repas était fini depuis longtemps et les assiettes trempaient dans l'évier. Les bouteilles apportées par Zeke étant vides, le tonnelet de papi avait pris le relais.

— Le pire moment de *ta* vie ? répéta Valérie, outrée. C'est moi que tout le monde regardait, pas toi !

Naomi s'essuya les joues.

— Finalement, la pauvre petite chose a eu la présence d'esprit de se glisser derrière le rideau. Mais comme on ne la voyait pas revenir, Pete est parti à sa recherche. Après avoir fouillé partout pendant plus d'une demi-heure, il était sur le point d'abandonner lorsqu'il a entendu des sanglots dans un placard. Quand il en a ouvert la porte, elle était là, cachée sous un costume de père Noël datant de l'hiver précédent, ses fleurs jaunes écrasées sur la tête.

Renversée sur le dossier de sa chaise, Valérie faisait tourner son verre entre ses doigts.

— Ce fut la seule occasion que j'aie jamais eue de devenir célèbre… soupira-t-elle avec nostalgie. Et ma mère a tout bousillé en collant mon costume au lieu de le coudre.

Naomi céda à nouveau au fou rire.

— Oh ! quelle année horrible ! Je devais aider Pete dans les champs, tenir la maison, m'occuper des enfants… les journées étaient trop courtes. Après avoir coupé les différentes pièces formant le costume, j'ai décidé de les assembler avec du tissu thermocollant pour aller plus vite – je pensais que ça tiendrait au moins une soirée ! Mais ça n'a pas marché, et ma fille ne me l'a jamais pardonné. Je crois que ce qui l'a le plus traumatisée, c'est qu'elle portait une culotte marquée jeudi alors qu'on était vendredi…

Pete décocha un clin d'œil à sa fille.

— Déjà à l'époque, ça ne la troublait pas de montrer ses fesses à trois cents personnes ! Mais de se tromper de jour… Quelle horreur !

— Rien n'a changé, approuva Valérie. Offre-moi des sous-vêtements élégants et je descends la Grand-rue en plein jour.

— Voilà le passé sordide de la famille Westfield, conclut Naomi. Maintenant à vous, Zeke.

— J'ai cinq frères et sœur. Si je commence à vous raconter dans le menu les folies qui nous sont arrivées, on en a pour toute la nuit… Et puis je crains qu'aucune de mes histoires ne soit aussi amusante que les vôtres.

— Allons, ne vous faites pas prier, insista Naomi.

— Par quoi voulez-vous que je commence ? Les démêlés de Hank avec la police le soir où, avec des amis, il a installé la Triumph d'un professeur dans le gymnase ? La bagarre dans laquelle tous les garçons Coulter se sont rués pour défendre Tucker ? Ou bien la fois où Hank s'est chargé de maquiller notre sœur Bethany avant le bal de promo ?

Le menton posé sur le poing, Naomi eut un sourire ravi.

— Je veux les entendre toutes les trois. Mais d'abord, parlez-nous de vous.

Un peu gêné, Zeke lâcha un petit rire.

— En toute franchise, j'étais un enfant plutôt ennuyeux. Je ne me rappelle aucune histoire amusante me concernant.

— Vraiment ? s'étonna Naomi en haussant un sourcil élégant. Ça vous arrive souvent, de vous tirer des situations embarrassantes par un mensonge, ou bien c'est exceptionnel ?

Zeke éclata de rire, franchement cette fois.

— Bon, d'accord. Voyons… Un jour, j'ai glissé dans les cigarettes de mon père quelques-uns de ces petits pétards qu'on peut acheter dans les magasins de farces et attrapes. Elle vous convient, celle-là ?

— Ça ira, opina Naomi, les yeux prêts à rire.

Tout en commençant son récit, Zeke caressait du pouce la main de Nathalie.

— À l'époque, j'avais environ seize ans. J'étais furieux contre mon père parce que son docteur lui avait demandé d'arrêter de fumer et qu'il n'en tenait aucun compte. Pour l'inciter à se plier aux recommandations du médecin, j'ai eu la brillante idée de mettre des pétards dans ses cigarettes. Je n'en ai bricolé que trois et, ne voulant pas être pris sur le fait, je les ai glissées à la fin du paquet avant de partir en classe. Mon père fumait à la chaîne, souvent deux ou trois paquets par jour : j'étais quasiment sûr que le drame aurait lieu pendant mon absence. Mais s'il n'avait pas l'intention d'arrêter de fumer, mon père essayait de réduire sa consommation, ce que je n'ai appris que plus tard… Le soir, quand je suis rentré, il n'a pas dit un mot de ses cigarettes et, après le dîner, s'est installé devant la télévision pour fumer. C'est là que j'ai remarqué que son paquet n'était qu'à moitié entamé. J'ai passé la soirée à me retourner dans mon lit en attendant que ces maudites cigarettes lui explosent à la figure… soupira Zeke en feignant l'exaspération. Il ne s'est rien passé jusqu'au lendemain matin – plus précisément jusqu'à ce que mon père se rende à la banque : il avait des problèmes de trésorerie et voulait emprunter de l'argent. Lorsque le directeur l'a invité dans son bureau et lui a demandé si la fumée le gênait, mon père a bien sûr répondu par la négative et tous les deux se sont allumé une cigarette. C'est là que celle de mon père a enfin explosé ! La loi de Murphy, en somme…

— Oh, bien sûr ! commenta Naomi d'une voix étranglée par le rire.

— Papa a toujours soutenu que j'avais mis double charge, car la détonation a été assourdissante et a projeté du tabac et du papier un peu partout dans le bureau du directeur de la banque.

— Oh, non! s'étrangla Naomi en s'affalant sur sa chaise.

— Est-ce que ton vieux a obtenu son prêt? s'enquit Pete entre deux hoquets.

— À vrai dire, oui: le banquier avait lui aussi des fils adolescents, et l'un d'eux lui avait fait la même blague peu de temps auparavant.

Quelques minutes plus tard, Zeke s'apprêtait à raconter le bal de promo de sa sœur Bethany lorsque la sonnette de la porte d'entrée retentit. Tous les convives se redressèrent.

— Qui ça peut être, nom de nom? grommela papi.

— Il n'est que 20 h 40, remarqua Naomi.

À cet instant, Chad sortit du salon où sa sœur et lui regardaient un documentaire animalier.

— Il y a deux types en uniforme, dehors, murmura-t-il. On dirait des flics.

Lorsque Pete alla ouvrir la porte, il trouva deux policiers de Crystal Falls sous le porche, qui exhibèrent leurs cartes et un mandat de perquisition. Le père de Nathalie n'eut pas d'autre choix que de les laisser entrer, ce que papi souligna en ronchonnant durant les deux heures pendant lesquelles les inspecteurs aux mains gantées mirent la maison à sac, renversant les boîtes de céréales et les tiroirs, vidant les placards, défaisant les lits, retournant les matelas, dévastant tout ce qui pouvait l'être. Zeke remarqua que les deux policiers s'intéressaient surtout aux médicaments de l'armoire à pharmacie, qu'ils glissaient dans un sac en plastique sans même prendre la peine d'en lire les étiquettes.

Lorsque les deux hommes eurent passé chaque pièce au peigne fin, Zeke courut enfermer Chester, promettant à Nathalie de libérer l'animal après le départ des policiers.

— Ils ont presque fini. Ils ont même fouillé le grenier, lui souffla-t-elle comme les deux inspecteurs redescendaient.

Nathalie et Zeke regagnèrent le salon où, les yeux écarquillés et les joues pâles, les deux enfants s'étaient blottis l'un contre l'autre sur le canapé.

— Vous allez pas ranger votre bordel? gronda papi en voyant les deux hommes sur le point de partir.

— Non, m'sieur, répondit le plus vieux. Ça ne fait pas partie de notre boulot.

— Tandis que foutre le bordel, ça en fait partie?

L'inspecteur sourit poliment.

— Je vous présente nos excuses. Je sais qu'une perquisition peut être désagréable.

— Désagréable! explosa papi. Vous avez mis la maison sens dessus dessous!

— Vous pourrez contacter nos supérieurs dès demain, s'il y a un problème, répliqua l'autre policier. Nous vous prions encore une fois de nous excuser.

— Attendez une minute! cria papi en les suivant sous le porche. Ce sont mes comprimés pour la tension que vous emportez!

Le vieil inspecteur baissa les yeux sur le sac en plastique qu'il tenait.

— On vous rendra ces médicaments quand le laboratoire les aura examinés.

— Ça va prendre combien de temps?

— Un jour ou deux.

— Et, ce soir, je vais prendre quoi? Si je meurs d'une attaque, mon fils vous fera un procès et vous y perdrez votre culotte!

L'autre lui montra le sac.

— Quel flacon contient vos médicaments pour la tension, monsieur Westfield?

— Celui-ci.

Le policier enfila à nouveau ses gants en plastique, prit le flacon et en lut la posologie, puis il fit tomber trois comprimés dans la main de papi avant de ranger le flacon dans le sac.

— Trois comprimés vous suffiront, en attendant qu'on vous rende le tout, intervint son collègue plus jeune.

Papi secoua la tête.

— Bon Dieu de bon Dieu, où va ce pays ? fulmina-t-il. De toute ma vie, j'ai jamais vu ça ! Vous avez une idée du prix de ces foutus comprimés ? Plus de cent dollars par mois… J'ai pas les moyens de m'en racheter !

— Je comprends, m'sieur, et je vous assure que tout vous sera très probablement rendu. Je dirai aux techniciens d'examiner ce médicament au plus vite.

Tandis que papi rentrait dans la maison en jurant, Zeke sentit le corps de Nathalie se faire lourd contre le sien. La jeune femme était livide, et ses yeux brillaient d'un éclat terrifié.

— Ils cherchaient des sédatifs, balbutia-t-elle d'une voix que l'épuisement rendait anormalement aiguë. Ils pensent que c'est moi qui ai drogué Robert…

Caressant doucement la joue de sa compagne, Zeke jeta un œil à Rosie, qui se tenait serrée contre son frère au point de monter sur ses genoux. Chaque chose en son temps, se dit-il en montant dans la chambre de la petite fille. Que les lois de l'Oregon autorisent ces invasions barbares était insupportable ! fulminait-il en rangeant les vêtements dans les tiroirs et en retapant le lit. Il n'y avait pas une pièce intacte… Les inspecteurs n'avaient fait que leur boulot, certes, mais ils auraient quand même pu éviter de laisser une telle pagaille derrière eux.

Il lissait le couvre-lit lorsque Nathalie entra, sa fille blottie sur son épaule.

— Elle dort déjà, Dieu merci, chuchota la jeune femme.

Nathalie déposa l'enfant sur son lit, puis passa un temps infini à arranger le drap et la couverture sur le petit corps inerte.

— C'est ma faute, lâcha-t-elle soudain d'une voix éteinte. De toutes les choses idiotes que j'ai faites dans ma vie, ma visite incognito chez Robert est la pire. Rien de tout cela ne serait arrivé si je n'avais pas été aussi sotte.

— Mais tu ne savais pas qu'il avait été assassiné ! Si ce meurtre n'avait pas eu lieu, que serait-il arrivé ? Au pire, Robert aurait remarqué la disparition des verres et t'aurait accusée de vol – ce qui n'aurait rien eu de dramatique, puisque ces verres étaient de toute façon les tiens.

— Mais le fait est qu'il a été assassiné, murmura la jeune femme avec lassitude. Et, maintenant, parce que j'étais là, ils sont convaincus que je l'ai tué.

Zeke ne pouvait la contredire, et cela le rendait malade de voir que Robert Patterson n'en finissait pas de faire souffrir son ex-femme. Pour la première fois, en effet, Zeke réalisait que l'amour de sa vie risquait la prison.

15

Après le départ de Zeke, Nathalie but une tisane avec sa mère et monta se coucher. Une fois seule dans sa chambre, elle s'adossa à la porte et contempla le fouillis laissé par les deux inspecteurs : des vêtements pendaient des tiroirs ouverts, d'autres gisaient sur le sol. Elle rangea dans la penderie ce qui devait être suspendu et retapa vaguement le lit. Elle comprenait à présent ce qu'éprouvaient les gens dont la maison avait été cambriolée. Les policiers avaient tout tripoté, y compris sa lingerie. La boîte à chaussures dans laquelle elle gardait des souvenirs avait été renversée, et des mains insouciantes avaient dispersé son contenu. Comme Nathalie s'accroupissait pour ramasser les dégâts, elle aperçut une boucle des cheveux de Chad et sourit en repensant au bébé adorable qu'il avait été. Puis des larmes affluèrent dans ses yeux lorsque, en rangeant l'album de Rosie, elle vit l'empreinte minuscule de son pied.

Une fois la boîte reposée sur l'étagère de la penderie, elle se coucha. Comme d'habitude, les bruits de la nuit eurent sur son esprit tendu l'effet apaisant d'une berceuse. Un engoulevent vrombissait en plongeant pour attraper des moustiques, tandis que les grillons chantaient joyeusement, répondant aux coassements des grenouilles qui s'élevaient de la mare. La vieille ferme des Westfield gémissait et craquait.

Les yeux vissés sur le plafond baigné d'argent par le clair de lune, Nathalie laissait ses pensées dériver. Elle espérait que Zeke viendrait se faufiler dans sa chambre, cette nuit ; c'était grâce à l'étreinte de ses bras qu'elle avait pu tenir bon, ces derniers jours.

Durant le dîner, il lui avait annoncé que le mur séparant la salle à manger et le bar du club avait été abattu. Le lendemain, ses frères et lui arrangeraient le parquet et masqueraient les marques souillant les murs et le plafond. Nathalie avait hâte de voir le résultat des travaux mais, hélas ! il lui faudrait d'abord remettre sa maison en ordre. Alors qu'elle songeait au nouveau visage qu'aurait bientôt le *Perroquet bleu*, elle sentit que ses paupières s'affaissaient. La chaleur de l'édredon la détendait et elle se réjouissait pour la énième fois des nuits fraîches dont bénéficiait cette partie de l'Oregon en été – la journée pouvait avoir été étouffante, les vents nocturnes apportaient toujours un soulagement.

Nathalie dormait depuis quelques minutes à peine quand un glapissement rauque la réveilla en sursaut. Chester ? La vue encore brouillée, elle courut à la fenêtre, se pencha et entendit une voix d'homme jurer. D'après le vacarme qu'elle perçut ensuite, l'intrus avait dû heurter une plaque métallique appuyée contre l'appentis abritant la pompe à eau.

— Zeke ? appela-t-elle à mi-voix. C'est toi ?

Près des voitures garées entre la clôture et la grange, un tourbillon de plumes blanches battait des ailes. Une silhouette humaine apparut soudain de ce côté, courant vers l'arrière de la grange.

Entendant le jar crier à nouveau, Nathalie imagina Zeke contourner la grange en sautant par-dessus les clôtures pour échapper aux pincements vicieux de Chester. Elle pensait à enfiler sa robe de chambre pour courir enfermer l'animal quand une voix retentit soudain dans sa chambre :

— Qu'est-ce qui se passe, bon Dieu?

La question de Valérie fit sursauter Nathalie, qui en se redressant brusquement se cogna violemment la tête contre l'embrasure de la fenêtre.

— Aïe!

— Pardon, fit Valérie. Qu'est-ce qui met Chester dans cet état?

— Je pense qu'il poursuit Zeke.

— Oh… Comme s'il n'était pas assez dangereux comme ça d'escalader le toit de la maison… Quel volatile stupide! Je croyais qu'il s'était habitué à Zeke.

— Il ne l'a peut-être pas reconnu, dans l'obscurité.

— Un jour, Zeke va s'énerver et lui tordre le cou… Bon, si c'est ça, je vais me recoucher, conclut Valérie en quittant la pièce.

Nathalie se retourna vers la fenêtre pour scruter la nuit à présent silencieuse. N'apercevant ni Zeke ni Chester, elle regagna son lit. S'il s'avérait que le jar avait empêché son amant de venir la retrouver, elle risquait fort de lui tordre le cou elle-même.

Il était 3 heures du matin lorsque Zeke enjamba la fenêtre de Nathalie et se glissa à côté d'elle.

Elle se réveilla et sourit.

— Tu es revenu.

— Bien sûr. Désolé pour mon retard.

Elle glissa un bras sous son cou.

— C'est moi qui suis désolée. Chester est toujours en vie?

Zeke lui jeta un regard étonné.

— Pourquoi ne le serait-il pas?

— Je suis surprise que tu ne l'aies pas découpé en morceaux! répondit-elle en riant. Je ne comprends pas pourquoi il recommence à te pourchasser ainsi…

— Mais Chester ne me pourchasse plus ! protesta Zeke. Quand je l'ai libéré en partant, tout à l'heure, il s'est comporté en parfait gentleman.

Alors que Nathalie se redressait pour le regarder, interloquée, il la trouva si belle qu'il approcha ses lèvres des siennes pour l'embrasser. Elle l'arrêta net.

— Ce n'est pas à toi qu'il s'en prenait ?

— Cette nuit ? Chester a attaqué quelqu'un ?

— Un homme, vu sa taille, ou bien un garçon déjà grand, qui traînait près des voitures. Ce n'était pas toi ?

Zeke lui lança un coup d'œil inquiet.

— Mais non. Je suis passé au magasin pour mettre à jour ma paperasserie, ça a duré plus longtemps que prévu : je viens de rentrer. Tu as une lampe de poche ? demanda-t-il en se levant. Je ferais mieux d'aller voir.

Nathalie ouvrit les bras.

— Je suis sûre que tout va bien. Ce devait être un gamin qui voulait siphonner de l'essence, rien de grave. Viens te recoucher.

— Et s'il avait dévalisé les voitures ?

— Eh bien, tant pis. De toute façon, il est parti, maintenant. S'il manque quelque chose, nous nous en inquiéterons demain.

Elle le regardait d'un tel air que Zeke céda à ses prières. Il vint se rallonger à ses côtés et l'embrassa tendrement. Elle soupira en lui rendant son baiser, et Zeke en oublia immédiatement tout ce qui concernait les voitures.

Le lendemain matin, Nathalie se leva de bonne heure et descendit à la cuisine. Valérie était déjà debout et buvait une tasse de café.

— Tu es tombée du lit ? s'étonna la jeune femme.

— On a du boulot, aujourd'hui : il faut remettre la maison en ordre. Je préfère m'y attaquer avant qu'il ne fasse trop chaud.

292

— Bonne idée ! approuva Nathalie en ouvrant la porte. À propos, ce n'était pas Zeke que Chester pourchassait, cette nuit. Je vais jeter un œil dehors, histoire de voir si l'on n'a rien volé.

Elle examina les voitures ; apparemment, rien ne manquait. Le radiocassette portatif de Valérie était sur le siège du passager de sa Mazda, la chaîne de Naomi n'avait pas été démontée et les outils de Pop étaient toujours à l'arrière de son pick-up.

— Si c'est un voleur, il s'est sauvé avant de pouvoir se servir, dit Nathalie à sa sœur en rentrant. Ce devait être un gamin qui essayait de siphonner de l'essence.

— Avec Chester comme gardien, c'était loupé d'avance, remarqua Valérie en riant.

— Tant mieux. J'ai à peine les moyens de faire le plein pour aller au club.

Nathalie sortit une tasse du placard. Le plan de travail était couvert de céréales. Elle revit les inspecteurs renverser les boîtes puis y réenfourner les céréales avec les mains. Elle décida de tout jeter à la poubelle – il n'était pas question que ses enfants mangent cette nourriture souillée.

— Ça me révolte, grommela-t-elle en prenant un torchon pour essuyer le plan de travail. Comment la police peut-elle s'introduire de force chez les gens et faire ce genre de choses ? Il y en a même un qui a plongé les doigts dans la farine.

— Ils avaient des gants.

— Comment savoir si ces gants étaient propres ? S'ils en mettent, c'est uniquement pour éviter de laisser leurs empreintes sur d'éventuelles pièces à conviction. À mon avis, ils portent toujours les mêmes, et Dieu seul sait quelles saletés ils ont touchées avant. Un réservoir de chasse d'eau, par exemple. C'est toujours là qu'ils regardent en premier, dans les films.

— C'est dégoûtant ! soupira Valérie. Tu as raison, il faut tout mettre à la poubelle.

— Je vais jeter la farine et les céréales. Je n'en mangerai pas, et mes enfants non plus.

— Je suis d'accord sur ce point, mais ça ne sert à rien de s'énerver. Ces types ne faisaient que leur travail.

Tout en parlant, elle croisa ses jambes minces que dévoilaient des fentes stratégiques découpées sur son jean. L'une d'elles était si haute que l'on apercevait un bout de culotte rose.

— Si tu avais tué Robert, tu n'aurais pas caché les sédatifs dans ton armoire à pharmacie, n'est-ce pas ?

— Non, bien sûr. Je les aurais jetés, ou bien cachés dans un endroit improbable.

— Comme un paquet de farine ?

— Plus maintenant, en tout cas. L'image de ce type farfouillant dans la farine est gravée à jamais dans ma tête, dit Nathalie en se servant une tasse de café. Excuse ma mauvaise humeur, petite sœur… En plus je voulais faire un tour au club aujourd'hui : Zeke m'a raconté qu'il avait une autre allure, maintenant que le mur avait disparu. Mais voilà, avec la razzia d'hier, ma journée est foutue…

— Mais non, voyons, tu peux y aller. Maman et moi, nous nous chargerons de ranger la maison.

— Je ne peux pas vous laisser tout le boulot. C'est ma faute si c'est arrivé.

— Il serait préférable que tu éloignes les enfants. La pauvre petite Rosie ne comprend rien à ce qui se passe. Tu as vu ses yeux, hier soir ? Ces types la terrorisaient.

Tenant sa tasse à deux mains, Nathalie se retourna et s'adossa à la cuisinière.

— Cette séance les a tous les deux chamboulés.

— Alors, emmène-les, insista Valérie. Ça ne m'ennuie pas, je t'assure. Et je sais que maman sera d'accord. Cela fait des semaines que vous n'êtes pas allés à l'église. Et puis vous pourriez faire un tour au club ;

après, tu leur offriras un bon repas ou une distraction un peu rigolote, histoire de leur changer les idées.

— Tu es sûre ?

— Sûre et certaine. Tu me le revaudras, c'est tout.

Nathalie jeta un coup d'œil à sa montre, finit son café, embrassa sa sœur et monta tirer les enfants du lit.

— Aujourd'hui, on met les habits neufs ! annonça-t-elle.

À ces mots, Rosie s'arrêta au milieu du couloir, plantant les poings sur ses hanches.

— Je croyais qu'on ne devait pas les mettre avant la rentrée scolaire !

— L'église, c'est plus important que l'école. Mets ta tenue préférée.

La fillette poussa un cri de joie et courut vers la salle de bains.

— Je vais mettre mes nouvelles baskets ! se réjouit Chad.

— Parfait.

Quelques minutes plus tard, après un rapide petit-déjeuner composé de pain grillé et de lait – les inspecteurs n'y avaient pas touché –, ils coururent vers la voiture.

— Après l'église, nous passerons au club pour voir à quoi il ressemble, sans le mur.

— Cool, approuva Chad en s'asseyant sur la banquette arrière.

— Cool, répéta Rosie en grimpant à côté de son frère.

Nathalie vérifia qu'ils bouclaient bien leurs ceintures, attacha la sienne et démarra.

— Et après, nous ferons des courses pour la maison.

— Ça, c'est rasoir, observa Chad d'un ton plus maussade.

— Oui, maman, il a raison, c'est pas amusant, renchérit sa sœur.

Nathalie leur sourit en se retournant à moitié.

— Peut-être, mais ensuite…

Elle s'interrompit quelques secondes pour susciter leur curiosité.

— … ensuite, nous nous offrirons quelque chose d'exceptionnel.

— Quoi ? demanda Chad.

— Eh bien, on peut aller déjeuner au *Papa's Pizza*, ou bien aller au cinéma voir s'ils passent un bon film. Ou encore faire un tour dans ce grand parc situé à la sortie de la ville, là où il y a un golf miniature et plein d'attractions.

— Le Village en Fête ? s'enquit Chad d'une voix incrédule.

— Oui, le Village en Fête… Hourrah ! cria Nathalie en agitant un bras comme elle tournait sur la route. Nous voilà partis !

— Hourrah ! répéta Rosie avec une telle exaltation que sa mère ne put s'empêcher d'éclater de rire. Je vais à l'église avec mon nouveau pantalon et mon tee-shirt tout neuf !

— Et ensuite au Village en Fête ! cria Chad.

Nathalie régla les rétroviseurs et accéléra. Elle allait offrir à ses enfants une belle journée, se dit-elle en souriant. Ils en avaient bien besoin, les pauvres petits… Après le Village en Fête, ils iraient nourrir les canards au parc du centre ville, activité que les enfants appréciaient beaucoup.

Une fraction de seconde plus tard, alors qu'elle abordait un virage aigu, la jeune femme appuya en vain sur la pédale du frein : celle-ci n'offrit qu'une brève résistance avant de s'enfoncer jusqu'au plancher. Elle tenta de pomper, et la pédale remonta légèrement, mais elle s'enfonça à nouveau. Agrippant le volant des deux mains, Nathalie se concentra pour négocier le virage. Les pneus de la Chevrolet crissèrent sur la chaussée.

— Maman? fit Chad.

— Nos freins ont lâché, annonça-t-elle d'une voix qu'elle voulait posée. Gardez vos ceintures et couchez-vous de côté sur la banquette.

— Mais…

— Fais-le, c'est tout!

Après ce bref échange, ils n'échangèrent plus une parole; Nathalie se concentrait sur sa conduite. Au sortir du virage apparut une bétaillère qui se traînait comme un escargot. Soudain, la jeune femme se rappela un conseil que son père lui avait jadis donné: *Si un jour tes freins lâchent, rétrograde et tire sur le frein à main*. Faisant appel à toutes ses forces, elle s'empara du levier de vitesse et rétrograda d'un coup sec. Le moteur hurla – ça ne suffisait pas. Une prière aux lèvres, elle agrippa le frein à main et tira dessus comme une forcenée. Alors les roues se bloquèrent, l'arrière de la Chevrolet chassa et la voiture fit une embardée. Bonne conductrice, Nathalie parvint malgré tout à reprendre le contrôle du véhicule.

À cet instant, le monde qui l'entourait s'effaça. Seul demeurait présente dans son esprit la vision du camion qui leur fonçait dessus. Elle sentit que Chad s'était dressé derrière elle.

— Couche-toi! hurla-t-elle. Tout de suite, Chad! Couche-toi!

— Bonjour, Naomi, c'est Zeke à l'appareil. Mes frères et moi avons presque fini pour aujourd'hui, mais Nathalie n'est toujours pas arrivée. Avant de partir, je voulais m'assurer qu'elle comptait toujours venir.

— Oh, Zeke…

La voix tremblante de Naomi lui fit comprendre qu'il s'était passé quelque chose de grave.

— Qu'y a-t-il ?

— Nathalie et les enfants ont eu un accident.

L'estomac de Zeke se noua.

— Mon Dieu… C'est grave ?

— Oui. Ils sont rentrés dans l'arrière d'une bétaillère et ont basculé dans le fossé. La voiture est bousillée.

Zeke se fichait complètement de la voiture.

— Comment vont Nathalie et les enfants ?

— Ils sont à l'hôpital, je n'en sais pas plus. Pete est déjà parti, et Valérie et moi allions le rejoindre quand tu as téléphoné.

Zeke raccrocha sans prendre la peine de répondre. Il traversa la salle à manger en courant et, jetant les clefs du club à son frère Jake, il cria :

— Ferme et branche l'alarme ! Nathalie et les enfants ont eu un accident !

Une fois à bord de sa camionnette, il tremblait tellement qu'il eut du mal à mettre le contact. *Nathalie et les enfants*. Il ignorait comment il en était venu à les aimer à ce point, mais l'idée de perdre l'un d'entre eux lui donnait l'impression qu'on lui arrachait le cœur de la poitrine.

L'attente n'avait jamais été le fort de Zeke, en ce jour il lui semblait qu'elle se faisait torture. Assis sur une chaise en vinyle vert entre Pete et Naomi, il comptait machinalement les petites taches qui parsemaient le linoléum. Une infirmière était venue les voir quelques minutes plus tôt. On craignait une commotion cérébrale pour Rosie, et Chad passait une radio pour voir s'il avait des côtes cassées. Nathalie s'en sortait miraculeusement avec quelques écorchures et des hématomes sans gravité – surtout à la poitrine, à cause du choc contre le volant.

Valérie marchait de long en large en se rongeant les ongles.

— C'est insupportable, grommela-t-elle. Pourquoi est-ce qu'on ne peut pas aller les voir ?

— Les boxes sont petits ; or ils ont besoin d'espace pour faire ce qu'il y a à faire, répliqua calmement sa mère. Nathalie viendra nous mettre au courant dès qu'elle en saura plus.

— Mais c'est inhumain ! Pourquoi est-ce que personne ne vient nous donner des nouvelles ?

— Arrête de mâchonner ces faux ongles, assena Naomi. Tu vas abîmer les vrais.

— Je m'en fous.

Zeke perdit le compte des taches et dut recommencer de zéro. Il ignorait pourquoi il avait commencé cette tâche absurde, mais il ne pouvait s'empêcher de la mener à son terme. *Trois, quatre – je vous en prie, mon Dieu – cinq, six – faites qu'ils s'en sortent indemnes.* Il n'était pas dans ses habitudes de prier mais, dans le doute… Rosie était si petite. Imaginer son crâne fragile heurter quelque chose avec une telle violence que l'on craignait une commotion cérébrale le faisait frémir d'horreur. Et Chad ! Des côtes cassées… Non seulement c'était horriblement douloureux, mais cela pouvait devenir mortellement dangereux. Enfant, Zeke avait entendu parler d'un homme qui avait failli s'étouffer dans son propre sang parce qu'une côte brisée lui avait perforé un poumon.

— Nous pouvons remercier notre bonne étoile, répéta Pete pour la centième fois. J'ai vu la voiture en venant ici. Je te le dis, Zeke, c'est un miracle qu'ils n'aient pas été tués.

Incapable de parler, Zeke hocha la tête. Il avait terriblement envie d'aller retrouver Nathalie, de lui tenir la main. Or, seul un membre de la famille proche pouvait pénétrer dans le sanctuaire, et il n'était qu'un ami.

Plus jamais ça ! Il l'épouserait avant que ses bleus ne soient effacés. Plus jamais il ne resterait dans une salle d'attente alors que Rosie et Chad gisaient sur des civières à quelques mètres de là. Et si la petite fille perdait conscience et ne se réveillait jamais ? Si un caillot de sang se formait dans son cerveau ? Cela pouvait se produire, après un coup violent sur le crâne, Zeke l'avait lu quelque part.

Il se souvint du soir où il avait fait la connaissance de Rosie et la revit entrer dans sa cuisine, avec ses grands yeux bruns et ses cheveux bouclés, bavardant comme une pie. Sur le moment, il pensait pouvoir se passer aisément de dessins d'enfant sur son réfrigérateur. À présent, il en aurait volontiers tapissé toutes les pièces de sa maison. Et Chad… Le garçon n'avait pas été épargné, ces derniers mois, il n'avait pas besoin d'être blessé, par-dessus le marché. Il venait de perdre son père, nom de Dieu !

Zeke songea à l'accident. Selon Pete, Nathalie avait raconté que ses freins avaient lâché. *Maudite guimbarde.* Désormais, elle roulerait dans un véhicule en bon état, il y veillerait.

Un bruit de bottes lui fit lever les yeux : Jake et Hank franchissaient la porte vitrée, suivis de leurs parents.

Zeke se leva. La vue de ces visages aimés le rasséréna.

— Comment vont-ils ? s'enquit Jake en entrant dans la pièce. J'ai appelé le service, mais on n'a pas voulu me dire grand-chose.

— Nathalie, ça ira, répondit Zeke en étreignant chacun de ses frères. Pour les enfants, on ne sait pas encore. Rosie a peut-être une commotion cérébrale, et Chad des côtes cassées.

— Bonjour, mon cœur, lança sa mère d'une voix douce en se hissant sur la pointe des pieds pour l'embrasser. Nous sommes partis dès qu'on a appris la nouvelle.

— Merci d'être venus, dit Zeke en se laissant étreindre par son père.

— Bien sûr qu'on est venus ! s'écria sa mère d'un ton de reproche. Tu ne pensais quand même pas qu'on allait te laisser seul dans un moment pareil ?

À vrai dire, si. Il n'avait pas eu le temps de présenter Nathalie à ses parents, et Jake et Hank ne l'avaient rencontrée que par hasard.

Se rappelant à ses devoirs, Zeke présenta ses parents et ses frères aux Westfield. Au bout de quelques minutes, Naomi, Valérie et Mary, sa mère, se regroupaient dans un coin pour bavarder comme de vieilles connaissances au sujet de côtes cassées, de commotions cérébrales et d'autres séquelles d'accidents de voiture. Bien que tourmenté par l'inquiétude, Zeke ne put retenir un sourire : Mary Coulter et Naomi Westfield étaient aussi différentes que le jour et la nuit. La mère de Zeke était une petite dame enrobée et courte sur pattes, aux yeux bleus et au sourire angélique, qui consacrait son temps libre à tricoter pour ses petits-enfants, tandis que Naomi avait une silhouette de jeune femme et un goût affirmé pour les tenues provocantes.

— Pete Westfield ? s'écria Harv Coulter. On se connaît, non ? Je ne sais pas pourquoi, mais votre nom et votre visage ne me sont pas inconnus.

— Je crois qu'on n'a jamais été présentés, dit Pete, mais on s'est sûrement côtoyés dans des réunions professionnelles. J'ai une ferme sur la route du Vieux-Moulin.

Aussitôt, les deux hommes se mirent à commenter les similitudes existant entre l'agriculture et l'élevage, pendant que Hank et Jake rejoignaient leur frère pour l'interroger sur les circonstances de l'accident.

— Les freins de la Chevrolet ont lâché : elle est rentrée dans l'arrière d'une bétaillère et a basculé dans le fossé. Heureusement, le camion n'a pas quitté la route. S'il leur était retombé dessus, ç'aurait été bien pis...

— Ils sont vivants, c'est l'essentiel, observa Hank en posant une main sur l'épaule de son frère.

Zeke leur confia ses inquiétudes au sujet de la commotion de Rosie et des côtes brisées de Chad.

— Tu laisses la peur gouverner tes pensées, le morigéna Hank. À partir du moment où la commotion n'est pas évidente, un caillot de sang dans le cerveau est improbable : une pathologie aussi grave s'accompagne toujours de symptômes observables.

— Tu as peut-être raison, soupira Zeke.

— Je sais que j'ai raison. La peur te fait imaginer les pires scénarios. Cette histoire de côte cassée, par exemple. Si le poumon n'était pas perforé lorsque l'enfant est arrivé ici, maintenant que son torse est immobilisé, il ne risque plus rien.

Zeke sentait la tension le quitter petit à petit.

— Seigneur, je suis bien content que tu sois venu ! Tu as raison, j'ai sans doute exagéré.

— Détends-toi, grand frère, reprit Hank. La prochaine fois que Nathalie nous rejoindra, ce sera avec de bonnes nouvelles. Tes gosses n'ont rien de grave.

— *Ses* gosses ? intervint Pete, qui avait entendu le possessif.

Zeke regarda son futur beau-père dans les yeux.

— Oui, monsieur. Cela vous ennuie ?

— Non, pas du tout, répondit Pete avec un grand sourire.

Soudain, apercevant Nathalie sur le seuil de la salle, Zeke bondit sur ses pieds pour se précipiter vers elle.

16

Nathalie, oscillant un peu sur ses jambes, agrippa le bras de Zeke.

— Chérie, ça va ?

— Bien. J'ai juste la tête qui tourne un peu.

— Tu souffres ? s'enquit-il en repoussant en arrière les boucles de cheveux qui retombaient sur le front de la jeune femme.

— C'est un peu douloureux, mais le médecin m'a assuré que, d'ici à deux jours, je me porterai comme un charme.

Zeke en doutait.

— Et les enfants ? osa-t-il enfin demander.

Le silence se fit aussitôt dans la salle. Nathalie découvrit soudain avec stupeur les regards fixés sur elle.

— Qui sont tous ces gens ? s'étonna-t-elle à mi-voix.

— Ma famille, répondit Zeke. Hank et Jake étaient avec moi quand j'ai appris la nouvelle. Les autres sont venus dès qu'ils ont pu.

— Mais ils ne me connaissent même pas... balbutia-t-elle.

— Ne vous inquiétez pas, mon petit, intervint Mary Coulter. Je sais que je parle au nom de toute la famille en vous proposant d'oublier les présentations en bonne et due forme.

— Mais... c'est ta mère ? souffla Nathalie.

— Oublie ma famille, murmura Zeke, fais comme s'ils n'étaient pas là. Comment vont les enfants ? C'est ça qui est important.

— Le médecin dit qu'ils peuvent rentrer à la maison, répondit Nathalie en passant une main tremblante sur ses yeux. Il faut veiller Rosie cette nuit et la réveiller toutes les deux heures – il n'a toujours pas exclu la possibilité d'une commotion cérébrale. Quant aux côtes de Chad, elles n'ont que des contusions.

Zeke faillit pousser un cri de soulagement.

— Vous avez entendu ? dit-il en se retournant avec un grand sourire. Les enfants peuvent rentrer à la maison !

Un faible brouhaha s'éleva alors dans la salle d'attente : « Merci, Seigneur ! », « Quelle merveilleuse nouvelle ! », « Que Dieu bénisse les petits chéris ! »…

— On a pansé le torse de Chad pour atténuer la douleur, reprit Nathalie. Et le médecin va nous prescrire des analgésiques. Il faudra que je m'arrête quelque part en revenant pour les acheter, d'ailleurs.

Tant pis pour le règlement de l'hôpital, décida Zeke en examinant le visage de sa compagne. Elle était épuisée et avait besoin de se reposer.

Il jeta à Pete un regard significatif. Celui-ci se rua sur sa fille et lui prit le bras.

— Viens t'asseoir, chérie.

— Je ne peux pas, papa. Il faut que je…

— Ta mère et Zeke vont s'occuper des enfants, la coupa Pete d'une voix ferme. Tu as besoin de t'asseoir, maintenant, laisse-les prendre la relève. Tu en as fait assez.

Nathalie se laissa tomber sur une chaise tandis que Naomi et Zeke franchissaient avec détermination la porte interdite. Une petite rouquine bondit soudain hors du poste des infirmières pour les intercepter.

— Nous venons voir les enfants Patterson, expliqua Zeke. Leur mère était aussi dans la voiture lors de

304

l'accident, et elle est au bord de l'évanouissement. Nous la relayons.

— Vous faites partie de la famille, monsieur ?

Zeke soutint sans faiblir le regard de la jeune fille.

— Je suis le beau-père des petits blessés, et voici leur grand-mère maternelle, précisa-t-il.

La réponse parut satisfaire l'infirmière, qui sourit.

— Ils sont dans les boxes 5 et 6, nous avons ouvert le rideau pour ne pas les séparer, dit-elle en leur indiquant le chemin. Le médecin va bientôt vous apporter l'ordonnance.

Elle leur ouvrit une porte.

— Entrez. Je vais chercher une autre chaise.

Zeke se glissa entre les deux lits. Rosie avait un vilain bleu sur le front, mais elle souriait. Quant à Chad, il était très pâle, et l'on voyait à ses yeux brillants qu'il souffrait. Zeke embrassa précautionneusement la fillette puis, laissant la place à Naomi, il se tourna vers le garçon.

— Salut, partenaire. Tu m'as fait peur.

Chad tenta de sourire, mais il ne parvint qu'à esquisser une vague grimace.

— Ça va. Le docteur dit que c'est juste des gros bleus.

— Mais ça fait rudement mal, hein ? observa Zeke en lui serrant la main. Je suis passé par là, moi aussi. Je promets de ne pas te faire rire pendant une semaine, et de ne pas mettre du poivre dans ta nourriture – les éternuements, c'est ce qu'il y a de pis.

Le second sourire de Chad fut plus réussi que le premier. Ce fut cependant ce qu'il dit ensuite qui convainquit Zeke que tout allait bien :

— Mon caleçon et mon jean sont dans un sac, sous le lit. Tu peux m'aider à les mettre, Zeke ? Je ne veux pas que l'infirmière me voie tout nu.

Une vache était assise sur sa poitrine. Nathalie posa les mains sur sa croupe et poussa de toutes ses forces pour la dégager de là, mais le stupide bovin refusait de bouger. Ses poumons n'arrivant pas à se dilater, elle tenta à nouveau de repousser la vache.

— Nathalie ? Réveille-toi, c'est l'heure de prendre ton médicament.

La jeune femme, ouvrant les yeux, aperçut Zeke penché sur elle. Bien qu'il ne pesât aucunement sur elle, elle comprit que c'était ses épaules qu'elle s'était efforcée d'écarter en dormant.

— Oh ! je t'avais pris pour une vache !

Il éclata de rire et déposa un baiser sur sa main.

— Profites-en bien car, pendant quelques jours, c'est le seul genre de baiser auquel tu auras droit, hélas !

— Je n'arrive pas à respirer.

— Selon le toubib, tu as heurté très violemment le volant : ta poitrine va te faire mal un bout de temps, expliqua Zeke en prenant un verre sur la table de nuit. L'effet de la piqûre qu'on t'a faite à l'hôpital commence à disparaître, il faut que tu prennes un analgésique.

Il glissa une main sous la nuque de Nathalie.

— N'essaie pas de t'asseoir. Laisse-moi faire.

Elle obéit et avala le comprimé, puis il l'aida à se rallonger.

— Où sont les enfants ? Comment…

— Ils vont bien, la coupa-t-il d'une voix rassurante. Ta mère, ton père et ta sœur prennent soin d'eux.

— Ils n'oublient pas de réveiller Rosie toutes les deux heures ?

Zeke eut un petit rire. Elle en aimait le son grave, qui semblait remonter du fond de sa poitrine.

— Rosie n'a pas encore fermé les yeux : Valérie lui a loué des films et elle trône sur le canapé, comme une petite princesse, avec ses sujets à ses pieds.

— Et Chad ? demanda Nathalie en souriant.

— Valérie lui a acheté le dernier *Harry Potter*. Il est trop assommé par les calmants pour pouvoir lire, aussi lui fait-elle la lecture dans sa chambre.

Nathalie ferma les yeux.

— Elle n'avait pas les moyens d'acheter ce livre… Comment pourrais-je la remercier ?

— En l'aimant et lui prêtant de l'argent quand elle devra payer l'assurance de sa voiture.

Incapable de rire à cause des contusions qui meurtrissaient sa poitrine, Nathalie se contenta de sourire.

— Tu es unique, tu le sais ?

— Toi aussi, souffla-t-il en passant un doigt sur sa joue. J'ai failli crever de douleur, quand ta mère m'a annoncé votre accident. Je savais que je t'aimais, mais c'est à ce moment-là que j'ai découvert combien tes enfants m'étaient chers.

— Oh, Zeke ! fit-elle, les yeux humides.

— C'est vrai : j'avais tellement peur pour vous que je n'arrivais pas à mettre le contact, et c'est un miracle que je sois arrivé sans encombre à l'hôpital… Aussi, reprit-il en caressant les lèvres de la jeune femme, faut-il que nous nous mariions très vite. Je ne t'accorderai ni longues fiançailles ni tergiversations ; je veux que ce soit fait dès que tu pourras te lever. Pour approcher les enfants, à l'hôpital, j'ai prétendu être leur beau-père. Je ne veux plus avoir à mentir.

Nathalie avait beau cligner des yeux, ses paupières se fermaient malgré elle.

— Je suis désolée, je n'arrive pas à garder les yeux ouverts.

— Ce n'est pas grave. Dis oui, c'est tout.

— Oui, souffla-t-elle bien qu'elle ne se souvînt plus de la question.

Elle avait à peine murmuré ce simple mot que déjà elle sombrait dans un sommeil peuplé de rêves heureux, où lui souriait un homme aux yeux d'azur.

Zeke était allongé sur la couverture, à côté de Nathalie. Il avait laissé la porte entrouverte mais éteint la lumière afin de ne pas troubler son sommeil. De temps à autre, Naomi venait jeter un œil sur sa fille.

Il était près de minuit. Zeke écoutait les bruits que laissait passer la fenêtre ouverte – le coassement des grenouilles, le chant des grillons et, parfois, le mugissement d'une vache. Fermant les yeux, il remercia Dieu : Nathalie et les enfants étaient vivants, et il pouvait envisager un avenir avec eux. Pete avait fait une description terrifiante de l'état dans lequel se trouvait la voiture. Il s'en était fallu de peu, de très peu… À l'idée qu'il aurait pu les perdre tous les trois, Zeke sentait ses tripes se nouer.

Il ne comprenait pas comment les freins avaient pu lâcher aussi soudainement, sans symptômes avant-coureurs. Pete aussi trouvait cela étrange, d'autant qu'il avait scrupuleusement examiné la Chevrolet avant que Nathalie ne l'achète, l'hiver précédent ; à ce moment-là, les freins lui avaient paru comme neufs.

Zeke soupira et ferma les yeux. La respiration lente de la jeune femme allongée à ses côtés l'assoupissait. Il était presque endormi lorsque Chester cancana soudain. Zeke tendit l'oreille, mais le jar restait silencieux, alors il se leva pour s'approcher de la fenêtre. Tout en scrutant l'obscurité, il se rappela que Nathalie avait vu, la nuit précédente, un homme ou un adolescent tourner autour des voitures ; un horrible soupçon se glissa dans sa tête, si grotesque qu'il l'écarta aussitôt. La mort de Robert lui jouait des tours. Qui pouvait haïr Nathalie au point de provoquer cet accident mortel dans lequel auraient été impliqués ses enfants ?

Zeke regagna le lit et tenta de se rendormir, mais le soupçon le taraudait. Une panne de freins subite… Robert assassiné quelques jours plus tôt, alors que Nathalie se trouvait chez lui, ou aux environs… Et si

elle avait aperçu un indice permettant d'identifier le meurtrier – un indice dont elle n'aurait pas compris la signification ?

Quand on a tué une fois, on est capable de recommencer pour éliminer un témoin.

Zeke sauta du lit. Cette fois-ci, il dédaigna la fenêtre et descendit l'escalier à toute vitesse pour faire part de ses soupçons à Pete.

— Vous pensez que j'exagère ? lui demandait-il quelques minutes plus tard.

Pete remplit deux verres de bourbon, de sa réserve personnelle qu'il gardait dans le placard de sa chambre. Papi aimant boire un petit coup avant de se coucher, son fils craignait qu'il ne devienne dépendant d'un alcool plus fort.

— C'est bizarre que les freins aient lâché comme ça, admit-il. L'idée que sa voiture a pu être sabotée me fout la trouille, mais c'est une possibilité qu'on ne peut écarter, tu as raison. Quand les freins lâchent ainsi, c'est qu'il y a un problème de liquide.

— Ce qui peut arriver, bien sûr, mais c'est extrêmement rare, remarqua Zeke. Nous devrions aller faire un tour chez le casseur pour examiner la voiture.

— Je suis partant. De toute façon, ça ne peut pas faire de mal et, si nous ne remarquons rien de spécial, eh bien, tant mieux.

Le lendemain matin, à 9 h 30, Zeke se glissait sous la carcasse de la Chevrolet. Il avait vérifié le capot et n'avait rien trouvé d'anormal.

— Eh bien, on dirait que je me suis fait des idées, dit-il à Pete. Ces maudits freins ont lâché de leur propre initiative…

— Ne t'excuse pas. C'était une fausse piste, mais je préfère avoir la certitude que personne n'a tenté de tuer ma fille.

Zeke s'apprêtait à se relever lorsqu'il se rappela qu'il n'avait pas examiné le purgeur.

— Bordel de merde !

— Quoi ? s'écria Pete. Tu as trouvé quelque chose ?

— Oui. Le purgeur est desserré.

— Quoi ?

— Il est ouvert, répéta Zeke. Chaque fois qu'elle touchait le frein, le liquide fuyait. La route est très sinueuse. Le temps qu'elle atteigne ce virage serré, il n'en restait plus une goutte.

Pete lâcha un juron tandis que Zeke s'extirpait de sous la voiture pour aller vérifier le frein avant ; il y trouva la même anomalie.

— Seigneur… Je ne me trompais pas, Pete. Quelqu'un a bel et bien saboté les freins de Nathalie.

Trente minutes plus tard, Zeke et Pete se tenaient devant l'inspecteur Monroe, lequel était nonchalamment enfoncé dans son fauteuil.

— Calmez-vous, messieurs, dit-il.

— Me calmer ? explosa Zeke en plantant les poings sur le bureau pour se pencher sur le policier. Quelqu'un a essayé de tuer Nathalie Patterson ! Envoyez donc l'un de vos hommes examiner les freins de sa voiture, vous verrez : les purgeurs étaient desserrés ; il lui suffisait d'effleurer la pédale de frein pour que le liquide fuie. Celui qui a fait ça cherchait à la tuer, Monroe. Ça vous est déjà arrivé, de rouler à 90 km/h et de sentir vos freins vous lâcher juste avant un virage ?

— Non, effectivement, admit Monroe en passant la main sur son crâne chauve. Écoutez, je comprends que vous soyez bouleversés. C'était un grave accident, et des enfants étaient dans la voiture. Mais vous devez admettre que cette histoire est tirée par les cheveux : à minuit, un jar chasse un rôdeur de votre propriété et, le lendemain matin, les freins de Mme Patterson lâchent. Lier ces incidents au meurtre Patterson relève d'une pure hypothèse – parmi tant d'autres. Dans mon métier, on apprend à ne pas relier les différents points tant que l'image d'ensemble n'a pas de sens ; or votre histoire ne tient pas.

— Pourquoi donc ?

— Selon votre théorie, Mme Patterson aurait vu chez son ex-mari un indice désignant le meurtrier, n'est-ce pas ? Eh bien, dans ce cas, de quoi s'agirait-il, à votre avis ?

Zeke scrutait les yeux de l'inspecteur, aussi vitreux et froids que ceux d'un serpent.

— Excusez-moi, mais je suis du mauvais côté de ce bureau pour répondre à cette question. Quelqu'un a délibérément saboté les freins pour que Nathalie ait un accident en quittant la ferme. Or, la semaine dernière, elle a déambulé en toute innocence dans la maison de Robert Patterson, alors qu'il devait être en train de se faire assassiner dans son garage. Si vous ne pouvez pas relier ces faits, c'est que vous êtes un bien piètre policier.

— C'est la version de Mme Patterson.

La colère s'empara de Zeke.

— Et vous ne la croyez pas ?

— Que je la croie ou non, ce n'est pas le sujet. Je dois m'appuyer sur des faits, monsieur Coulter, et, actuellement, elle est la seule personne qui avait une raison de souhaiter la mort de Robert Patterson.

— La seule personne que vous ayez trouvée, corrigea Zeke. Et la seule personne que vous trouverez si vous continuez à vous obstiner ainsi !

Monroe se leva pour mettre un terme à l'entretien.

— Pour moi, Mme Patterson a elle-même desserré les purgeurs de sa voiture. Le compromis de vente en a fait notre suspect numéro 1, et elle le sait. Elle s'est sentie aux abois. Quelle meilleure façon d'écarter les soupçons de sa personne que de simuler une tentative d'assassinat à son égard ?

Jamais de sa vie Zeke n'avait eu autant envie de frapper un homme.

— Ses enfants étaient dans la voiture, Monroe. Comment pouvez-vous croire une seconde qu'elle ait délibérément mis leurs vies en danger ?

L'inspecteur haussa les épaules.

— Si elle a tué Robert Patterson, il est évident qu'elle fait peu de cas de la vie humaine, non ?

Pete prit Zeke par le bras.

— Viens, fiston. Que tu sois condamné pour injure à policier n'arrangera pas la situation...

Zeke se dégagea et brandit un index sous le nez de Monroe.

— Faites venir votre chef, tout de suite. Je veux qu'un témoin constate que nous avons signalé un attentat visant Mme Patterson et que vous n'en tenez aucun compte.

— Puis-je vous demandez pourquoi vous estimez cela nécessaire ? demanda Monroe.

Zeke tira sur sa chemise en s'efforçant de recouvrer son calme.

— Reliez les points, inspecteur, marmonna-t-il.

Lorsque Naomi apprit que quelqu'un avait saboté les freins de Nathalie, elle devint livide et jeta un regard incrédule aux deux hommes.

— Je sais que c'est effrayant, chérie, dit Pete. Moi-même, j'ai du mal à y croire. Mais ces purgeurs ne se sont pas desserrés tout seuls... Quelqu'un a essayé de tuer notre fille.

Naomi secoua la tête d'un geste de dénégation.

— Elle n'a aucun ennemi. Pourquoi voudrait-on sa mort ?

Zeke exposa la théorie selon laquelle Nathalie aurait pu remarquer quelque chose de suspect chez Robert.

— Par exemple, la voiture de l'assassin garée à proximité, ou bien un briquet avec monogramme sur la table basse, je ne sais pas… Le meurtrier était peut-être dans la maison, quand elle y est passée, et maintenant il a peur qu'elle ne l'ait aperçu. Tout ce que je peux dire, c'est que quelqu'un s'est arrangé pour qu'elle ait un grave accident… Vous l'avez répété plusieurs fois, hier, ajouta-t-il en regardant Pete. C'est un miracle qu'ils soient sortis vivants de cet accident.

— C'est complètement fou, balbutia Naomi en posant une main sur ses yeux. On se croirait dans l'émission *Law and Order*. Ces choses-là n'arrivent pas à des gens comme nous, normalement…

Pete posa un bras sur ses épaules et la fit s'asseoir. Elle ôta la main de ses yeux.

— Pourquoi quelqu'un voudrait-il sa mort ? Tu dois te tromper. Si elle avait remarqué un truc bizarre dans cette maison, elle le saurait, non ?

— Dieu seul sait ce qu'elle a vu, mais c'est la seule explication que nous avons trouvée, Zeke et moi.

Pour la première fois depuis le jour où Zeke l'avait rencontrée, Naomi faisait son âge. Elle était extrêmement pâle, et sa peau s'était flétrie comme de la cire fondue ; des cernes soulignaient ses yeux, et ses joues s'étaient creusées.

— Si vous avez raison, tous les deux, celui qui a tenté de la tuer recommencera.

Zeke s'assit en face d'elle et lui prit la main.

— Nous nous y opposerons.

Naomi se redressa et ses joues reprirent un peu de couleur.

— Comment pouvons-nous la protéger ?

— Tout d'abord, il ne faut pas la laisser seule. Elle ne quittera la maison qu'accompagnée de Pete ou de moi.

— Et le club? Tu as presque fini les travaux. Elle ne peut pas laisser son entreprise faire faillite, sinon comment subviendra-t-elle à ses besoins et à ceux de ses enfants?

Zeke s'interdit d'expliquer qu'il pouvait s'en charger – le club n'était pas seulement une source de revenus, mais aussi un élément essentiel de la personnalité de la jeune femme.

— Pete ou moi l'accompagnerons. En attendant, il faut que nous trouvions quelqu'un ayant une raison de tuer Robert. Pour le moment, Monroe fait une fixation sur Nathalie.

— Pourquoi ne l'a-t-il pas arrêtée, dans ce cas? s'étonna Naomi.

— Il doit estimer que son dossier n'est pas suffisamment solide.

Naomi se leva et se mit à marcher de long en large dans la cuisine.

— Et, pendant ce temps, il ne recherche pas le véritable meurtrier…

— Non, il se contente de réunir des preuves contre votre fille.

— Comment faire pour trouver d'autres suspects? demanda Pete en s'asseyant.

— Commençons par Grace Patterson: elle sait peut-être quelque chose. Sinon, nous devrons interroger les petites amies de Robert.

À cet instant, Nathalie entra. Devant leurs mines de conspirateurs, elle s'arrêta sur le seuil.

— Qu'y a-t-il?

L'accabler un peu plus répugnait à Zeke. Elle se tenait légèrement courbée, comme s'il lui était trop douloureux de se redresser. Pourtant, il ne pouvait lui cacher la vérité sans la mettre en péril.

— Viens t'asseoir, chérie, dit-il.

Elle s'approcha d'une démarche précautionneuse qui révélait qu'elle ne souffrait pas seulement de la poitrine – sa Chevrolet ressemblant à une boîte de conserve écrasée, Zeke n'en était pas surpris.

— Je suis descendue chercher un peu de sorbet pour Chad, expliqua-t-elle à sa mère. Il a l'estomac barbouillé par l'analgésique.

— Je m'en charge, décida Naomi en se levant. Et comment va Bouton de Rose ?

— Elle s'ennuie, répondit Nathalie en souriant. Valérie va bientôt renoncer à la garder au lit. Je crois que tout va bien… Vous étiez en train de discuter de choses sérieuses, quand je suis arrivée, reprit-elle à l'adresse de son père et de Zeke. Vous comptez me mettre au courant ou bien me laisser dans l'ignorance ?

Zeke jeta un coup d'œil à son futur beau-père, qui se frottait le menton, visiblement peu désireux de répondre à sa fille, puis il croisa les bras et, le plus calmement possible, raconta à Nathalie ce qu'ils avaient découvert. La terreur assombrit le regard de la jeune femme.

— Tu crois que quelqu'un a essayé de nous tuer ?

— À vrai dire, je pense que les enfants n'ont été impliqués que par hasard. Celui qui a saboté les freins ne s'en prenait qu'à toi.

La gorge de Nathalie se convulsa.

— Mais c'est de la folie ! Je n'ai rien remarqué d'anormal chez Robert.

— Tu as sûrement vu quelque chose, insista Zeke. Te souviens-tu s'il y avait des voitures garées à proximité ?

— Je n'ai pas fait attention… Je ne pouvais pas deviner que je devrais me souvenir de ce genre de choses.

— Et après être entrée dans la maison ? Tu as sûrement aperçu quelque chose sans penser que cela avait de l'importance.

Il suggéra deux ou trois éventualités que Nathalie écarta d'un geste de la tête.

— Reviens à l'instant où tu es entrée, suggéra-t-il, et décris-nous le rez-de-chaussée, pièce par pièce.

Naomi s'approcha de la table, un bol de sorbet dans une main, et resta là tandis que Nathalie se lançait dans une description hésitante de la demeure de Robert Patterson. L'image qui se formait peu à peu était celle d'une opulence tape-à-l'œil – statues en marbre, cadres dorés, mobilier digne d'un décor hollywoodien. Une abondance de luxe, mais rien qui confirme la théorie de Zeke.

— Attends, fit-il comme elle décrivait le bureau. Tu as vu des papiers, sur la table ?

Elle hocha la tête.

— C'est bizarre, d'ailleurs, parce que l'inspecteur Monroe m'a dit qu'on n'en avait pas trouvé. J'ai pensé qu'ils étaient sans importance et que l'un des enquêteurs les avait rangés.

Un frisson glacé parcourut la colonne vertébrale de Zeke.

— Tu les as examinés ?

— Non, parce que c'est à ce moment-là que j'ai reconnu mes verres.

— Réfléchis, Nathalie, c'est peut-être important. As-tu remarqué quelque chose de particulier, concernant ces papiers ?

Elle fronça les sourcils.

— C'était une sorte de contrat, je me suis dit que les affaires de Robert ne me regardaient plus. Et puis j'ai vu les verres et ça m'a mise dans une telle colère que je n'ai plus pensé qu'à eux.

— Pourtant Monroe prétend qu'il n'y avait rien sur cette table ?

— Tu penses que ce contrat désignait l'assassin ?

Le cœur de Zeke se mit à battre deux fois plus vite.

— Je pense que c'est très possible.

L'inspecteur Monroe, que Zeke appela aussitôt, se montra bien peu amical.

— Il n'y avait rien sur la table de Patterson! s'insurgea-t-il. Je suis l'un des premiers à être entrés dans cette pièce et j'ai tout noté méticuleusement. Il n'y avait aucun contrat sur ce bureau, Coulter: s'il y en avait eu un, je l'aurais vu.

— Ce qui ne veut pas dire que Nathalie n'en a pas vu.

— Que supposez-vous? Que des pieds lui ont poussé et qu'il a pris la poudre d'escampette?

Zeke se promit de porter plainte contre l'inspecteur dès qu'il aurait tiré Nathalie d'affaire.

— Non, je suppose que quelqu'un l'a enlevé. En sortant, Nathalie a entendu le déclic d'une porte, quelque part dans la maison. L'assassin était peut-être là.

— C'est une théorie intéressante, monsieur Coulter, mais c'est moi qui suis chargé de l'enquête. Pourquoi ne me laissez-vous pas faire mon boulot?

— Parce que, apparemment, vous ne le faites pas, répliqua Zeke. La petite amie de Patterson dit qu'il a reçu un coup de téléphone et qu'il l'a envoyée faire des courses. Patterson a donc reçu un visiteur avec qui il a bu quelques verres et discuté. Pourquoi pas d'une affaire en cours?

— Oui… par exemple de la vente d'une ferme.

Le sang de Zeke se glaça. La police concentrait tous ses moyens pour inculper Nathalie, c'était une certitude.

17

Quelques heures plus tard, Nathalie avait pris rendez-vous avec Grace Patterson et se rendait chez elle avec Zeke, que la prétention de cette femme fascina. Elle les accueillit, vêtue d'une tunique et d'un pantalon noirs dont le tissu soyeux voletait autour d'elle à chacun de ses gestes. Le contraste avec son teint pâle et ses cheveux blonds était frappant – ce qui, comprit-il, était l'objectif. Même en deuil, les femmes de ce milieu utilisaient leurs vêtements pour affirmer leur prééminence. Pour compléter sa tenue, elle portait de fines chaussures à talons plats ornés de plumes gonflant sur le cou-de-pied.

Elle leur fit traverser un vestibule que décorait une impressionnante collection d'antiquités gallo-romaines et les précéda dans une grande pièce. Devant une cheminée majestueuse, quatre bergères entouraient une petite table. Grace Patterson s'assit la première. Normal, se dit Zeke : on ne pouvait demander à une personne de lignée royale de rester debout en attendant que ses inférieurs prennent un siège…

— Je vous en prie, asseyez-vous, lâcha-t-elle une fois installée avec une politesse froide qui laissait entendre que leur visite la dérangeait.

Nathalie, qui souffrait toujours des suites de l'accident, obéit avec soulagement. Tout en posant précautionneusement sa grande carcasse sur le fauteuil aux pieds fragiles, Zeke s'étonna de l'assortiment de petits gâteaux et de minuscules sandwiches qui trônait sur la table. Il ne se souvenait pas d'avoir été invité à une collation quelconque – peut-être s'agissait-il d'usages mondains.

— Je suis très contente de ta visite, Nathalie, dit Grace après leur avoir donné à chacun une tasse de thé, mais je dois avouer ma surprise. Au téléphone, tu disais que tu voulais me poser des questions.

Tenant la soucoupe d'une main, Nathalie porta de l'autre la tasse à ses lèvres. Son aisance surprit Zeke qui, lui, se sentait particulièrement gauche.

— Les enfants et moi avons eu un grave accident de voiture, hier.

La mère de Robert faillit renverser sa tasse.

— Ô mon Dieu ! Comment va Chad ?

À ces mots, la colère embrasa le regard de Nathalie.

— Bien, à part des contusions aux côtes. L'état de Rosie ne vous intéresse pas ?

Les joues de Grace rougirent aussi subitement qu'elles avaient blêmi.

— Bien sûr que si ! Comment va-t-elle ?

— Elle a reçu un gros choc sur la tête. Heureusement, il semble qu'elle n'ait pas de commotion cérébrale.

— Grâce au ciel, soupira Grace en posant sa tasse sur la soucoupe sans faire tinter la porcelaine. Je suis soulagée de les savoir tous les deux sains et saufs.

L'index de Zeke étant trop gros pour se glisser dans l'anse de sa tasse, il dut la saisir entre le pouce et le majeur.

— À vrai dire, madame Patterson, Nathalie n'a pas employé le mot exact : il ne s'agissait pas d'un accident.

— Que voulez-vous dire ? s'écria Grace en ouvrant grands les yeux.

— Je veux dire qu'hier, quelqu'un a essayé de tuer votre ex-belle-fille ; vos petits-enfants n'étaient pas censés se trouver avec elle.

— Mon Dieu ! murmura Grace.

Nathalie avait l'air si épuisée que Zeke se chargea de raconter l'histoire.

— Nous pensons que le nom du meurtrier de votre fils figurait sur ce contrat, acheva-t-il. Il croit sans doute que Nathalie l'a vu et essaie de la supprimer avant qu'elle n'aille le dénoncer à la police.

Grace se mit à tirer nerveusement sur les manches amples de sa tunique avant de reposer sa tasse sur la table avec une brutalité bien peu élégante. Puis elle se leva et alla ouvrir un secrétaire au fond de la pièce. Lorsqu'elle revint s'asseoir, elle portait une flasque de whisky dont elle versa une bonne dose dans son thé avant d'en proposer à Zeke.

— Non, merci, je dois reprendre le volant.

Il jeta un coup d'œil à Nathalie. Vu son expression, celle-ci n'avait jamais vu son ex-belle-mère dans cet état. Grace Patterson vida sa tasse en quatre gorgées avant de la remplir à nouveau de whisky. Enfin, un peu calmée par l'alcool, elle se renversa sur le dossier de son fauteuil et sirota la seconde tasse plus lentement.

— Personne n'en sait autant que moi sur les affaires de Robert, articula-t-elle d'une voix tremblante. Si quelqu'un essaie de tuer Nathalie, n'y a-t-il pas une forte probabilité pour qu'il s'en prenne aussi à moi ?

Jusqu'à cet instant, Zeke s'était efforcé de ne pas haïr cette femme ; à présent, le dégoût lui brûlait la gorge comme de l'acide. Le sort de Nathalie et de ses enfants ne l'inquiétait pas vraiment : seul lui importait le sien. Il l'examina longuement et l'idée lui vint que, plus elle aurait peur, plus volontiers elle accepterait de leur rendre service.

— Vous avez raison. Je n'y avais pas pensé, mais il pourrait effectivement s'en prendre à vous.

Elle avala une autre gorgée de whisky.

— Je ne cessais de dire à Robert d'être raisonnable… Mais croyez-vous qu'il m'écoutait ? Maintenant il est mort, et je risque d'être la suivante sur la liste… Que dois-je faire ? demanda-t-elle en jetant à Zeke un regard paniqué. Faire garder la maison vingt-quatre heures sur vingt-quatre ? Comment fait-on pour embaucher un garde du corps ?

Certaines personnes, comme Nathalie, ne manquaient pas de volontaires pour les protéger. D'autres, comme Grace Patterson, devaient payer pour s'offrir ce genre de service.

— Une entreprise de sécurité pourrait vous fournir quelqu'un, ou bien vous dire à qui vous adresser, répondit-il, persuadé qu'elle ne courait aucun danger mais désireux de l'inquiéter. Mais cela ne peut être qu'une mesure provisoire, ajouta-t-il comme elle faisait mine de se lever, sans doute pour courir vers le téléphone. Vous ne pouvez vivre indéfiniment dans la peur, madame Patterson. Sans compter que même un excellent garde du corps ne peut rester vigilant vingt-quatre heures sur vingt-quatre… Un homme déterminé à tuer n'aura qu'à guetter le bon moment.

Il attendit deux secondes avant de reprendre :

— Ce qu'il faut, c'est donner à la police de quoi travailler : tant que l'assassin de votre fils est en liberté, vous serez en danger, ainsi que Nathalie et les enfants.

— Que vous faut-il savoir ? demanda enfin Grace Patterson en lui lançant un regard implorant.

Une heure plus tard, Zeke connut le plaisir douteux d'entrer à nouveau dans le bureau de l'inspecteur Monroe. Sa visite parut ne pas enchanter le flic rondouillard. Ils s'assirent l'un en face de l'autre en se fusillant du regard. Puis Zeke jeta une feuille de papier sur la table.

— Je suis allé voir la mère de Robert Patterson. Elle m'a fourni une liste d'individus qui, tous, avaient des raisons de souhaiter la mort de son fils. La plupart ne font pas des suspects convaincants – ce sont des petites amies qu'il a laissées tomber ou des hommes d'affaires qu'il a roulés. Mais le jeune homme qui figure au sommet de cette liste mérite une attention plus soutenue : Robert Patterson lui a fait perdre plus de quatre millions de dollars.

Monroe déplia le papier, le parcourut puis lâcha d'une voix neutre :

— Continuez, je vous écoute.

— Stan Ragnor est un agent immobilier d'une trentaine d'années. Il y a un an, il a fourni à Robert Patterson un grand terrain, juste à la sortie de Crystal Falls.

— Oui, et alors ?

— Ragnor est un travailleur zélé et ambitieux. Après le lycée, il a bossé comme sous-fifre dans une agence, puis il est retourné à l'université pour obtenir son diplôme d'agent immobilier. Ensuite, il a exercé ce métier quelque temps en Californie, avant de s'installer ici avec la ferme intention de faire fortune. C'est alors qu'il a rencontré Patterson. Malheureusement pour lui, en matière de négociation, il était encore un novice croyant qu'on peut se fier à la parole d'un homme.

— Et en quoi cela fait-il de lui un meurtrier ?

— Écoutez-moi jusqu'au bout. Ragnor a découvert que la ville de Crystall Falls et le comté avaient établi un plan de développement qui, en vingt ans, devait peu à peu permettre à la ville de s'étendre. Ainsi, à moins de quinze kilomètres du centre, des zones rurales pouvaient être reclassées comme résidentielles. Ragnor a fait du porte à porte pour convaincre les propriétaires de l'une de ces zones de lui confier leurs parcelles. Il a réussi ainsi à mettre la main sur plus de cinquante hectares, une véritable mine d'or. Ensuite, il a vérifié que la voirie suivrait, avec tout ce que cela implique – tout-à-l'égout, lignes électriques et autres détails. Après quoi, il a apporté son affaire bien ficelée à l'un des plus grands promoteurs de la région, Robert Patterson.

— Continuez, grommela Monroe, que l'histoire semblait enfin intéresser.

— En échange de son travail, Ragnor a demandé à Patterson trois pour cent sur la vente de chaque lot, ainsi que sur celle de la maison qui y serait construite.

Le policier émit un sifflement admiratif.

— Ce garçon allait ramasser un joli paquet…

— Exactement. En échange, il acceptait de se charger des démarches administratives avec la ville, les ingénieurs et les urbanistes. Bref, Patterson a acheté les parcelles mais, concernant les maisons, il a prétendu ne pas pouvoir signer de contrat tant que la ville n'avait pas donné son accord. Ragnor, toujours convaincu qu'il allait faire fortune, a travaillé matin et soir durant une année entière afin de finaliser le projet. Lorsque la ville a enfin donné le feu vert, Patterson a laissé Ragnor se coltiner encore d'autres corvées. Selon Grace Patterson, un projet de cette envergure nécessite quantité de démarches ; Ragnor s'est tout farci sans rechigner jusqu'au jour où, la paperasserie étant enfin bouclée, Patterson lui a éclaté de rire au nez en disant qu'il n'était pas question qu'un petit agent immobilier de rien du tout rafle autant d'argent que lui sur cette affaire – il avait déjà proposé un pour cent à un autre agent, qui a accepté avec joie. Bref, Ragnor n'a empoché que le pourcentage de la vente des parcelles, en somme beaucoup moins que ce dont il avait rêvé…

Monroe griffonna le nom de Ragnor sur un bout de papier.

— Je vérifierai.

— Faites mieux que ça, Monroe, étudiez ce type à la loupe. Allez interroger Grace Patterson : elle a entendu Ragnor menacer son fils de lui faire la peau. Je vous le dis, plus vous perdrez de temps en vous focalisant sur Nathalie, plus tard vous résoudrez cette affaire.

Nathalie venait d'éteindre les lumières du rez-de-chaussée avant de monter se coucher lorsque le téléphone sonna. Il était presque 23 heures : qui pouvait bien appeler à une heure aussi tardive ? Elle ralluma la lampe du salon, courut à la cuisine et décrocha. Une femme demanda à parler à Nathalie Patterson.

— C'est elle-même.

— Vous êtes la propriétaire du *Perroquet bleu* ?

Les événements de la veille l'ayant rendue prudente, la jeune femme préféra éluder la question avant d'en savoir plus.

— À qui ai-je l'honneur ?

— Nancy Steingold, de *Sécurité Service*. Votre alarme s'est déclenchée. J'ai prévenu la police, qui envoie une voiture de patrouille sur place.

— L'alarme du club s'est déclenchée ?

C'était la première fois que cela arrivait depuis l'ouverture de l'établissement.

— La plupart du temps, ce n'est pas grave. Une panne des détecteurs de mouvements ou bien une porte qui claque.

Par mesure d'économie, Nathalie n'avait pas fait installer de détecteur de mouvements, se contentant d'un système qui ne se déclenchait qu'en cas d'effraction.

— Merci de m'avoir prévenue.

— Je vous en prie. J'espère que ce n'est pas grave.

Nathalie raccrocha puis courut frapper à la chambre de son père.

— Papa?

Elle ouvrit la porte et alluma la lumière.

— L'alarme du club s'est déclenchée. Il faut que j'y aille.

Pete s'assit au bord de lit.

— Appelle Zeke, dit-il en ramassant ses vêtements. Il voudra peut-être nous accompagner.

— Il est sûrement à son magasin.

— Alors appelle-le là-bas, il nous retrouvera au club. Cette histoire ne me plaît pas... Tu as de l'argent dans la caisse? reprit-il après un bref silence.

— Uniquement la monnaie dont on a besoin pour démarrer la soirée, environ trois cents dollars qu'on laisse dans le coffre.

— Que pourrait emporter un voleur, dans ce cas, sinon des bouteilles d'alcool ou de la nourriture? Ça n'a pas de sens, sauf si ce sont des gosses. Appelle Zeke, informe-le que nous partons dans cinq minutes.

Nathalie referma la porte et regagna la cuisine.

— Que se passe-t-il? cria Naomi du palier.

— L'alarme du club a sonné, expliqua sa fille en cherchant dans son carnet d'adresses le numéro du magasin de Zeke.

Une heure plus tard, Zeke et Nathalie examinaient avec perplexité les portes du *Perroquet bleu*: elles avaient bien été forcées, mais de l'intérieur. La police venait de partir sans fournir d'explication.

— C'est incompréhensible, observa Nathalie. Entrer par effraction, je sais que ça se fait, mais... sortir par effraction, c'est la première fois que j'en entends parler.

Zeke la serra contre lui.

— Cette énigme a une solution. Laisse-moi une minute, cher Watson, et je la trouverai.

Nathalie sourit. Ne disait-on pas qu'il existait pour chaque femme un homme qui lui était destiné ? Elle avait mis du temps pour le trouver, mais elle l'avait !

— Le cambrioleur devait se trouver à l'intérieur avant la fermeture et le branchement de l'alarme, poursuivit-il. Nous laissons les portes ouvertes pour aérer, pendant que nous travaillons.

— Et quelqu'un se serait faufilé dans le club à votre insu ?

— C'est la seule explication qui me vient à l'esprit.

— Mais tu n'as pas travaillé ici, aujourd'hui.

— Mes frères, si.

Nathalie se frotta les bras en frissonnant.

— Mais l'alarme n'a sonné que vers 23 heures... Qu'est-ce qu'a fait le cambrioleur, pendant tout ce temps ?

— Bonne question, fit Zeke en balayant la salle du regard. Si rien n'a été volé ni vandalisé, cela élimine deux des raisons que l'intrus pouvait avoir de s'introduire ici.

Nathalie restait hébétée, incapable de comprendre ce qui venait de se passer. Son ahurissement s'accrut lorsque Zeke appela son père, qui était allé inspecter les travaux.

— Emmenez Nathalie loin d'ici, s'il vous plaît, Pete.

— Pourquoi je partirais ?

— Tu as besoin de repos, dit-il en la prenant par le coude pour la faire reculer. Je viendrai te voir dès que je rentrerai, d'accord ?

Nathalie sentit que quelque chose lui échappait. Comme son père la rejoignait sur le trottoir, une idée affreuse lui vint.

— Tu crois qu'il y a un piège quelque part ?

— Comment en es-tu venu à cette conclusion ? demanda Pete en scrutant le visage de Zeke.

— Ce n'est pas une conclusion, mais une précaution. Je suis peut-être un peu paranoïaque, mais je trouve étrange qu'un individu reste enfermé aussi longtemps avant de forcer les portes pour sortir. Par mesure de prudence, je voudrais réexaminer la salle de fond en comble.

Un frisson glacé saisit Nathalie.

— Il a raison, chérie, dit Pete en lui prenant le bras. Je vais t'emmener.

— Pourquoi n'appelle-t-on pas la police ? demanda-t-elle. On attendrait dehors qu'ils aient tout vérifié. C'est leur boulot, après tout.

— Je les appellerai, promit Zeke. Mais je préfère que tu ne sois pas à proximité. Ramenez-la, Pete. Dès que ce sera fini, je passerai vous dire ce que nous avons trouvé.

Nathalie ne comprenait pas quel risque elle courait en restant sur le trottoir, mais elle sentit la main de son père se crisper sur son bras, trahissant sa frayeur. Son cœur s'affola.

— Ô Dieu, murmura-t-elle. Tu penses à une bombe, c'est ça ?

— Je ne sais que penser. Mais je n'écarterai aucune éventualité tant que la police n'aura pas tout examiné de fond en comble.

— Viens, chérie, insista Pete. Partons d'ici.

— Non ! C'est mon club. Il n'est pas question que j'aille tranquillement me réfugier à la maison pendant que Zeke retourne là-dedans. Une bombe, c'est un peu tiré par les cheveux, mais Dieu sait de quoi ce type est capable. Le fourneau marche au propane ; il a pu crever un tuyau et...

— Nathalie, l'interrompit Zeke à mi-voix.

S'il avait crié, elle n'en aurait pas tenu compte. Mais le timbre retenu de sa voix la fit taire. Il lui prit le menton dans la main et la regarda dans les yeux.

— Je sais ce que tu éprouves. À ta place, moi non plus je ne voudrais pas partir. Mais tu dois penser à Chad et à Rosie, ils ont déjà perdu leur père. Qu'adviendra-t-il d'eux, s'ils te perdent également ?

Nathalie se souvint de la frayeur de Chad lorsque les policiers l'avaient emmenée au poste de police.

— Tu ne peux pas prendre de risques inconsidérés, reprit Zeke. Ils ont trop besoin de toi.

— Parce que, toi, tu peux prendre des risques inconsidérés, peut-être ? s'écria Nathalie, tétanisée à l'idée de perdre Zeke.

Elle ignorait comment elle en était venue à l'aimer aussi profondément et à avoir autant besoin de lui, mais elle savait qu'elle ne pouvait plus envisager de vivre sans lui.

— Je ne veux pas qu'il t'arrive quelque chose, moi. Je ne le supporterais pas.

Zeke lui prit la main et l'entraîna vers la camionnette de Pete.

— Moi non plus, je ne veux pas. Mais l'un de nous doit rester pour verrouiller après le départ de la police. Il vaut mieux que ce soit moi.

— Pourquoi ? Parce que tu es un homme et moi une femme ?

— Oui, acquiesça-t-il en ouvrant la portière de la camionnette. Tu peux me traiter de ringard et de vieux schnock, si tu veux, mais je suis tout bonnement incapable de laisser la femme que j'aime courir un tel danger. Tu vas rentrer et veiller sur tes enfants pendant que je me charge de ça. Je te promets d'être prudent.

Il souleva Nathalie, la hissa sur le siège et boucla sa ceinture sans se soucier de ses protestations.

— Je suis une femme adulte, bon sang de bois ! cria-t-elle comme il s'apprêtait à claquer la portière. Tu ne peux pas me fourrer dans une bagnole, me tapoter la tête et me renvoyer à la maison.

— Nathalie, tu vas rentrer, quitte à ce que je te ligote, intervint son père en montant à côté d'elle. Et assez discuté !

— C'est incroyable.

Zeke se pencha pour l'embrasser.

— Nous réglerons cette querelle plus tard. Tu as deux enfants à charge, moi non. Rentre et prends soin d'eux, je te rejoindrai dès que ce sera fini.

Il claqua la porte et la camionnette s'ébranla avant qu'elle ait pu réagir. En se retournant, elle vit que Zeke composait un numéro sur son portable. Celui de la police, espérait-elle.

— C'est scandaleux ! fulmina-t-elle en jetant un regard noir à son père. C'est mon club. Si quelqu'un devait rester, c'était moi.

Pete accéléra en silence. Il attendit qu'un feu rouge l'oblige à s'arrêter pour décocher un sourire à sa fille.

— Il me plaît, ce garçon. Cette fois-ci, Nattie, tu t'es trouvé un type bien. Arrête de faire des histoires et épouse-le.

— Toi aussi, tu t'es trouvé quelqu'un de bien. Pourquoi tu n'arrêtes pas de faire des histoires ? Pourquoi tu ne te remaries pas avec elle ?

Contrairement à ce qu'elle avait escompté, son père ne se mit pas en colère, mais répondit tranquillement :

— J'y pensais, justement.

Deux heures plus tard, Zeke se dirigeait vers la ferme des Westfield lorsqu'il aperçut Nathalie qui traversait le champ, tel un ange nocturne. Elle s'arrêta à quelques mètres de lui et croisa les bras. La brise ramenait ses boucles brunes sur son visage.

— Que fais-tu là ? s'étonna-t-il.

— Je guettais tes phares.

— Tu es censée te reposer.

— J'étais trop inquiète pour dormir.

Zeke s'approcha d'elle et repoussa ses mèches puis il se pencha, cédant à l'envie de goûter ses lèvres. Troublé qu'elle ne lui rende pas son baiser, il s'écarta.

— Tu n'aurais pas dû t'inquiéter.

— Qu'a trouvé la police?

— Eh bien, c'est un peu embarrassant, mais ils n'ont rien trouvé.

— Dieu merci, soupira-t-elle. Nous nous sommes monté la tête, alors?

— On dirait. Depuis que j'ai vu l'état dans lequel ce salopard a mis ta voiture, je saute en l'air pour un rien...

— Un cambrioleur qui sort par effraction, c'est plu-tôt bizarre. Mieux valait être prudent.

— Ce n'était pas l'avis de Monroe. Il était fou furieux.

— Il était là?

— J'ai dû être très convaincant, au téléphone, car il a aussitôt été prévenu. Mais, évidemment, quand il s'est avéré que tout allait bien, j'ai eu l'air d'un crétin.

Elle inspira à fond puis souffla en fronçant les sourcils.

— Il faut que nous parlions, Zeke. Je n'ai pas aimé ta façon tyrannique de prendre la situation en main.

— Faut-il vraiment qu'on parle de ça maintenant?

— Tu as promis que nous en discuterions.

Zeke avait espéré terminer la soirée d'une autre manière mais, vu l'expression affichée par la jeune femme, faire l'amour ne semblait pas à l'ordre du jour.

— Je suis désolé. Je ne voulais pas être tyrannique.

— Me pousser de force dans la camionnette avec l'ordre de rentrer à la maison, ce n'était pas de la tyrannie?

— Je ne t'ai pas poussée de force, je t'ai délicate-ment installée. Et je ne t'ai rien ordonné, je t'ai juste priée de rentrer.

— Ah bon ? Ce n'est pas une prière que j'ai entendue.

Certes, ça ressemblait à un ordre, admit Zeke en son for intérieur. Il savait pourtant qu'il réagirait de la même façon si l'incident se répétait – il l'aimait trop pour ne pas le faire.

— D'accord, c'était un ordre, finit-il par lâcher.

— Eh bien, ça ne me convient pas. Je n'aime pas qu'on me dise ce que je dois faire.

— J'essaierai de ne pas recommencer, promit-il en frottant le talon de sa botte sur le sol..

Jusqu'à la prochaine fois.

— Je comprends ce que tu as ressenti, reprit-il. Mais…

— Mais quoi… ?

— Eh bien, dans ma famille, aucun homme digne de ce nom ne laisse la femme qu'il aime courir un quelconque danger, s'il existe un moyen de la protéger.

— Aujourd'hui, les femmes qui sont dans l'armée combattent en première ligne.

— Ma femme ne le fera pas.

Elle leva une main comme pour écarter tout autre sujet de discussion avant que celui-ci ne soit éclairci.

— *Ta* femme ? C'est de moi que tu parles ?

Il regarda au loin, cherchant désespérément comment s'exprimer d'une façon plus adroite sans renoncer à la franchise.

— J'avoue que oui. Tu es une femme et je pense que tu es mienne. Si je me trompe, dis-le-moi tout de suite.

— Je tiens à toi, Zeke, commença-t-elle en redressant le menton.

Aïe ! Le verbe aimer n'était plus de mise, remarqua Zeke. C'était mauvais signe.

— Et je désire avoir une relation avec toi, poursuivit-elle. Mais ça ne signifie pas pour autant que j'accepte de figurer parmi tes possessions, avec le statut d'être inférieur auquel tu pourrais distribuer tes ordres. Je prends mes décisions toute seule, je l'ai toujours fait. Je n'ai pas besoin qu'un homme les prenne à ma place, même si je tiens à lui.

— Tu peux prendre tes décisions toute seule, pas de problème.

— Alors pourquoi m'en as-tu empêchée, ce soir ?

— Parce que c'était différent.

— Non, ça ne l'était pas. Je voulais rester et tu m'as traitée comme une gamine irréfléchie.

Zeke se frotta le nez pour la centième fois.

— N'exagère pas, Nathalie. En ce qui concerne le rôle de l'homme en cas de danger, j'ai des principes bien établis. Mais, le reste du temps, tu feras ce que tu voudras.

— Pendant presque onze ans, on m'a traitée en gamine, mais c'est fini.

— Tu me compares à Robert ?

— Le rôle te convient ?

Zeke serra les dents à se les briser.

— À toi de me le dire.

— Tu ne céderas pas ?

Zeke sentit la colère le gagner.

— Non. Tu veux t'acheter une voiture ? Très bien. Partir en tournée ? Parfait. Tu peux prendre toutes les décisions que tu veux, il n'y aura aucune objection de ma part. Mais il n'est pas question que je te laisse entrer dans un bâtiment qui risque de sauter. Si c'est cela être tyrannique, eh bien d'accord, je suis tyrannique, et je le serai toujours. On peut en discuter toute la nuit, ça ne changera pas.

— Je vois.

Si elle tournait les talons, il devrait la laisser partir, comprit-il avec horreur, car il ne pouvait lui dire ce qu'elle voulait entendre. Or c'est ce qu'elle fit : sans mot dire, elle rebroussa chemin. Il la suivit des yeux durant ce qui lui parut une éternité puis le tempérament impulsif des Coulter l'emporta.

— Bon, d'accord ! Tu as gagné ! cria-t-il. La prochaine fois qu'un bâtiment risque de sauter, je te souhaiterai bonne chance et je resterai avec les enfants ! Et, quand je te ramasserai à la petite cuillère, j'aurai la conscience tranquille, puisque c'était ta décision… Ça te va, comme ça ?

Elle se retourna.

— Tu joues au con ou quoi ? Je peux comprendre que tu aies voulu m'éloigner, Zeke, mais tu n'avais pas le droit de me traiter comme une enfant !

— Si je te considérais comme une enfant, je te donnerais une bonne fessée.

Seigneur, c'était la pire des choses à dire, songea-t-il en voyant Nathalie se ruer sur lui, les poings serrés.

Elle s'arrêta à deux mètres de lui.

— C'est une menace ?

— Je ne menace jamais.

— Alors passe aux actes !

Zeke se souvint de leur première rencontre et de la scène qui les avait opposés. La colère seyait à la jeune femme.

— Eh bien ? le défia-t-elle. Il ne suffit pas de menacer. Vas-y ! Frappe-moi si tu l'oses.

Zeke retint un sourire ; il pesait cinquante kilos de plus qu'elle. Il savait maintenant d'où Rosie tenait son culot.

— Nathalie, c'est stupide.

— Qu'est-ce qui est stupide ? Que tu m'aies menacée ou que je ne prenne pas la fuite ?

— Ce n'était pas une menace, mais une façon de parler. Jamais je ne te frapperai.

— Je l'espère. Mais sache que si tu essaies, c'est fini entre nous.

Il l'avait offensée, comprit-il, mais surtout, en la hissant dans la camionnette, il avait réveillé en elle des souvenirs pénibles.

— Pouvons-nous nous mettre d'accord sur un point ? demanda-t-il.

— Lequel ?

— Si je jure solennellement que je ne m'opposerai plus à tes décisions, me laisseras-tu assumer le rôle de l'homme quand un danger surgira ?

— *Le rôle de l'homme* ?

— Oui. Un rôle de protecteur. Je sais que c'est démodé, mais c'est comme ça que mon père m'a élevé – et que selon moi les hommes doivent se comporter. Je ne crois pas pouvoir changer.

— Eh bien, ça ne me convient pas.

— Est-ce que ça n'est pas tuer le cheval pour soigner son pied ? Tu ne crois pas pouvoir le supporter une fois tous les vingt ans ?

— Une fois tous les vingt ans ?

— Combien de fois durant les cinquante prochaines années serons-nous confrontés à des explosions de bombes ou de gaz, à ton avis ?

Baissant la tête, elle aussi se mit à creuser le sol de sa chaussure. Lorsqu'elle le regarda à nouveau, ses yeux trahissaient une douloureuse incertitude.

— Peux-tu me jurer que tu ne me traiteras plus jamais comme une enfant ?

— Je jure de ne plus jamais te traiter ainsi, sauf si j'estime la situation dangereuse. Et, même alors, j'essaierai de ne pas me comporter en tyran.

— Tout à l'heure, j'ai eu l'impression que tu ne m'entendais pas. Je n'étais plus ton égale, mais un être inférieur privé du droit de vote.

Le cœur de Zeke se serra.

— Ce n'était pas mon intention. Tu auras toujours le droit de vote, Nathalie et, dans la plupart des domaines, ta voix aura plus de poids que la mienne. C'est juste que… Merde ! Il y a un mois, j'étais un célibataire qui n'avait à s'inquiéter de personne. Maintenant, je t'aime et j'aime tes enfants au point que je deviens fou à l'idée qu'il pourrait vous arriver quelque chose.

— Et moi, tu crois que j'ai éprouvé quoi, tout à l'heure ? riposta-t-elle en posant la main sur son cœur. J'imaginais une fuite de gaz ou bien une bombe, et toi, réduit en mille morceaux.

Zeke se sentir rougir de honte.

— Tu as raison, lâcha-t-il d'une voix rauque. Je suis désolé de t'avoir fait une telle peur.

— Ce qui me tracasse, c'est que, jusqu'à ce soir, je n'avais jamais vu un soupçon d'autocrate en toi et, tout à coup, voilà que tu te comportes en tyran, comme si tu m'avais joué la comédie depuis le début… Je ne peux pas vivre avec quelqu'un qui feint de me respecter.

Zeke croisa les bras pour résister à la tentation de l'attirer à lui.

— Je ne fais pas semblant, chérie. D'où te vient cette idée ?

Elle ferma les yeux et rejeta la tête en arrière, comme pour rassembler ses pensées.

— En onze ans de mariage, je n'ai jamais été l'égale de Robert. Il refusait de me parler de ses affaires et, si quelqu'un lui rendait visite à la maison, il m'envoyait faire des courses ou regarder la télévision. Lui seul prenait les décisions et je n'avais qu'à applaudir. C'est lui qui a choisi notre maison, puis les meubles… Il a même embauché une styliste pour m'habiller. Jamais il ne m'a confié les éventuels problèmes qu'il pouvait rencontrer dans ses affaires, c'était comme si j'étais dépourvue de cerveau. Quand j'ai entamé la procédure de divorce, j'ai juré que plus jamais je ne vivrais ainsi.

— Et ce soir je me suis comporté exactement comme Robert…

Elle se redressa pour le regarder.

— Non. Il serait rentré avec les enfants et m'aurait laissée me débrouiller.

Zeke sourit.

— Je regrette ma conduite stupide. La prochaine fois, je ferai preuve de plus de délicatesse, c'est promis.

— Mais tu me renverras quand même à la maison.

Il acquiesça d'un hochement de tête.

— Même si pour moi c'est rédhibitoire ?

Zeke réfléchit une fraction de seconde. Il ne pouvait ni la laisser repartir ni faire une promesse qu'il n'était pas sûr de tenir.

— Veux-tu que je me fasse refaire le nez ?

— Pardon ?

— Il est trop grand. Je le sais, puisque le même pointe au milieu de la figure de mes frères. On peut m'en enlever un bout sans que ça me gêne.

— Je ne vois pas ce que ton nez vient faire là-dedans.

— C'est un défaut que je peux corriger.

Elle l'examina, intriguée.

— Ce n'est pas un défaut. J'aime ton nez.

— Chérie, si tu aimes ce pif, il n'y a qu'une explication : tu es follement amoureuse de moi. Dans ce cas, peux-tu réellement me quitter à cause de quelque chose qui ne se reproduira sans doute jamais ?

— Tu triches. Tu espères que je vais accepter de prendre un risque sous prétexte qu'il est improbable ?

— Heu, c'est à peu près ça. Le reste du temps, je serai M. Accommodant.

Elle le jaugea du regard.

— Accommodant jusqu'à quel point ?

— Lève le petit doigt et regarde-moi accourir à tes pieds.

18

Le lendemain matin, Grace Patterson appela Nathalie pour lui annoncer que le coroner leur rendait la dépouille de Robert. Les funérailles se dérouleraient le jeudi suivant à 11 heures au Funérarium Ehringer. Les visites auraient lieu la veille au même endroit, entre 18 et 20 heures.

Nathalie monta immédiatement prévenir Chad. Adossé contre une pile d'oreillers, le garçon était plongé dans *Harry Potter et l'Ordre du Phénix*. La jeune femme remercia *in petto* sa sœur en s'asseyant au bord du lit : ce livre avait permis à l'enfant de s'évader autant du chagrin que de la douleur physique.

— Je suis contente que tu aies pris un solide petit-déjeuner, aujourd'hui.

Chad glissa un bout de papier dans son livre pour ne pas perdre sa page et le referma avant de jeter un œil sur l'assiette vide qu'il avait posée sur sa table de chevet.

— Grammy a fait des crêpes aux myrtilles.

— C'est ce que tu préfères, je le sais. Elle te gâte. Que vais-je faire, quand elle rentrera chez elle ?

Chad sourit et haussa les épaules.

— Eh bien, pas de crêpes aux myrtilles.

Nathalie sourit. Dehors, deux rouges-gorges pépiaient joyeusement, dont elle enviait l'insouciance. Pourquoi fallait-il que l'univers de ses enfants en soit privé ?

— Ta grand-mère Grace vient d'appeler, annonça-t-elle enfin. Les funérailles auront lieu jeudi à 11 heures, et les visites demain soir.

Chad repoussa son livre et ferma les yeux.

— Les visites ? C'est quoi ?

— Les amis et les membres de la famille viennent dire un dernier adieu au défunt. Le cercueil est ouvert et entouré de fleurs. En général, on le laisse dans une petite pièce où l'on n'entre qu'à deux ou trois au maximum ; cela permet aux gens de pleurer s'ils en ont besoin sans que personne les voie.

— Maman ?

— Oui, fit-elle en lui prenant la main.

— Ça me fait peur. Je n'ai jamais vu de mort. Ça va être affreux ?

— Non, pas affreux. Ton père aura le même aspect qu'avant, sauf qu'il ressemblera à une sculpture en cire parce que son âme aura quitté son corps.

— Tu crois que son âme est au ciel ?

Nathalie pria pour qu'il en soit ainsi. Elle comprenait mieux Robert à présent que de son vivant.

— J'en suis sûre, répondit-elle.

— Mais il a fait du mal, murmura Chad. Dieu pourrait refuser de le laisser entrer.

— Si la décision t'appartenait, Chad, si tu possédais les clefs du paradis et que ton père se présente à l'entrée, tu le repousserais ?

— Non, mais c'était mon père et je l'aimais.

— Tu crois que Dieu l'aime moins ? À mon avis, il l'aime plus encore, parce qu'il a pu lire dans son cœur.

— Tu m'accompagneras ? demanda le garçon en rouvrant les yeux. Je ne crois pas pouvoir faire ça tout seul.

— Bien sûr. J'ai déjà demandé à Grammy de garder Rosie, tout est arrangé.

Zeke s'arrêta à l'entrée du jardin des Westfield et tendit à Chester un biscuit salé, petit geste d'amitié destiné à entretenir leur relation. Le jar le goba puis picora les miettes tombées à terre, tandis que Zeke le contournait pour se diriger vers l'arrière de la maison. Nathalie était assise sur les marches du perron.

Elle sursauta en entendant son nom.

— Zeke ! s'écria-t-elle en tapotant la marche à côté d'elle. Quand on parle du loup… Je pensais à toi, justement.

— Bonjour, Lumière des Yeux.

— Pourquoi m'appelles-tu comme ça ?

— Parce que tu as des yeux fabuleux. Chaque fois que je les vois, j'ai l'impression que le soleil vient de percer les nuages.

Se lasserait-il un jour de la regarder ? songea-t-il en la rejoignant. Malgré son jean délavé et son tee-shirt gris usé, elle était splendide. Ses cheveux retombaient sur ses épaules dans une cascade de boucles noires et sa bouche légèrement tuméfiée gardait la trace des baisers enflammés qu'ils avaient échangé pendant la nuit. Il s'assit à côté d'elle et laissa son regard errer dans le jardin.

— Les funérailles auront lieu jeudi, annonça la jeune femme. J'ai l'impression qu'un mois s'est écoulé depuis la mort de Robert.

— Il s'est passé tant de choses… Moi aussi, j'ai cette impression. Comment va Chad ?

— Il est triste et se confie peu. J'ai peur qu'il ne mesure tout d'un coup la situation et que le choc ne soit violent. Les occasions perdues… Tu vois ce que je veux dire ? Il voulait tellement rendre un jour son père fier de lui… Et ce n'est plus possible.

Un poing glacé étreignit la poitrine de Zeke. Il savait d'expérience combien il était important pour un jeune homme de mériter le respect de son père.

— Et toi, comment vas-tu ? s'enquit-il d'un ton qu'il voulut guilleret.

— Je me sens vide. Je regrette sincèrement que Robert soit mort, que la vie les ait empêchés, Chad et lui, de se connaître. Et puis il était trop jeune. J'ai du mal à penser qu'il est parti.

— Les funérailles t'aideront ; elles vous permettront à tous de fermer ce chapitre de vos vies. Ta famille va y aller ?

— Papa et Valérie oui, mais maman restera à la maison avec Rosie. Elle est trop jeune pour… À vrai dire, je préférerais que Chad n'y aille pas non plus, ajouta-t-elle en se frottant les mains. J'aimerais lui épargner ce sentiment affreux d'irrévocabilité.

— Il en a besoin, Nathalie. Et il le supportera.

— J'espère.

— Fais-moi confiance. C'est un garçon courageux.

Le chant joyeux des oiseaux lui rappela soudain pour quelle raison il était venu.

— Es-tu prête à entendre une bonne nouvelle ?

— Je t'en prie ! répliqua-t-elle en riant.

— J'ai programmé la réouverture du club pour vendredi soir… Mais si tu n'es pas d'humeur à chanter, pas de problème, se hâta-t-il d'ajouter. Le matériel de karaoké sera livré aujourd'hui ; Frank peut jouer quelques morceaux entre les numéros et, si ça ne suffit pas, je jouerai du violon.

Le regard de Nathalie s'anima.

— Je serai là, rien que pour t'entendre jouer.

— Je ne me contente pas de jouer du violon, protesta Zeke, je le fais chanter. Et je te rappelle que tu m'as promis une danse de l'ancien temps.

— J'adorerais ça. Pourquoi pas au club ?

— Les publicités passeront dès demain et jusqu'à dimanche. Ma belle-sœur Molly, la femme de Jake, que tu as rencontrée à l'hôpital, est très douée pour ce genre de trucs, elle m'a aidé à les rédiger. Rien de très sophistiqué, mais des textes efficaces.

Les yeux de Nathalie s'humidifièrent.

— Merci, Zeke. J'ai été tellement submergée par les événements que je n'ai pas pensé à la réouverture du club. C'est aberrant : si je ne rouvre pas, je coule.

— Tu ne couleras pas. Vendredi soir, la salle sera bondée. Car tu ne te contentes pas d'organiser un karaoké, tu offres des prix aux trois meilleurs chanteurs que désignera le public.

— Avec quel argent ?

— Je t'ai fait un prêt, tu as oublié ? Tu me rembourseras quand le club fera à nouveau des bénéfices.

Elle se pencha et l'embrassa sur la joue.

— Merci.

— C'est tout ce que tu peux faire ?

Il tourna la tête pour s'emparer de la bouche de Nathalie.

— Voilà, c'est mieux, murmura-t-il en s'écartant.

Le lendemain soir, Nathalie accompagna Chad au funérarium. Dès qu'elle eut passé la porte, ses narines furent assaillies par l'odeur des fleurs et elle eut l'impression que sa peau devenait poisseuse. Elle serra la main de son fils dans la sienne, autant pour son propre réconfort que pour celui de l'enfant. La directrice du lieu, une jolie blonde vêtue d'un tailleur bleu marine, les accueillit.

— Par ici, dit-elle aimablement en les précédant dans un couloir. Entre 18 et 19 heures, les visites sont réservées aux membres de la famille. La mère du défunt est déjà partie, aussi vous ne devriez pas être dérangés.

Elle s'arrêta à la porte et leur sourit.

— Il y a un bouton à l'intérieur. N'hésitez pas à sonner si vous avez besoin de quelque chose.

— Merci.

Nathalie attendit que la jeune femme s'éloigne puis regarda Chad.

— Tu es prêt, grand garçon ?

Le voyant acquiescer d'un signe de tête, Nathalie lui pressa l'épaule et ouvrit la porte. Ils entrèrent côte à côte, la mère rigide et l'enfant tremblant. La vue de Robert dans son cercueil leur causa un choc. Chad s'immobilisa et son front se couvrit de sueur.

— Ça va, chéri ?

Il hocha la tête et fit quelques pas. Nathalie entoura les épaules de son fils et regarda les traits reposés de Robert, dont les cheveux blonds luisaient tel de l'or bruni sur le satin blanc. L'entrepreneur de pompes funèbres avait parfaitement réussi à lui donner un air naturel – on avait l'impression qu'il pouvait à tout instant s'éveiller et se lever.

Pétrifié, Chad garda le silence quand Nathalie s'obligea à poser la main sur les doigts croisés de Robert. Elle eut la désagréable sensation de toucher un morceau de poulet mis à décongeler mais, pour éviter de choquer son fils, elle retint un geste de recul. Robert était bel et bien mort. Ses yeux ne se rouvriraient plus, sa poitrine ne se soulèverait plus. Sa vie s'était éteinte comme la flamme d'une bougie.

— Papa ! cria soudain Chad en sanglotant. Oh, papa !

Enlaçant le petit garçon, Nathalie céda à son contagieux désespoir. Elle pleura sur Robert à qui l'on n'avait jamais appris à aimer, et sur son fils que ce deuil forçait à mûrir trop vite.

Au bout de quelques minutes, un peu calmés, ils s'assirent un instant auprès du cercueil. Puis, d'un commun accord, ils se levèrent. Chad s'arrêta une seconde devant le cercueil avant de sortir.

Les yeux rouges et gonflés, Bonnie Decker était assise dans l'entrée. Elle les salua d'un hochement de tête puis se détourna. Nathalie aurait voulu lui dire quelque chose, mais quoi ?

Chad ayant déjà traversé l'entrée et franchi la porte, l'instinct maternel l'emporta : elle se hâta de suivre son fils tout en plaignant la jeune femme solitaire venue dire adieu à un homme qui n'avait ni compris ni apprécié la dévotion qu'elle lui portait.

Guidé par les sanglots étouffés de Chad, Zeke grimpait l'échelle du grenier à foin des Westfield. Quelques minutes auparavant, Nathalie l'avait appelé à l'aide : son fils avait à nouveau disparu et elle ne savait où le chercher. Dès qu'il avait entendu les pleurs, Zeke était allé la rassurer avant de rejoindre l'enfant – c'était à lui qu'incombait en cet instant la difficile tâche de le calmer.

Titubant entre les balles de foin, les narines irritées par la poussière, il s'enfonça dans la pénombre en se fiant à ses oreilles.

Chad était blotti dans un coin. Quand Zeke s'assit à côté de lui, des nuages de poussière s'élevèrent, remplissant ses yeux de larmes.

— La soirée a été pénible, hein ?

L'enfant renifla, manquant de s'étrangler sur un sanglot.

— Je suis a-allé voir mon pa-papa.

Zeke croisa les bras autour de ses genoux en s'efforçant de se mettre à la place de son petit compagnon. Il n'était pas juste qu'un si jeune garçon subisse un tel chagrin. Malheureusement, la vie n'était pas juste, songea Zeke avec amertume.

— Je regrette que tu l'aies perdu, murmura-t-il, je sais que tu l'as aimé. Moi aussi, j'aime beaucoup mon père. Quand il mourra, je pleurerai comme un bébé, c'est sûr.

Cet aveu parut soulager Chad qui, cessant de retenir ses pleurs, se blottit contre sa poitrine.

Un long moment s'écoula.

— Lorsque je ferai un *home run* au base-ball, mon papa ne pourra pas le voir, murmura enfin l'enfant entre ses larmes.

Zeke posa la joue sur ses cheveux.

— Il ne sera pas présent en chair et en os, mais il sera là en esprit et il te regardera.

Un dernier sanglot souleva la poitrine de Chad.

— Tu crois ?

— Je le sais. Tais-toi une seconde, Chad, et essaie de sentir qui tu es. Pas ton corps, pas ta voix, ni ce que tu vois. Reste assis avec moi dans l'obscurité et recueille-toi.

L'enfant, qui commençait à se détendre, garda le silence.

— La partie de ton être que tu sens en ce moment ne mourra jamais, murmura Zeke. Ce que nous sommes, nos sentiments et nos pensées, ne disparaît pas avec la mort. Certaines personnes pensent que nous allons au paradis, un royaume lointain aux rues pavées d'or. Moi, je pense que le paradis est ici, autour de nous, mais que nous ne pouvons pas le voir. C'est un monde parallèle très beau et très paisible où règne notre Créateur, une sorte de miroir sans tain, derrière lequel les défunts peuvent voir les vivants.

Chad se raidit.

— Tu crois que mon père est ici ?

— Oui. Même s'il ne te le montrait pas, il t'aimait. Plus tard, quand il verra que tu vas bien, il s'éloignera et ne viendra te voir que lorsque tu auras besoin de lui... mais, en ce moment, je pense qu'il reste auprès de toi. Un jour, quand tu tiendras ton propre fils dans tes bras, il sera là et sourira derrière ton épaule.

Le garçon prit une profonde inspiration.

— Je voulais réussir un *home run*… Papa aurait emmené toute l'équipe manger une pizza pour fêter ça…

Zeke sourit. Il avait compris que la pizza n'était pas l'essentiel : ce que regrettait Chad, c'était l'admiration de son père – l'occasion perdue, comme avait dit Nathalie. Chaque fois que l'enfant réussirait quelque chose, il prendrait le deuil en réalisant que son père n'était pas là pour partager cet instant avec lui.

— Je ne suis pas ton père, articula Zeke en pesant ses mots. Et je sais que je ne le remplacerai jamais, mais je serai fier d'emmener ton équipe manger une pizza, quand tu réussiras ce *home run*.

Chad s'écarta un peu de lui pour mieux le scruter.

— Il n'y a que les pères qui font ça…

— Oui, je sais. Je voulais t'en parler justement, mais je ne sais pas si c'est le bon moment.

— Tu aimes ma maman, c'est ça ?

— Oui. Comme un fou.

Chad renifla et s'essuya le nez.

— Tu vas l'épouser ?

— Pas sans ta permission.

— Pourquoi ?

— Parce que c'est ta mère, et que tu es l'homme de la famille, désormais. Je suis peut-être démodé, mais j'ai besoin de te demander sa main. Normalement, c'est à son père que l'on demande la main d'une femme. Mais, en l'occurrence, c'est toi qui est le plus concerné, car l'homme que tu choisiras deviendra ton beau-père… Enfin, on en reparlera dans quelques semaines, quand tu te sentiras mieux.

— Maman sait que tu voulais me demander la permission ?

— Oui.

— Et si je dis non ?

— Eh bien, j'attendrai un peu avant de te reposer la question. Pour moi, ta mère est devenue comme une mauvaise habitude dont je ne peux pas me débarrasser.

Il sentit Chad sourire contre sa chemise.

— Ne lui dis pas ça, surtout. Elle serait furieuse.

— Tu as raison, admit Zeke avec un petit rire.

Ils se turent à nouveau. La tristesse imprégnait l'obscurité. L'avenir, et ce qu'il leur réservait, n'était qu'une lueur indistincte.

— Je me sens mieux, souffla enfin Chad. Je suis prêt à rentrer.

— Tu es sûr ? Moi, je suis bien ici.

— Je suis sûr : je ne suis plus aussi triste. C'est bon de savoir que mon père me voit peut-être. Merci de m'avoir parlé.

— Je t'en prie, dit Zeke en lui tapotant l'épaule. C'est à ça que servent les amis.

Zeke descendit en premier et attendit Chad au bas de l'échelle. Lorsque ses pieds touchèrent le sol, l'enfant se retourna à moitié.

— Tu peux épouser ma mère, si tu veux.

Zeke secoua la tête.

— Tu ne devrais pas prendre cette décision aussi vite. On peut attendre quelques semaines.

Chad haussa les épaules.

— Je ne changerai pas d'avis. Tu as été mon ami avant de commencer à aimer ma mère. Je crois que j'aimerai t'avoir pour père, et que tu seras un gentil papa pour Rosie.

C'était l'un des plus beaux compliments que Zeke avait jamais reçus.

— Merci. De mon côté, je serai content de t'avoir pour fils… mais les lancers de tomates, c'est fini. Marché conclu ?

— Marché conclu, répéta Chad en se dirigeant vers la maison.

Il s'arrêta soudain et regarda Zeke.

— J'imagine que tu n'as pas envie de venir, demain ?

— À l'enterrement ?

— Oui. Tu n'es pas obligé d'y aller, je sais, mais je me disais que... que ce serait plus facile pour ma mère si tu étais à ses côtés.

Zeke hocha la tête. Nathalie ne serait pas la seule à avoir besoin d'un bras solide auquel se cramponner.

— Tu as raison. Je n'y avais pas pensé.

— Ça veut dire que tu viendras ?

— Oui. Tu as raison, il vaut mieux que je sois là, au cas où ta mère aurait besoin de moi.

Nathalie passa la journée suivante dans une sorte de brouillard. Elle se déplaça, parla et fit tout ce qu'elle était censée faire, mais rien ne lui semblait réel. Son cerveau n'était plus qu'un méli-mélo de fils électriques effilochés qui la laissaient en panne. Une stupeur étrange l'avait engloutie, corps et âme. Grâce au ciel, Zeke parvenait à percer ce brouillard, et sa voix grave l'apaisait d'une façon incompréhensible.

La cérémonie se déroula sans incident ni émotion réelle. Élégamment vêtue de noir, Grace se tamponnait les yeux avec un petit mouchoir en dentelles. Nathalie n'éprouvait qu'un vide affreux, comme si son cœur était un tableau noir soigneusement lessivé. Chad était le seul à pleurer avec sincérité.

Les funérailles terminées, Zeke raccompagna les Westfield chez eux, Nathalie sur le siège du passager, Chad, Valérie et Pop à l'arrière. Même le trajet en voiture semblait irréel. Nathalie tripotait un mouchoir en papier en se demandant ce qu'il faisait là : elle n'avait pas versé une larme de la journée et n'en avait aucune envie, alors pourquoi froissait-elle ce mouchoir ?

Après un dîner rapide, la jeune femme monta baigner sa fille et la mettre au lit. Il lui paraissait étrange de faire ces choses ordinaires, de plonger les doigts dans l'eau chaude, de savonner la peau douce de Rosie, de passer la brosse dans ses boucles noires, de s'entendre lire une histoire... et de se sentir en même temps très, très loin de tout ça... Débranchée, en quelque sorte.

Rosie couchée, Nathalie se rendit dans la chambre de Chad, où elle trouva son fils endormi sur son *Harry Potter*. En en sortant, elle s'adossa contre la porte refermée, avec la sensation d'être accablée d'un poids énorme.

Valérie la rejoignit dans le couloir.

— Ça va ? murmura-t-elle.

— Ça va, répondit sa sœur d'un ton las. Tu sais ce que cette histoire m'a appris ?

Le visage bronzé de Valérie semblait étrangement pâle.

— Quoi ?

— Nous ne sommes que des poulets dont on n'a pas encore tordu le cou.

Sans répondre, Valérie tourna les talons et se hâta de descendre l'escalier, tandis que Nathalie regagnait sa chambre, rêvant de tonnerre et de froides brises nocturnes. Elle ne désirait qu'une chose : fermer les yeux et laisser son cerveau s'éteindre.

Elle était en sous-vêtements lorsqu'elle entendit Zeke entrer.

— Si c'est Valérie qui t'a prié de monter, je te rassure tout de suite : tout va bien, dit-elle en jetant sa robe à terre sans se soucier de la froisser. Je ne suis pas triste, ni rien.

— Je sais, et c'est bien le problème, non ? Tu ne parviens pas à être triste.

Elle s'assit sur le lit et le regarda.

— Que m'arrive-t-il, Zeke ?

Elle attendait qu'il lui parle et lui redonne le sentiment d'être vivante, comme il l'avait fait pour Chad.

Au lieu de quoi il garda le silence, ce qui irrita la jeune femme – elle savait qu'il connaissait les mots dont elle avait besoin. Pourquoi se taisait-il ?

— Que dirais-tu d'aller te promener ?

— Comment ?

Sortant du placard un jean et un tee-shirt, il les jeta sur les genoux de Nathalie.

— Habille-toi. Tu as besoin de prendre l'air.

— Je n'ai pas envie de marcher.

— Je sais. C'est pourquoi tu dois sortir.

Cela n'avait aucun sens, mais ses pensées étaient trop confuses pour qu'elle puisse discuter. Lorsqu'elle se fut habillée, Zeke s'accroupit devant elle et lui enfila ses baskets. Il tira trop fort sur les lacets et lui comprima les pieds, mais elle ne trouva pas l'énergie de se plaindre.

Enfin, il l'entraîna dans l'escalier et la poussa dehors.

— Où allons-nous ?

— Quelle importance ?

Sans lâcher sa main, il traversa la cour et se dirigea vers la route. Une fois la chaussée atteinte, il ralentit l'allure mais n'ouvrit pas la bouche, ne la pria pas de lui confier ses sentiments – ce dont elle ne songeait pas à se plaindre, car elle ne sentait rien. Elle s'appliquait simplement à poser un pied devant l'autre, tout en inspirant et en expirant calmement.

— Je devrais être triste, mais je ne le suis pas, lâcha-t-elle enfin. Je l'ai aimé. Il était le père de mes enfants. Comment ai-je pu le regarder mort dans son cercueil et ne rien éprouver ?

Zeke s'arrêta. Le clair de lune faisait briller ses yeux comme de l'argent fondu.

— Chérie, tu as traversé l'enfer, cette semaine. Tu es épuisée, physiquement et émotionnellement. Le cerveau est un mécanisme fabuleux qui sait tirer le rideau quand la vie nous accable d'événements. La tristesse est là, au fond de toi, mais tu ne commenceras à la sentir que quand tu seras capable de la supporter. Pour l'instant, tu surfes sur les vagues et fais ce qu'il y a à faire.

— Tu ne me trouves pas épouvantable ?

Il glissa un bras autour de son cou pour l'attirer à lui.

— Grands dieux, non. Je te trouve merveilleuse, au contraire. Ne te reproche pas de ne pas être triste. Tu le seras, ne serait-ce que parce que Robert est le père de tes enfants. Accorde-toi seulement un peu de temps.

Nathalie serra les poings sur la chemise de Zeke et s'appuya sur sa poitrine.

— Oh ! Zeke, je t'aime !

Il déposa des baisers légers sur ses cheveux.

— Je sais que tu m'aimes. Et je sais autre chose.

— Quoi donc ?

— Je pense que tu as besoin de te sentir vivante.

Elle ferma les yeux pour mieux écouter le rythme régulier du cœur de Zeke.

— C'est-à-dire ?

— Je vais te montrer, murmura-t-il.

Il la souleva, franchit le fossé et la reposa dans le champ voisin.

— On ne peut pas faire l'amour ici, voyons, protesta-t-elle.

— Pourquoi pas ?

— On n'est pas chez nous…

— Et alors ?

Il passa un bras autour de sa taille et la fit s'allonger dans l'herbe haute. Quelques minutes plus tard, comme elle flottait avec lui sur une vague de sensations délicieuses, Nathalie se sentit revivre. Elle supplia le destin de leur accorder un avenir commun.

19

Le vendredi soir, Nathalie se sentit suffisamment en forme pour assister à la réouverture du *Perroquet bleu*. Ainsi que Zeke l'avait prédit, la salle était comble : des mordus de karaoké avaient envahi le club dans l'espoir de remporter un prix et, contrairement à ce qui se passait auparavant, les clients s'attardaient après avoir dîné, multipliant les consommations. Examinant les réserves du bar au milieu de la soirée, Nathalie s'aperçut qu'il lui restait tout juste de quoi servir jusqu'à la fermeture.

— C'est incroyable ! lança-t-elle à Zeke. Ils sont très nombreux et ils ont l'air de bien s'amuser.

— Et c'est toujours un endroit très chic, précisa-t-il en jetant un œil à la robe rouge à paillettes de Nathalie. La première fois que je t'ai vue dans cette robe, j'ai pris la fuite si vite que j'ai failli me casser la figure.

— Ah bon ? Mais pourquoi ?

— J'avais compris que tu allais me capturer.

Elle éclata de rire, le cœur incroyablement léger. Son entreprise prospérait, son fils semblait se remettre de la mort de son père et elle était follement amoureuse d'un splendide cow-boy qui voulait passer le reste de sa vie avec elle. Que demander de plus ?

— Je suis contente que tu n'aies pas fui trop loin.

— Moi aussi. Mais je dois te prévenir, nous n'aurons pas une vie tranquille.

Il désigna du doigt les cinq tables qu'occupaient les membres de sa famille.

— Mélange-les aux Westfield, et il y aura toujours un événement en train : mariage, anniversaire, naissance, maladie, accident, problème conjugal… Juste histoire de ne pas s'assoupir.

— Les problèmes conjugaux de qui ?

Les yeux de Zeke brillèrent.

— Des autres, bien sûr. Nous, nous n'en aurons jamais.

Nathalie partit dans un nouvel éclat de rire.

— J'espère bien, car tu n'es pas un adversaire loyal.

— Les réconciliations présentent pourtant certains avantages… observa-t-il avec un regard insistant.

— Arrête. C'est un lieu public.

— Tu danses ?

Tout en valsant au rythme lent d'une ballade, Nathalie sentait son cœur déborder de bonheur.

— J'ai parlé avec Chad, lui annonça Zeke. Nous avons sa bénédiction. Veux-tu m'épouser ?

Son air solennel donna à Nathalie l'envie de l'asticoter un peu.

— J'ai déjà dit oui, aussi la grande question désormais concerne la date. J'ai toujours rêvé d'un mariage en juin.

Il fronça les sourcils.

— Oublie juin : je ne vais pas escalader ce toit tout l'hiver. Dès qu'il neigera, je me casserai le cou.

Obéissant à la pression de sa cuisse, Nathalie glissa trois pas en arrière.

— La neige posera un problème, évidemment. Alors que dis-tu de Noël ? Nous pourrions nous jurer fidélité devant un sapin décoré, ça serait très romantique, non ?

Il refusa d'un hochement de tête.

— Il neige dès Thanksgiving, ici. Je voyais plutôt ça vers la mi-octobre, qu'en penses-tu ? Cela laisserait

354

aux enfants le temps de faire une bonne rentrée scolaire et de s'habituer à la perte de leur père. En partant une semaine, nous serons de retour pour Halloween. Rosie accrochera des dessins de sorcières dans toute la maison et nous sculpterons ensemble des citrouilles.

— Un mariage d'automne ?

Nathalie songea aux feuilles rouges et à l'air vif de cette saison qui lui paraissait une époque idéale pour entamer leur vie commune.

— Très bien. Allons-y pour la mi-octobre, donc. Ça me paraît parfait.

— Autre question, fit Zeke en haussant un sourcil. Où veux-tu vivre ? Si tu veux rester à la ferme, je peux louer ma maison ou la vendre.

Sa proposition étonna Nathalie.

— Tu accepterais de vivre avec ma famille ?

— J'ai l'habitude des grandes maisonnées, ça ne me fait pas peur.

— Ma famille est cinglée, au cas où tu ne l'aurais pas remarqué.

— Leur style de folie ne me déplaît pas. Mais c'est à toi de décider. Franchement, ça m'est égal, du moment que nous sommes ensemble.

— Je préfère vivre chez toi, murmura-t-elle. Si je veux aller les voir, c'est facile. Et quand ils me taperont sur les nerfs, je resterai à la maison.

Il hocha la tête.

— Fais-moi plaisir, dit-il. Chante *Toujours et à jamais*.

— Promis, cow-boy.

Peu après, elle montait sur scène et commençait son show par la chanson demandée. Zeke la rejoignit sur scène et chanta en même temps qu'elle le refrain, qui promettait un amour éternel. C'est à ce moment-là qu'il sortit de sa poche de chemise une bague ornée d'un diamant.

Nathalie fut si stupéfaite qu'elle s'interrompit au milieu de la chanson. Son ahurissement s'accrut lorsqu'elle le vit poser un genou à terre.

— Oh! Zeke, non! Lève-toi, c'est fou...

— Vas-y, Zeke! l'encouragea Hank.

Jake émit un sifflement strident avant de crier:

— Pendant des années, j'ai essayé de le mettre à genoux. Nathalie, oblige-le à rester comme ça un bon moment.

— Nathalie Westfield Patterson, déclara Zeke d'un ton solennel, feras-tu de moi l'homme le plus heureux du monde en acceptant d'être ma femme?

La gorge nouée, Nathalie ne put que hocher la tête. Alors, Zeke glissa la bague à son annulaire, se releva et s'inclina pour l'embrasser sur la bouche, opération que la présence de la guitare entre eux compliqua quelque peu. Tout le monde applaudit puis des voix s'élevèrent, réclamant qu'ils chantent en duo le reste de la chanson. Ce fut l'un des moments les plus émouvants de la vie de Nathalie – non que sa prestation soit parfaite, mais parce que chaque mot venait du cœur, et qu'il en était visiblement de même pour Zeke.

La jeune femme était très jeune, lorsqu'elle avait cessé de croire à l'amour sincère; ces dernières années, elle s'était contentée d'une vie médiocre sans espérer plus. À présent, soudainement et inexplicablement, alors qu'elle s'était convaincue qu'il n'existait pas, le prince charmant surgissait dans sa vie et lui offrait son cœur.

La chanson achevée, Zeke l'embrassa à nouveau avant de quitter la scène. Le public applaudissait et tapait du pied, priant Nathalie de continuer à chanter.

Heureux et satisfait, Zeke regagna son siège. Dans sa robe rouge, Nathalie resplendissait, et elle fascinait tous les hommes. Mais il n'y avait pas de quoi s'inquiéter : elle l'aimait et venait de lui promettre un amour éternel. Qu'ils regardent et en crèvent d'envie ! Cette dame était prise.

Comme toujours, avant même qu'elle ait ouvert la bouche, l'atmosphère se fit électrique. Les danseurs se turent et les clients assis se figèrent.

— Pour le morceau suivant, j'ai besoin de vous, dit-elle en souriant. Gardez le rythme et chantez avec moi.

Elle cala la guitare sur sa hanche et gratta quelques accords. Comme elle souriait d'un air malicieux, une fossette creusa sa joue. Puis sa voix chaude jaillit :

— *Sweet Home Alabama !*

La foule hurla et siffla ; les danseurs tapèrent du pied et des mains. Zeke battait la mesure de sa botte tout en fredonnant. Nathalie... En vraie bête de scène, elle savait subjuguer son public. Les battements de pied se faisaient plus fort et les tables vibraient. Les yeux rivés sur Nathalie, Zeke eut soudain le pressentiment d'un désastre imminent. Son cœur s'affola. Son corps se crispa. Le pire était qu'il ne comprenait pas d'où lui venait cette sensation.

Quand soudain un sixième sens lui fit lever les yeux : Horreur ! La plate-forme de la sono oscillait au-dessus de la scène. Il bondit sur ses pieds, renversant sa chaise. Nathalie se tourna vers lui avec un regard intrigué.

À partir de ce moment, tout se passa comme au ralenti, pour Zeke. Parcourir les quelques mètres qui le séparaient de l'estrade lui parut durer une éternité. Quand un débris de la plate-forme se détacha, une pluie de plâtre se déversa lentement sur la scène, tel un nuage de plumes, et Nathalie leva les yeux avec une expression de terreur. Sa guitare glissa de sa hanche. Frank Stephanopolis bondit de son tabouret.

Ses bottes martelant le plancher, Zeke accéléra. Il vit Nathalie lever un bras pour protéger sa tête avant de s'écarter – pas assez loin. Il ignorait combien pesait la sono, mais savait que son poids suffirait à tuer quiconque aurait la malchance de se trouver dessous. Zeke sauta d'un coup de jarret sur la scène, agrippa la taille de la jeune femme et roula de côté avec elle. Comme il se couchait sur elle pour la protéger de son corps, des cris jaillirent, suivis du bruit assourdissant d'une chute. Un morceau de bois lui heurta le dos et le coin d'un haut-parleur s'enfonça dans sa hanche.

Alors le bruit cessa, et un silence angoissé se répandit dans la salle. Il ne dura qu'un instant avant que le vacarme n'éclate : cavalcades, cris et jurons se mêlaient. Zeke se souleva et palpa les bras et les jambes de Nathalie avec inquiétude.

— Ça va ? Tu es blessée ?

— Ça va, ça va. Que s'est-il passé ?

Elle se tourna vers la scène et poussa un hurlement.

— Frank ? Mon Dieu ! Frank ?

Zeke se hâta de se relever et courut vers le pianiste qui gisait, inerte, sous la carcasse de la plate-forme.

— Appelez une ambulance ! cria-t-il tout en jetant de côté les morceaux de contre-plaqué qui écrasaient Frank.

Nathalie ne supportait plus la vue du linoléum taché de la salle d'attente. La veste de Zeke sur les épaules et un gobelet de café dans les mains, elle pensait à Frank Stephanopolis, son pianiste. Blessé à la tête, il avait plusieurs membres cassés et le pelvis écrasé ; selon le médecin qui était venu les rassurer, il ne devait la vie sauve qu'à la présence du piano, qui avait supporté l'essentiel du poids de la plate-forme.

Les joues souillées de mascara, Sharon Stephano-polis, la femme de Frank, ne cessait de regarder sa montre.

— Que c'est long! soupira-t-elle pour la énième fois. Il est sûrement sorti du bloc, maintenant.

— Ça fait à peine quarante minutes, Sharon. Aie confiance, il va s'en sortir. Il le faut.

— Pourquoi une chose pareille arrive-t-elle à Frank? gémit la jeune femme. Il est si gentil, il n'a jamais fait de mal à personne...

Nathalie avait l'impression qu'un étau enserrait sa poitrine et, chaque fois qu'elle croisait le regard dou-loureux de Sharon, la pression augmentait. La peur de devoir répondre à une douzaine de questions la retenait d'expliquer qu'il s'agissait d'un attentat qui la visait, elle.

Après l'avoir déposée à l'hôpital, Zeke était retourné au club afin de voir ce qui avait causé la chute de la plate-forme. Il l'avait appelée deux minutes plus tôt, la voix tendue, pour lui signaler que les boulons à œil qui la fixaient au plafond avaient été fendus. Ce n'était donc pas un accident... Zeke ne s'était pas trompé, l'autre soir: quelqu'un s'était effec-tivement faufilé à l'insu de Jake et de Hank et avait scié les boulons afin que la plate-forme s'écroule sur elle.

En elle, la peur avait cédé la place à la colère. Frank, époux d'une charmante jeune femme et père de deux petits garçons, était en train de lutter contre la mort. Une mort qui la visait, elle. Pourquoi? La question ne cessait de tourner dans sa tête. Elle n'avait rien vu de significatif, dans la maison de Robert. Devait-elle sortir dans la rue et hurler qu'elle ne savait rien, qu'il fallait la laisser tranquille? Pour couronner le tout, la police croyait à un accident: les boulons auraient été endommagés par les vibrations dues aux battements de pied du public. Zeke avait eu beau affirmer qu'ils avaient été sciés, Monroe l'avait accusé de paranoïa.

Nathalie songeait à l'absurdité de la situation lorsque ses parents arrivèrent et s'assirent à côté d'elle. Ses joues se rosirent de honte – c'était Sharon qui avait besoin de sa famille ; malheureusement, celle-ci vivait au Mexique.

Une demi-heure plus tard, le chirurgien les rejoignit, toujours vêtu de sa tenue de bloc.

— Il est tiré d'affaire, commença-t-il.

— Oh, fit Sharon en enfouissant le visage dans ses mains, merci, mon Dieu !

Le médecin lui tapota l'épaule.

— Il a eu de la chance, madame Stephanopolis. Si la plate-forme l'avait heurté de plein fouet, il ne serait plus parmi nous... Nous allons le garder quelques jours et, ensuite, il devra se reposer chez lui pendant au moins douze semaines.

Il poursuivit en décrivant avec moult détails les blessures de Frank, mais Nathalie, soulagée, avait cessé d'enregistrer ses propos.

— Quand pourrai-je le voir ? s'enquit Sharon.

— D'ici une heure ou deux. Une infirmière viendra vous chercher.

— Merci, docteur. Merci beaucoup, balbutia la jeune femme, les joues ruisselantes de larmes.

— Vous êtes de la famille ? demanda le chirurgien en se tournant vers Nathalie et ses parents.

— Non, je suis l'employeur de M. Stephanopolis.

Et la personne à cause de laquelle il a failli mourir, précisa Nathalie *in petto*.

— Nous resterons avec Sharon jusqu'à ce qu'elle puisse voir son mari.

— Bien, approuva le médecin. Il est pénible d'attendre seul.

Trois heures plus tard, Nathalie se glissait dans son lit. Peu après le départ du chirurgien, la famille de Zeke était arrivée à l'hôpital. M. et Mme Coulter l'avaient réconfortée, et Hank et Jake avaient veillé sur elle au point de la suivre jusqu'à la porte des toilettes.

Zeke l'avait appelée du club à plusieurs reprises pour lui rapporter ses discussions avec la police et lui décrire le grand ménage qu'il effectuait avec les employés : avant de fermer le *Perroquet bleu*, il fallait dégager les gravats, isoler les fils électriques rompus, balayer et laver. Il s'agirait ensuite de vider la caisse et d'effectuer un dépôt de nuit à la banque.

Nathalie lui était très reconnaissante d'assumer ces corvées à sa place, mais en même temps elle souffrait de son absence. Souffrance qui lui faisait honte car, au même instant, Sharon était assise au chevet de son mari et priait pour sa vie. Zeke la rejoindrait bientôt, sain et sauf. Il se glisserait sous ses draps et la prendrait dans ses bras, elle pourrait le toucher, et sentirait ses grandes mains caresser doucement son corps. Il viendrait, elle le savait, et tout irait bien à nouveau.

C'est sur cette pensée que Nathalie s'endormit en rêvant de ces retrouvailles.

L'affaissement du matelas sous le poids d'un homme la réveilla. Elle sourit et, toujours à moitié assoupie, tendit les bras. Avant de sursauter : ce n'était pas les épaules de Zeke que découvraient ses doigts. Avant qu'elle n'ait pu pousser un cri, une main brutale se plaqua sur sa bouche, écorchant ses lèvres sur ses dents. La terreur la réveilla complètement. Elle scruta la silhouette sombre qui la dominait.

— Connasse !

Instinctivement, ses doigts griffèrent la chair d'un visage inconnu. Prise de panique, Nathalie se débattait sous le poids qui l'écrasait ; le drap ligotant ses jambes, elle n'avait que l'usage de ses mains. L'homme jura, attrapa un oreiller et le lui appliqua sur la figure tout en agrippant ses poignets. Nathalie rua et s'efforça de se libérer. Les genoux de son agresseur enserraient ses cuisses, bordant le drap comme une camisole de force. Horrifiée, elle voulait hurler, mais l'oreiller lui coupait le souffle et étouffait le peu de bruit qu'elle parvenait à émettre. Et lorsqu'elle essaya de tourner la tête de côté, un violent coup de coude la cloua sur place.

Totalement aveugle et prisonnière, elle respirait de plus en plus difficilement. L'homme ne semblait pas très grand, mais il avait l'avantage du poids et des draps qui lui servaient de liens. Le manque d'air faisait battre ses tempes, tandis que sa poitrine se convulsait spasmodiquement. Privés d'oxygène, ses muscles furent soudain pris de soubresauts. Alors, Nathalie comprit qu'elle allait mourir.

Combien de temps pouvait-on survivre sans respirer ? Cette question devint son unique souci, effaçant tous les autres – qui ? pourquoi ? Le manque d'oxygène lui donnait le vertige et, cherchant désespérément à quoi se raccrocher, elle se lacérait les paumes de ses ongles. Une panique lourde et noire descendait en elle, l'engloutissant peu à peu.

La mort. Elle revit le visage immobile de Robert. Elle pensa à ses enfants et, rassemblant ses dernières forces, tenta de libérer ses poignets avant de se cambrer pour essayer de repousser son agresseur. Mais rien de ce qu'elle fit n'eut de résultat. Lorsqu'elle voulut reprendre son souffle, l'oreiller entra dans ses narines et dans sa bouche.

Zeke se mit debout sur la rambarde du perron, qui, remarqua-t-il, ne résisterait plus très longtemps à ses escalades – le mariage devenait urgent. Il agrippa le bord du toit, se souleva et posa un pied sur les bardeaux. Puis, après avoir fait pivoter son corps, il se retrouva allongé sur le ventre.

Un sanglot étouffé lui parvint. Nathalie devait rêver ; cela n'avait rien d'étonnant, la pauvre chérie avait traversé tant d'épreuves ces derniers jours qu'il était miraculeux qu'elle soit encore saine d'esprit. Eh bien, il allait la tirer de son cauchemar en l'embrassant, se promit-il en rampant vers la fenêtre de Nathalie.

Il se laissa descendre et, agrippant l'embrasure, posa un pied sur le plancher. Puis il se figea : la forme sombre qu'il apercevait couchée sur le lit était trop volumineuse pour être celle d'une femme. Il sauta dans la chambre.

— Hé !

La forme se retourna et le clair de lune révéla le visage blanc d'un inconnu qui se jeta sur Zeke. Tous deux roulèrent sur le plancher.

Pris d'une rage meurtrière, Zeke fit basculer l'homme sous lui en un tour de main et lui serra la gorge.

Hors d'haleine, Nathalie regardait les deux hommes lutter. À moitié étranglé, son agresseur se débattait vainement.

— Arrête ! Zeke, je t'en prie… Tu vas le tuer ! Arrête !

Tout d'abord, Zeke ne parut pas l'entendre. Puis, lentement, il desserra les doigts et s'assit sur le ventre de l'inconnu.

— Si tu fais un geste, salopard, je t'achève.

L'homme porta la main à sa gorge, le souffle rauque. Nathalie se retenait difficilement de lui décocher des coups de pied, quand la porte de la chambre s'ouvrit à la volée. Pete entra, suivi de Naomi et de Valérie qui, une lampe à la main, semblait prête à assommer le premier venu.

— Ce salaud essayait d'étouffer Nathalie avec un oreiller, expliqua Zeke. Appelez la police avant que je ne le tue.

Valérie posa sa lampe avant de sortir en courant. Naomi alla se planter devant l'homme à terre.

— La mort est trop douce pour ce fils de pute. Qu'on me laisse cinq minutes avec lui.

Deux heures plus tard, ils se retrouvaient tous à la cuisine. Nathalie venait de calmer Chad et Rosie et de les recoucher. L'inspecteur Monroe était là, lui aussi, qui regardait la jeune femme d'un air penaud.

— Il est rare que je doive m'excuser, madame Patterson, mais j'avoue que je me trompais complètement à votre sujet.

Zeke la serrait contre lui tout en caressant les écorchures qu'elle s'était faites avec ses ongles.

— J'imagine que même les flics ont droit à l'erreur, inspecteur.

— Je ne peux vous dire à quel point je suis désolé. J'ai bien failli fiche votre vie en l'air.

— Tout est bien qui finit bien, répondit doucement Nathalie. Bien entendu, j'aurais préféré que vous me croyiez plus tôt – mes enfants auraient pu mourir, dans l'accident de voiture… Mais je comprends que votre métier n'est pas facile, et que des preuves indirectes me désignaient.

— Merci, dit l'inspecteur avec un petit sourire. Je m'en veux terriblement de vous avoir fait vivre tout cela.

— Qui est ce salopard ? intervint Zeke. Nathalie dit qu'elle ne l'avait jamais vu.

— C'est vrai. Mais, malheureusement pour elle, lui l'avait vue.

L'inspecteur consulta un petit carnet sorti de sa poche.

— Il s'appelle Mike Salisbury. Dès que nous avons commencé à l'interroger, il a craqué et tout raconté… Vous étiez sur la bonne piste, en supposant qu'il s'agissait d'un agent immobilier, poursuivit-il en regardant Zeke. Mais vos soupçons ne se portaient pas sur le bon.

Zeke passa une main apaisante sur la manche de Nathalie tandis que l'inspecteur poursuivait :

— Salisbury et Patterson avaient signé un contrat selon lequel chacun recevrait cinquante pour cent du bénéfice de la vente d'un terrain situé dans la 27e Rue. Il s'agissait d'un accord tout simple, tapé à la machine par une secrétaire et qu'aucun notaire n'avait authentifié. Le jour du meurtre, Salisbury venait de découvrir que Robert Patterson avait conclu avec le propriétaire un autre contrat, dont lui-même était exclu. Il est donc allé demander des comptes à votre ex-mari, madame, lequel a éclaté de rire en disant que le premier contrat ne valait rien. Salisbury était venu avec l'intention de le tuer, s'il n'obtenait pas satisfaction, et l'attitude de Patterson l'a tellement mis en colère qu'il est passé à l'acte.

Nathalie frissonna et s'appuya contre Zeke.

— Comme ça ? Sans autre forme de procès ?

Monroe secoua la tête.

— Il ne faut pas chercher à comprendre la nature humaine, madame Patterson. J'ai passé les trois quarts de ma carrière à me demander ce qui clochait dans la tête des gens. À froid, il est difficile de croire qu'une personne puisse commettre un meurtre pour de l'argent. Pourtant, cela se produit tous les jours que Dieu fait : acculés à une situation financière désespérée, les gens ne voient pas d'autre façon de régler le problème...

— Pourquoi Salisbury voulait-il tuer Nathalie ? s'enquit Zeke.

Monroe tourna une autre page avant de refermer son carnet.

— Il avait peur qu'elle n'ait lu son nom sur le fameux contrat et n'aille le dénoncer à la police... Sa femme est en phase terminale de leucémie. Son métier de courtier ne pouvant lui procurer des revenus réguliers, il n'avait pas de quoi s'offrir une bonne assurance maladie et, lorsqu'elle est tombée malade, les frais médicaux l'ont quasiment ruiné. Il a dû revendre sa voiture et s'acheter une vieille guimbarde. Aujourd'hui, il est sur le point de perdre sa maison. Le contrat qu'il avait signé avec Patterson lui offrait l'occasion de régler quelques factures et de donner à sa femme les soins dont elle avait besoin.

Nathalie passa la main sur ses yeux. Ses enfants avaient failli mourir à cause d'une vente de terrain... Elle comprenait la rage de Salisbury envers Robert, mais sa compassion s'arrêtait là. Chad et Rosie n'avaient fait de mal à personne.

Monroe la regarda dans les yeux avant de reprendre :

— Salisbury subissait une pression énorme et, lorsqu'il s'est aperçu que Patterson l'avait roulé, il a pété les plombs. Malheureusement, vous êtes arrivée au pire moment car, après avoir transporté M. Patterson dans le garage, il est parti en oubliant le contrat que votre ex-mari et lui avaient rédigé. Alors il a fait demi-tour ; il venait de pénétrer dans la maison lorsque vous êtes arrivée. Il s'est caché dans un placard et a attendu votre départ. Seuls ces papiers pouvaient le relier au meurtre, car il avait pris soin de se garer à distance.

— Et, quand il a vu Nathalie entrer dans le bureau, il s'est cru trahi, intervint Naomi d'un ton lugubre.

Monroe hocha la tête.

— La peur d'être suspecté l'a poussé à s'enfoncer un peu plus. J'ai vu cela un nombre incalculable de fois… Un citoyen, qui a été respectueux de la loi toute sa vie, commet soudain un meurtre puis, pour éviter d'être accusé, accumule les crimes. Salisbury ne voulait à aucun prix se retrouver en prison, car cela lui imposait d'abandonner sa femme malade et de la laisser mourir seule. Voilà pourquoi il a tenté d'empêcher Mme Patterson d'aller prévenir la police.

— Grâce au ciel, il a échoué, murmura Valérie.

— Tant mieux ! renchérit papi. C'est lui qui a scié les boulons, au club ?

Monroe jeta à Zeke un regard d'excuse.

— C'était très astucieux, de la part d'un amateur. Si la plate-forme était tombée sur Mme Patterson, on aurait sûrement conclu à un accident.

— Je vous avais bien dit qu'on les avait sciés, grommela Zeke.

— Je m'excuse de ne pas vous avoir pris au sérieux, répliqua le policier avec un haussement d'épaules empreint de lassitude. À la réflexion, c'est un miracle qu'aucune des tentatives de Salisbury n'ait réussi… On dit que certaines personnes ont des anges gardiens, acheva-t-il en regardant Nathalie. Le vôtre n'a pas chômé.

Revoyant Frank enfoui sous les gravats, elle frissonna. Le piano lui avait sauvé la vie, certes, mais il avait néanmoins été gravement blessé. Sans la réaction de Zeke, elle-même aurait été tuée. Peut-être, en effet, avait-elle un ange gardien.

— Comment Salisbury a-t-il repéré la fenêtre de Nathalie ? s'étonna Pete. Il aurait pu entrer chez Valérie.

— La nuit où il a saboté la voiture de votre fille et s'est fait pourchasser par le jar, Mme Patterson est allée à sa fenêtre : il l'a entendue crier et l'a clairement vue au clair de lune. Alors, voyant que ses tentatives pour l'éliminer tout en simulant un accident avaient échoué, il a eu recours à l'agression personnelle...

Nathalie toucha sa gorge. Grâce au ciel, Zeke était arrivé à temps.

Monroe continuait à parler, mais sa voix parut soudain lointaine à la jeune femme, qui cessa de se concentrer sur ses propos. Elle en avait assez entendu. Tout était fini. À présent, elle ne désirait plus qu'une chose : tourner définitivement la page sur toutes ces horreurs.

Peu après, ses parents raccompagnèrent l'inspecteur à la porte et lui souhaitèrent une bonne nuit. Lorsqu'ils regagnèrent la cuisine, un grand silence se fit. Les yeux errant dans le vide, tous restaient immobiles sur leurs chaises. Même papi semblait en panne de commentaires.

Valérie brisa enfin le silence.

— Comment un type parfaitement normal, qui n'a jamais enfreint la loi, peut-il tout d'un coup perdre la tête au point de tuer quelqu'un ? Pis, comment a-t-il pu ensuite s'en prendre à Nathalie, qui ne lui avait rien fait ?

— Cet homme a dû subir un stress épouvantable pendant une longue période, tempéra Zeke. Voir mourir un être aimé est une épreuve terriblement douloureuse... Ajoute à ceci des problèmes financiers et la trahison de Patterson, qui le privait de l'argent nécessaire pour soigner sa femme... Des quantités de gens auraient cédé à la folie.

Naomi planta les coudes sur la table.

— Ma mère est morte d'un cancer, et j'ai vu comment sa maladie a transformé mon père, dit-elle en

368

regardant Nathalie. Tout ce pour quoi il avait travaillé a été englouti dans les frais médicaux. Et lui-même a changé. De jovial et insouciant, il est devenu coléreux et hargneux. Une nuit, la police m'a appelée : on l'avait arrêté pour vol à l'étalage. Mon père, qui avait toujours été l'honnêteté même, avait volé du Maalox pour soulager les brûlures d'estomac de ma mère...

Pete hocha la tête.

— Je m'en souviens. Quand nous l'avons ramené à la maison, il s'est assis sur le canapé et s'est mis à pleurer comme un bébé. Tout ce qu'il était, tout ce dont il s'était enorgueilli lui avait été arraché... Mais il n'aurait jamais tué personne.

— Monroe peut dire ce qu'il veut ; à mon avis, celui qui en vient au meurtre avait déjà des pulsions de violence, déclara sentencieusement Valérie.

Papi approuva cette théorie, et tous se remirent à discuter des événements de la soirée.

— Je suis désolée, s'écria soudain Nathalie, mais je ne veux plus parler de ça, d'accord ? Ça a eu lieu, c'est fini et maintenant il faut aller de l'avant.

— Amen, lâcha sobrement papi.

Naomi se leva pour faire du thé et Valérie disposa des cookies sur un plat, tandis que Pete sortait sa réserve de bourbon pour en verser un verre à chacun. Et la conversation partit sur d'autres sujets, plus banals – le temps, le gond d'un placard qu'il aurait fallu remplacer, l'exposition de matériel agricole prévue pour la semaine suivante...

Trente minutes plus tard, Nathalie et Zeke sortirent sous le porche. Il la prit dans ses bras et l'étreignit doucement.

— Tu es épuisée, observa-t-il. Je vais rentrer chez moi.

— J'ai besoin de toi, ce soir, dit-elle en serrant le poing sur sa chemise.

Il lui caressa le dos, et son pouce dénoua les muscles crispés de la jeune femme.

— Si je viens, tu me promets de dormir ? Tu trembles tellement que ça me fait peur.

Nathalie passa les mains sur les épaules de Zeke. Il avait raison, le choc et l'épuisement la faisaient trembler. Qu'il le réalise l'émouvait terriblement.

— Oh, Zeke, je t'aime tant !

— Monte dans ta chambre, Lumière des Yeux, lui susurra-t-il au creux de l'oreille. Je vais t'y retrouver.

— Pourquoi ne montes-tu pas avec moi comme une personne normale ? Tout le monde sait que nous allons nous marier… Pop ne dira rien. Vraiment. Il sait.

— Ce qu'il suppose et ce qu'il sait sont deux choses différentes. Si tu étais n'importe quelle autre femme, je monterais avec toi, mais tu ne l'es pas. Et ne me traite pas de vieux schnock démodé, d'accord ? Tu vas être ma femme ; je dois penser à ta réputation.

Nathalie rit de bon cœur, malgré sa fatigue.

— Ma réputation… Je vois.

— Tu es unique, reprit-il en embrassant le bout de son nez. Tu es la mère de mes enfants, ceux qui sont déjà nés et ceux à venir. Je ne veux pas qu'on leur raconte que leur père a goûté le lait avant d'acheter la vache. Je veux qu'ils te croient au-dessus de tout soupçon.

— Seigneur, j'épouse l'homme de Neandertal ! soupira-t-elle en nouant ses doigts sur la nuque de Zeke.

— Il a été prouvé que nous ne descendons pas de lui.

— N'ergote pas. Tu es archaïque.

— Tu ne veux plus de moi ?

— Je vous garde, monsieur Coulter, et je me charge de corriger vos principes ridiculement démodés.

— Bonne chance ! lança-t-il en riant. Ils sont profondément enracinés. Si mon père savait que nous avons forniqué sous le toit paternel, il me botterait les fesses : selon lui, un homme vraiment amoureux doit sauter dans le mariage sans demander d'abord à y goûter.

— Et tu n'es pas amoureux à ce point ?

Il inclina la tête et lui mordilla la lèvre.

— Si. Le jour où j'ai sauté, c'est lorsque j'ai affirmé aimer le tapioca. Depuis, il n'a plus été question de faire demi-tour.

Nathalie le croyait. Aussi longtemps qu'il respirerait, cet homme serait à ses côtés.

— Pour moi non plus, il n'est pas question de faire demi-tour, souffla-t-elle.

Il porta sa main à sa bouche et y déposa un baiser.

— Pour toujours et à jamais, murmura-t-il.

Puis il disparut dans l'obscurité.

Nathalie sourit. Il l'attendrait dans sa chambre. Le cœur en fête, elle rentra dans la ferme.

Épilogue

Zeke pressa l'accélérateur du pied. Ils étaient enfin mari et femme ! La cérémonie était derrière eux, et le reste de leurs vies devant, avec pour commencer une lune de miel au bord de la mer, avec chambre donnant sur l'océan, longues promenades à marée basse et ébats amoureux loin de Rosie.

Ils adoraient la petite fille, mais elle avait le chic pour débouler dans la chambre de sa mère aux moments les plus délicats. Zeke la traitait de petit minuteur défectueux, appellation que Nathalie ne pouvait rejeter, même si Rosie incarnait la plus charmante des interruptions.

— Je t'aime, dit-elle en se serrant contre lui.

— Prouve-le.

Nathalie réfléchissait à la meilleure façon de le faire sans que la voiture bascule dans le fossé lorsque son portable sonna. Elle lui jeta un regard noir. C'était sa lune de miel… Sa première et unique lune de miel, bon sang !

— Et si je le laissais sonner ?

Zeke jeta un œil au maudit appareil qui les reliait à leurs proches.

— Chad a pu se casser le bras, il vaut mieux répondre.

Nathalie soupira en prenant le téléphone.

— Allô ?

— C'est moi, maman.

— Qu'y a-t-il, chéri ? Tout va bien ?

— Oui. Je voulais juste te dire que j'ai changé d'avis : je ne veux pas un tee-shirt des Grottes du Lion Marin, mais un chapeau Brandon.

— Bon. C'est tout ? demanda Nathalie, qui entendait ses parents se chamailler dans l'arrière-fond. À propos de quoi Pop et Grammy se disputent-ils ?

— Rien de grave. Papi ne veut pas dépenser de l'argent pour un lave-vaisselle et Grammy menace de repartir s'il n'y en a pas.

Nathalie sourit. Son père aimait trop son ex-femme pour vivre sans elle.

— Comment va Rosie ? s'enquit-elle.

— Elle va bien. Mais n'oublie pas, maman, je voudrais un chapeau Brandon.

— Je m'en souviendrai, promit-elle. S'il se passe quelque chose, tu as notre numéro.

— Je t'aime, maman.

Nathalie souffla un baiser dans l'appareil.

— Moi aussi, je t'aime.

Elle éteignit l'appareil et tourna la tête pour embrasser Zeke, mais se retrouva nez à nez avec une grande enveloppe marron.

— Qu'est-ce que c'est ? fit-elle, ahurie.

— Ouvre-la. C'est un cadeau de mariage de dernière minute, quelque chose qui t'empêchera d'oublier cet instant.

Nathalie prit l'enveloppe et lut le nom de l'expéditeur.

— Société Granger ? Qu'est-ce que c'est ?

— Ouvre, je te dis, répondit-il avec un sourire satisfait.

La jeune femme déchira l'enveloppa du pouce avant d'en sortir une liasse de papiers – une sorte de contrat, apparemment, sur lequel figurait le titre de sa chanson, *Si seulement*.

— Qu'est-ce que c'est ? répéta-t-elle pour la troisième fois.

— C'est un contrat de vente, madame Coulter. J'ai envoyé ta chanson à plusieurs agents, et l'un d'eux l'a vendue à un artiste, Roger Granger.

Et pas n'importe quel artiste ! se réjouit Nathalie. Roger Granger était le nouveau phénomène de la musique country.

— Je n'en reviens pas, souffla-t-elle, trop émue pour déchiffrer le texte imprimé. Tu plaisantes, non ?

— Ce genre de chose arrive, quand on écrit des paroles géniales sur une musique émouvante. Granger l'aime beaucoup ; il a envie d'en faire un duo. Du coup, il faudrait que tu écrives de nouvelles paroles… Te voilà lancée, mon amour !

Un chèque glissa de l'enveloppe sur les genoux de Nathalie, qui éclata de rire en en déchiffrant le montant.

— C'est forcément une plaisanterie…

— Non, assura Zeke en lui jetant un coup d'œil.

Nathalie recomptait les zéros du chèque avec ébahissement.

— L'agent a déjà prélevé ses dix pour cent. Il ne te reste plus qu'à signer, chérie.

— Oh, Zeke !

Il sourit et se pencha pour lui donner un baiser rapide.

— Je te l'ai déjà demandé et je te le demande à nouveau : qu'est-ce que tu fabriques dans ce trou paumé de Crystall Falls ? Tu es faite pour Nashville, chérie. Ici, tu perds ton temps.

Nathalie savait fort bien ce qui la retenait à Crystall Falls. Le trésor de sa vie était assis à côté d'elle, un homme beau et loyal qui l'aimerait toujours, même si elle laissait le dîner carboniser, et qui croirait en elle, même si elle-même doutait.

Toute sa vie, elle avait eu des chansons dans le cœur, mais cet homme était la plus belle de toutes – une douce mélodie qui lui était venue alors qu'elle s'y attendait le moins, ainsi que le faisaient ses meilleures compositions. Sauf qu'elle n'avait pas besoin d'en réécrire des passages pour atteindre la perfection.

Il lui était arrivé déjà parfait.

Romance
d'aujourd'hui

Retrouvez l'autre nouveauté de la collection
en magasin :

Le 19 janvier :

Le bonheur retrouvé ⊗ Lori Foster (n° 7865)

Un jour, Bruce défend Cyn, une femme qui manque d'être agressée, et lui propose de la conduire dans la bourgade où il vit. Cyn a aujourd'hui assez d'argent pour repartir de zéro : alors, pourquoi pas là-bas ? Bruce réalise qu'ils sont faits l'un pour l'autre, mais le passé de Cyn la rattrape...

Découvrez les prochaines nouveautés de la collection :

Le 17 mars :

Teresa à tout prix ⊗ Deirdre Martin (n° 7948)

Dans le cadre de son travail, Teresa doit réhabiliter un restaurant italien. Michael, le manager, ne l'a pas oubliée depuis leur rencontre lors d'un mariage, deux ans auparavant. Et va tenter de la séduire à tout prix. Mais pour Teresa, pas question de tomber dans les bras d'un macho au sang chaud, si séduisant fût-il !

Brûlant comme la braise ⊗ Shannon McKenna (n° 7949)

Simon Riley retourne dans la petite ville de son enfance après le suicide de son oncle, et retrouve El, son premier amour. Seulement celle-ci est maintenant fiancée à Brad. Il se résigne donc à renoncer à elle. Mais il semblerait que la famille de Brad ait joué un rôle dans la mort de son oncle...

Nouveau ! 2 titres tous les deux mois
aux alentours du 15.

Retrouvez également nos autres collections :

Passion intense

Quand l'amour vous plonge dans un monde de sensualité

Le 19 janvier :

La captive d'Istanbul ❧ Bertrice Small (n° 3613)
Dans les bains de marbre et de mosaïque, les femmes du harem se prélassent. Le prince Selim contemple l'exquis tableau offert à ses yeux. Son regard se fixe sur la nouvelle arrivée : Cyra. Enlevée au large de l'Italie, instruite aux arts de l'amour, elle seule saura ensorceler ses nuits…

Une femme nommée désir ❧ Melanie George (n° 7863)
Caine vit dans la maison familiale qu'a laissée son père criblé de dettes à Olivia. Olivia, qui contraint Caine à être son amant. Furieux et humilié, il voit son salut en l'arrivée d'une jeune Française. La perfide Olivia le met au défi de séduire la jeune femme, en usant et abusant de son pouvoir sexuel…

> *Nouveau ! 1 rendez-vous mensuel
> aux alentours du 15 de chaque mois.*

Comédie

Le 17 février :

Baby-sitter malgré lui ❧ Robin Wells (n° 7895)
Quand Holt débarque dans le studio de radio de Stevie pour lui demander de l'épouser, il y a de quoi être dérouté… Elle ne le connaît même pas ! Mais la seule chose capable de calmer le bébé dont Holt vient d'hériter est la voix de Stevie, alors il fallait foncer !

Liz contre-attaque ❧ Jane Heller (n° 7896)
Le jour où vous ne reconnaissez plus l'homme de votre vie, celui qui vous avait éblouie, vous vous dites : « Si seulement il changeait ! Si seulement je pouvais le changer ! » Pour sauver mon mariage, j'étais prête à tout. J'ai fait la plus grosse bêtise de ma vie : utiliser une potion magique…

> *Nouveau ! 2 titres tous les deux mois
> aux alentours du 15.*

Le 3 janvier :

À toi jusqu'à l'aube ❧ Teresa Medeiros (n° 7856)

Pour impressionner Cecily, Gabriel rejoint la marine. Il revient blessé, aveugle et aigri. Sa famille engage Samantha Wickersham pour le soigner. Grâce à son caractère vif, elle obtient la guérison de Gabriel : il veut vivre ! Il désire aussi la connaître mieux. Mais il ignore que Samantha a un secret...

Un mariage de convenance ❧ Kathleen E. Woodiwiss (n°7857)

Promis dès l'enfance, Colton et Adriana se retrouvent seize ans plus tard. Colton, opposé aux projets matrimoniaux de son père, est très attiré par la beauté qui apparaît devant lui. Adriana, elle, pense encore au « beau chevalier » de son enfance. Au cœur des intrigues, l'amour l'emportera-t-il ?

Le 19 janvier :

Les frères Malory - 1 : Le séducteur impénitent ❧ Johanna Lindsey (n° 3888)

Nick lance sa monture vers la jeune femme, la saisit par la taille et la jette en travers de la selle. Bien joué ! Il lui enfonce un mouchoir dans la bouche et la ligote : une maîtresse infidèle ne mérite pas d'autre traitement ! Chez lui, Nick, stupéfait, découvre la vérité : qui est cette inconnue ?

L'ange de minuit ❧ Lisa Kleypas (n° 4062)

Saint-Pétersbourg, 1870. Coupable de meurtre, Tasia ne se souvient de rien. Elle parvient à s'enfuir la veille de son exécution et se fait engager comme gouvernante en Angleterre. Face à un homme habitué à régner en maître et à obtenir tout ce qu'il veut. Y compris la ravissante Tasia...

La favorite du pharaon ❧ Judith E. French (n° 7862)

Kayan apprend que l'amour de sa vie a été tuée ! Il jure de se venger. En vérité, Roxane est en vie mais amnésique. Favorite du pharaon, elle est retenue captive et se méfie des épouses royales qui veulent l'éliminer. Un jour, Kayan se présente à la cour et reconnaît sa princesse...

Nouveau ! 2 rendez-vous mensuels
aux alentours du 1ᵉʳ et du 15 de chaque mois.

Et toujours la reine du roman sentimental :

Barbara Cartland

Le 3 janvier :
L'amour comme dans un rêve (n° 7861)
Lady Toria (n° 3236) - Collect'or

Le 19 janvier :
Lilas blanc (n° 2701)

Nouveau ! 2 rendez-vous mensuels
aux alentours du 1ᵉʳ et du 15 de chaque mois.